D0800049

Le Navire d'Acoma

Du même auteur

Erick, l'Amérique, tome I, roman, Montréal, Éditions Québec/Amérique, 1993.

Marc Degryse

Le Navire d'Acoma

(Erick, l'Amérique, tome II)

r o m a n

ÉDITIONS QUÉBEC/AMÉRIQUE

425, RUE SAINT-JEAN-BAPTISTE, MONTRÉAL (QUÉBEC) H2Y 2Z7 (514) 393-1450

Données de catalogage avant publication (Canada)

Degryse, Marc, 1944 –
Le Navire d'Acoma
(Collection Littérature d'Amérique)
Suite de : Erick, l'Amérique.

ISBN 2-89037-864-0
II. Titre. II. Collection.
PS8557.E3725N38 1995   C843'.54   C95-941350-2
PS9557.E3725N38 1995
PQ3919.2.D43N38 1995

*Les Éditions Québec/Amérique bénéficient du programme de subvention globale
du Conseil des Arts du Canada.*

Dépôt légal : 3e trimestre 1995
Bibliothèque nationale du Québec
Bibliothèque nationale du Canada

Mise en page : Folio infographie

IMPRIMÉ AU CANADA

Und wohin wollen wir denn ? Wollen wir denn über das
Meer ? Wohin reisst uns dieses mächtige Gelüste,
das uns mehr gilt als irgend eine Luste ?
Warum doch gerade in dieser Richtung, dorthin, wo bisher
alle Sonnen der Menschheit untergegangen sind ?

FRIEDRICH NIETZSCHE. *Morgenröthe*

(« Et où voulons-nous donc aller ? Voulons-nous donc
franchir la mer ? Où nous entraîne ce puissant désir,
qui l'emporte sur toute autre passion ? Pourquoi justement
dans cette direction, là-bas, où jusqu'à présent tous les
soleils de l'humanité se sont couchés ? »)

FRIEDRICH NIETZSCHE. [*Aurore*, trad. M.D.]

La ligne droite est un labyrinthe...

The eye is the first circle ; the horizon which it forms is the
second ; and throughout nature this primary figure is repeted
without end. It is the highest emblem in the cipher of the world.

RALPH WALDO EMERSON
(Museum of Westward Expansion, St. Louis, Missouri)

ERICK, L'AMÉRIQUE. Vingt-quatre heures à New York.

On est en 1984. Markus ou Mk, un Français qui vit à Montréal, vient d'avoir quarante ans.

En route pour San Francisco où il retourne avec l'intention de s'y installer, il fait un arrêt à New York où il a rendez-vous le lendemain soir avec un certain Erick dont il a reçu inopinément un télégramme la veille de son départ. Cette halte va constituer pour lui l'occasion de rappeler les événements qui sont à l'origine de son histoire avec Erick, ami dont il était à la recherche depuis près de vingt ans. Pendant la soirée, déambulant à Times Square, il retrouve le fil des souvenirs de cet été de 1965 où, travaillant comme journalier à Titisee, petite ville de cure thermale de Forêt-Noire en Allemagne, il avait fait la rencontre de diverses personnes dont un certain Erick qui, par son charme, par le mystère de ses activités et l'étrange rôle qu'il semblait tenir dans la station exerçait un effet de fascination sur le petit milieu cosmopolite qui l'habitait.

Pour Mk, la rencontre d'Erick est une révélation. Celui-ci l'ouvre à la culture, à la langue et à la littérature allemandes, à une vision du monde et de la vie qui aident Mk à prendre conscience des enjeux de sa propre existence. Le point culminant des événements de cet été-là survient lors d'un voyage de Mk à Constance avec Erick où, constatant leurs affinités, ils font le serment de tout rompre pour partir à l'aventure vers l'Orient. À la fin de l'été, ils décident de se préparer chacun de leur côté et de se retrouver quelques semaines plus tard pour entreprendre le grand voyage. Ils ont vingt ans.

Le lendemain matin à New York, Mk fait la rencontre d'une vieille émigrée juive qui lui raconte son arrivée à Ellis Island alors qu'elle n'était qu'une enfant – bref moment qui relie Mk aux sources du mythe de l'Amérique.

Alors, à pied depuis Battery Park, tout au sud de Manhattan, jusqu'à un appartement près de Central Park où l'attend Erick, Mk parcourt les avenues et sommets de New York – depuis le cœur des forêts de Souabe en Allemagne jusqu'aux steppes du Mexique en passant par les côtes du Brésil –, essayant de comprendre ce qui s'est passé dans leur vie depuis vingt ans.

Pendant le parcours le souvenir se déplace au Mexique, en 1970, où eut lieu sa dernière tentative de retrouver Erick. Depuis les événements de Mai 68, auxquels il avait activement participé, le mouvement de toute une génération l'avait amené en Amérique pour la première fois, et il découvrait à San Francisco de nouvelles perspectives et la possibilité de vivre selon de nouvelles valeurs. Se rendant ensuite au Mexique pour explorer les vestiges des civilisations préhispaniques, il fait la connaissance de personnages plus ou moins aventuriers et liés à Erick, sans parvenir à résoudre le mystère de sa disparition. C'est à l'occasion d'une révélation de Mk à un compagnon de voyage qu'on apprend pourquoi l'aventure vers l'Orient n'a jamais pu se réaliser : la rencontre à Grenoble de Cornélia, l'Américaine, la fuite subite et inexpliquée d'Erick en Amérique du Sud, l'échec de leur rendez-vous au Brésil (Mk avait fait le voyage jusqu'à Pôrto Alegre, mais avait renoncé au tout dernier moment, préférant revenir vers Cornélia). Mk a gardé de cet épisode la culpabilité d'une trahison de leur serment de Constance, et donc de la trahison du rêve de leur vie.

Pendant le voyage mexicain Mk découvre l'implication mercenaire d'Erick dans des opérations de trafic de réfugiés, et il comprend que l'espoir de retrouver son ami a perdu toute signification. Il décide de rentrer en France pour terminer ses études et poursuivre à Grenoble son engagement parmi les groupes militants.

Dans ce premier volume, quand Mk arrive au rendez-vous, le soir à New York, l'histoire avec Erick a été reconstituée, les parcours opposés d'une même génération – de la guerre d'Algérie à la fin des militantismes – entrevus, et, sur le point de frapper à la porte, il se demande si cette rencontre, vingt ans trop tard, a encore du sens pour lui.

TROISIÈME PARTIE

L'AMÉRIQUE

PREMIER
CAHIER

DIMANCHE 17 JUIN, PENNSYLVANIE. SOIR 22 H. (Motel *Epirus'
End*, à dix milles d'Harrisburg sur la route *22*, parallèle à
l'*Interstate Highway 81*.)

Erick s'est éloigné, puis il a fait un dernier geste, et j'ai
commencé à marcher de mon côté, les jambes tremblantes. Le
jour était maintenant complètement levé sur Manhattan. Au
bout de la rue, Central Park baignait dans une humidité tiède
et le contour indécis des gratte-ciel dépassait des arbres enve-
loppés de bruine. Je ne savais plus ce qui m'emportait, de la
souffrance ou du vide qui s'ouvrait sous moi. Erick encore à
quelques mètres, certainement pour la dernière fois... Aucun de
mes pas, jamais plus, ne me rapprocherait de lui ni même ne
pourrait m'en donner l'illusion.

Un taxi me déposa dans l'insolite quiétude du dimanche
matin à Times Square. Les carcasses des immeubles se dressaient contre un ciel bleu noir où, se déversant des hauteurs
invisibles, le jour s'insinuait en de lents écoulements, diluant
au passage l'éclairage des enseignes. Au pied du Times Building, des clochards dormaient sur les grilles du métro, enroulés
dans des toiles de plastique. En face, des gens attendaient
l'ouverture du *Burger King*. Un camion d'éboueurs attaquait le
coin de la 42ᵉ Rue. Sous les auvents des cinémas, des groupes
de Noirs occupaient les larges trottoirs en discutant bruyamment, indifférents aux policiers de la patrouille de nuit. Un
homme foulait les détritus du caniveau en émiettant des tranches de pain pour les pigeons.

La grosse boîte postale bleue devant le bureau du *Port
Authority* m'a rappelé ma lettre à poster (que je traînais depuis

vendredi soir). La section *Out of Town* n'affichait qu'une unique levée dominicale pour l'étranger. L'enveloppe fripée disparut sans recours, bouteille que l'on jette à la mer avant le franchissement du détroit. Acheté le *New York Times* à un camelot près de la guérite du *Park-and-Lock*. Au fond des sous-sols de béton, la voiture redevint l'enclos protecteur de ma liberté recouvrée, relents de cendre froide et de journaux humides. Rassuré, et saisi d'une impatience fébrile, je mis le contact. Sortir de là au plus vite... D'étage en étage, salle après salle, le circuit en spirale se mit à tournoyer sans fin, jusqu'à la courte pente du *last exit*, où la voiture se cabra un instant, et ce fut enfin la rue.

Fuir le plus loin possible, avant que la ville ne s'éveillât – et ne m'empoignât... Entr'aperçu au coin de la 8e Avenue, un corps gisait recroquevillé sous des couvertures : était-ce Milevna ? Il y avait si longtemps, déjà... Vers le sud, noyée de rosée, Broadway s'étirait en une coulée argentée tout au long de laquelle les papillotements mouillés des feux de circulation, désynchronisés, se répercutaient à l'infini. Secoué par les cahots, dans le brimbalement des casseroles et les hurlements de la radio, je filais en fixant la pâle ouverture du jour qui là-bas permettait d'entrevoir la délivrance... Sur les franges de mon champ de vision, les rues succédaient aux rues avec une célérité rassurante. D'éphémères silhouettes glissaient aux carrefours, vite estompées. L'urgence d'en finir embuait ma mémoire immédiate, brouillait l'instant de la déchirure d'un vacarme apaisant. L'obsédante répétition : quitter les siens, partir des villes pour échapper à l'étreinte du labyrinthe, à la mort qui ronge...

À l'entrée du Holland Tunnel, c'est le monde entier qui, dans la lenteur du mouvement, semblait se presser dans l'entonnoir du gouffre qui s'ouvrait au bout de l'île. Inspirant à fond, le cœur battant, je me laissai aspirer par les vapeurs de soufre et le voile huileux des profondeurs.

▼

Le chat donne des coups de patte à mon stylo, ce qui barre
la page de traits saccadés. Ce cahier neuf, acheté hier dans
Madison Avenue. *ONWARD, Narrow Ruled and Margin.*
National EAGLE LINE Product, Holyoke, Mass. D'un vert
d'espoir : bon signe pour un journal de voyage. Le motel est
constitué de simples « blocs » dispersés sous les arbres d'une
pinède. Une allée les relie à l'habitation du propriétaire, un
Grec d'un certain âge qui vit seul. Quand je suis entré dans la
cour, celui-ci est apparu sous la pluie pour retenir son chien
qui, agressif gardien de l'entrée, refusait de me laisser passer.
« Foutu dimanche..., me lança-t-il en retenant l'animal. Entrez,
ils sont tous repartis avec ce temps. Vous aurez le choix ! »
    Je suis effectivement le seul occupant. Le chien s'est réfu-
gié dans sa niche. Au-delà d'une rangée d'arbres, on peut
apercevoir les halos des lampadaires du poste de péage. Tout
est calme. Les chatons jouent dans ma valise ouverte. Leur
maître m'en a offert un, lorsque, à mon arrivée, ils ont bondi
autour de mes chevilles. Mais que faire d'un chat en voyage ?

▼

    À l'intérieur assourdissant du tunnel, un son émergea des
grésillements de la radio, une musique qui m'était connue et
qui se précisait par vagues, le *Stabat Mater* de Pergolèse.
Quoique étouffée, la puissance des voix déroulait dans le chaos
un filet de clarté auquel je me raccrochai, agrippé au volant, le
corps tendu comme pour arracher de force la voiture à ces
ténèbres bruyantes qui n'en finissaient pas. Dans le grondement des machines, les sonorités saccagées me tiraient vers la
lueur qui pointait au loin – et où devait m'attendre une fois
encore l'Amérique.
    Tout se précipita et ce fut l'expulsion brutale. Le tin-
tamarre souterrain se dissipa d'un coup, et, comme sous l'effet
d'oreilles qui se débouchent, la cantate jaillit en même temps
que le jour revenu, trop claire et trop forte. Mon geste brusque
fit sauter le bouton de la radio. L'oppressante verticalité de
Manhattan fit place à l'espace illimité d'un ciel chargé qui

recouvrait l'enfer industriel de Jersey City avec ses raffineries, aciéries, entrepôts, voies ferrées, et l'enchevêtrement de ses ponts... Un flot continu de véhicules me débordait de part et d'autre, se divisait, s'entrecroisait, se démultipliait devant moi – tandis que de lourdes gouttes se mettaient à consteller mes vitres.

Après quelques milles, les directions s'embrouillèrent : l'amorce de la *78-WEST*, que je devais suivre, se fourvoyait quelque part vers Springfield, la *22* retombait sur la *Garden State Parkway*, mais uniquement vers le nord, et sans raccordement sur une quinzaine de milles. Il fallut revenir par la bretelle sud, au bas de laquelle un panneau indiqua : *HOLLAND TUNNEL, 20 miles*. Mais aucune mention des itinéraires vers l'ouest... Avant le pont de fer déjà franchi dans l'autre sens, et afin de l'éviter, j'empruntai une rampe secondaire, m'égarant dans les rues en impasse d'une banlieue résidentielle plongée dans une complète léthargie. Les rares ombres pressées que je sollicitais fuyaient sous la pluie. Sillonnant au hasard les artères, j'entrevis enfin l'annonce de la *287-WEST* dans un rond-point. Mais il ne s'agissait que d'une rocade qui allait reprendre la *78-EAST*, donc de nouveau vers New York.

Impatient, j'ai quand même bifurqué au premier embranchement, et roulé le pied écrasé sur l'accélérateur. Mais rien ne correspondait, les bretelles se refermaient les unes sur les autres ou me ramenaient implacablement sur les voies métropolitaines, comme si l'attraction d'une force magnétique (maléfique ?) rendait impossible la sortie du cercle new-yorkais. Les essuie-glaces ne réussissaient plus à balayer les trombes qui frappaient le pare-brise, et la terre tout entière n'était plus qu'une forme incertaine dégoulinant derrière les vitres embuées.

Sans plus de repères, je dus m'arrêter sur le bas-côté. Au-dessus des campagnes étouffées de brumes, le plafond de nuages rasait les bois et les hameaux, pressait de tout son poids sur la fragilité du paysage. L'horizon en était tout aplati, comme résigné. Plus loin, la chaussée se séparait en deux, sans

aucun signe de destination. Il fallait pourtant essayer, vaincre
l'opacité généralisée, trouver enfin le passage vers les étendues... Je suivis au jugé le gros du trafic, c'était ma dernière
chance. Mais il semblait qu'en s'enfonçant de ce côté, tout
demeurât immobile, tels ces rêves où, courant à perdre haleine,
on a la pesante sensation de faire du surplace.
Une jonction s'opéra bientôt dans un afflux de voitures
surgissant de la droite. La percée, soudaine et inattendue, me
rendit l'espoir, qu'une plaque me confirma peu après : la *78-
WEST* retrouvée, enfin !

Plus tard dans la journée, il me fallut renoncer à la *highway* fermée par des travaux et prendre par les petites routes ;
croisant toute la journée des villages fantômes ; me traînant le
long de chantiers routiers abandonnés ; dérouté par d'intermi-
nables déviations qui me promenaient dans des zones urbaines
sales et tristes. L'État des fermiers et des descendants des
premiers colons... À presque tous les postes de radio locaux,
des prédicateurs, tels des marchands de savonnettes célestes ou
d'aspirateurs à misère, harcelaient les populations rurales de
leur alléchant contrat : « vie éternelle », « rien à perdre »,
« tout à gagner ». « *Accept God's Gift...* », comment ne pas
dire « Oui, je le veux... » ? Et voilà la misère peinte de couleurs éclatantes, et voilà que la Lumière envahit les étables, les
usines, les caves de notre malheur. *Jesus Save...*
Région aux noms germaniques, Strassburg, Schubert,
Rheinhard... La Pennsylvanie des hommes forts venus des
plaines bavaroises ou des massifs du Harz, les cent mille
« rustres du Palatinat » dont se plaignait Benjamin Franklin et
qui luttaient farouchement sur la jeune frontière en rêvant
d'une république qui serait allemande. Le relief des lointains
ressemblait parfois aux collines de Souabe et me rappelaient
les retours de Lahr avec Sonny, Sonny le Juif qui écoutait
Strauss...
Et lorsque, enfin, je rejoignis l'autoroute, le jour déjà
sombre avait fini de s'éteindre sans que rien n'eût été atteint,
ou accompli. Sinon d'avoir avancé de cent ou deux cents

milles sur les trois mille milles qui me séparent du but... Ce ne fut plus alors qu'une longue cascade nocturne ponctuée par les phares et les clignotements des errants qui comme moi fonçaient vers l'inconnu. Je ne sais combien d'heures j'ai ainsi roulé, tandis que le déluge ne cessait de confirmer le désastre, la route de s'enliser dans la harassante épaisseur d'un cauchemar, et le monde de paraître sans issue...

Enfin soustrait à la pesanteur new-yorkaise, je suis ici, au milieu des vallons et forêts des Alleghenies, à 170 milles de New York. Loin du rendez-vous, loin de l'épreuve. Et je ne sais pas ce que je pense. Rien sans doute. Comment avoir cru qu'il suffisait de traverser l'Hudson ? qu'une fois libéré du monstre, ce serait l'Amérique à nouveau ? A-t-elle jamais existé ailleurs que dans mon désir ? Une phrase de Nizan me revient : « Le voyage est une suite de disparitions irréparables. » Lourdeur du corps, dégoût et désordre. La rencontre a-t-elle eu lieu ? Comment ? Les années s'entrechoquent dans ma tête, bouleversées par les aveux de la nuit dernière, et la route continue à trépider en chacun de mes muscles. Dans le miroir, tout à l'heure, j'essayais de retenir l'infime battement spasmodique qui faisait cligner mes yeux. Ce visage, tout à coup, c'était quelqu'un d'autre qui me regardait.

Les nouvelles de *ABC News* (télé noir et blanc). « *Top of the news* » : le décès du cheval Swale, vainqueur du derby du Kentucky.

Ce soir, la fin d'une longue histoire... J'ai peur que l'Amérique qui m'a fait vivre en demeure pour toujours contaminée, malade, condamnée. Une dérive, la nausée, la sensation d'une noyade. Je suis au fond. Le bout des eaux...

▼

Lancinante douleur, réveillée...

Où était-ce ? *Xul-Ha'*... Un rivage. Au Mexique sur les traces d'Erick. Le dernier soir à Isla Mujeres, sur la terrasse encore en chantier de l'hôtel des Selvas, les amis du gouverneur, qui ont organisé cette fête. Les couples dansent déjà sous les flammes des torches de résine aux sons d'un ensemble de *mariachis*, trompettes au vent. Une imperceptible lueur s'attarde sur le détroit.

Selvas et sa femme, Estella, nous ont accueillis comme des hôtes de marque. Mes compagnons de route sont occupés : déjà Jenny s'est engagée dans une discussion passionnée avec le jeune promoteur. Verre en main, Bill, l'ami américain, exulte, ravi par l'excursion de l'après-midi jusqu'au phare maya. Nos teints hâlés par les vents ont ces reflets cuivrés qui nous donnent l'allure d'explorateurs de passage. Charles a entrepris de séduire une superbe Mexicaine avec son espagnol balbutié et ses nasales d'ouvrier parigot. Reine a la tête appuyée sur l'épaule du gouverneur, son mari, comme pour se faire pardonner auprès de lui la journée passée à mes côtés. Quand son regard croise le mien, rien n'y subsiste de notre intimité de l'après-midi – sinon un soupçon d'inquiétude. Craint-elle de m'en avoir trop dit par ses révélations sur Erick ? Erick qui me glisse encore entre les doigts, disparu, sans doute réfugié au Canada... (Et la pensée qui s'imposait tout à coup ce soir-là, névralgique, que, plus je m'obstinais à vouloir le retrouver, plus se dessinait, sous d'autres couleurs, un personnage avec lequel je n'avais rien à voir, et plus se trahissait l'évidence que nous n'appartenions déjà plus, lui et moi, aux mêmes territoires...)

Le méchoui grille au-dessus du sable, et, sous la conduite de Tulo, le vieux serviteur du gouverneur, des garçons en découpent des tranches qu'ils placent sur des assiettes de carton, à l'américaine. Une fille se serre contre Bill.

À portée de l'alignement des pâtisseries, la petite Chantal, la fille de Reine, me fait signe, les joues barbouillées de crème. Elle sort de sa poche un morceau de carton plié en quatre. C'est la carte postale d'Istanbul. « Tulo me l'a donnée... Tu la veux ? » Je n'y tiens pas, alors elle épelle pour elle-même les mots qu'Erick avait adressés au fidèle serviteur, lentement, comme on déchiffre une formule magique : « Savoir qu'il existe de tels lieux permet aux vieilles illusions... »

Je ne veux pas l'écouter. Je me tourne et observe les autres, c'est une fête triste, une fête déplacée. Il ne me reste plus rien à apprendre de cette odyssée mexicaine. Le cercle de la danse se referme sur moi, et c'est Jenny qui me cueille au vol. Dans le tourbillon, je surprends furtivement l'image de Bill enlacé avec sa conquête. Vas-y, Bill ! Vis ta vie... Nous buvons et dansons jusqu'à l'ivresse. Jenny a retrouvé la fougue amoureuse de nos soirées méditerranéennes. Charles nous rejoint. Il a bu. Il m'arrache des bras de Jenny, je le bouscule, l'engueule, mais il m'attrape par les épaules. « Allons-y, Markus ! Allons-y !... – Mais où, Charles ? » Je me laisse entraîner, titubant, vers la plage. Des mains tentent de nous retenir ; nous nous débattons et nous enfuyons vers l'obscurité où tremblote une barre blanchâtre.

Un homme tangue devant nous. Tandis que nous le dépassons, il étend le bras, s'accroche à moi, qui ne suis pas plus stable que lui. C'est Jaime, le gouverneur. Nous faisons quelques pas chancelants ensemble, appuyés l'un contre l'autre. « *Estoy enterado de todo...* », dit-il avec la légèreté dramatique des gens ivres. Il me fait pitié. Je me dégage et reprends ma course. « *¡ No tengo nada contra usted !* » hurle-t-il derrière moi.

Charles me cherche dans le noir, et me saute dessus. Nous culbutons sur le sable. Je le frappe, il s'esquive, secoué par le rire, s'accoude sur un bras et ouvre sa chemise. « Vise un peu ce que j'ai fauché ! C'est mon anniversaire, c'est moi qui paye ! » Il brandit une bouteille de tequila. Je m'en empare et avale une longue rasade, le dos au sol. L'alcool m'embrase la gorge et les narines, je le recrache. Charles se relève, m'aide à me redresser, et nous entrons bientôt dans la faible clarté qui frémit sur le sable noir. C'est frais sous nos pieds déjà léchés par les flots. La plage s'arrondit en une crique où les villageois, attirés par le tapage de la fête, se sont rassemblés, accroupis et silencieux. Le flottement de leurs chemises forme une haie de spectres autour des eaux. Charles s'arrête, me regarde : simultanément pris d'une soudaine impatience, nous nous débarrassons de nos vêtements et nous jetons à plat au-dessus d'un rouleau qui aussitôt se retourne sur nous. La mer est chaude, d'âcres gorgées nous étouffent, et nous barbotons dans le flux et le reflux en hurlant de plaisir. Nos oreilles étant bouchées, les cris des autres nous parviennent par bribes, et l'on dirait qu'ils rient avec nous, qu'ils ont plongé à notre suite. En réalité, me racontera Bill le lendemain, ils nous mettent en garde contre les *baracudas* et nous exhortent à faire demi-tour, croyant que nous les entendons. Pour le moment c'est le bonheur, nager comme on se souvient, enveloppé, devenu fluide soi-même, et penser que ce serait cela, mourir : dériver dans les ténèbres jusqu'à l'épuisement de ses forces. Parce que l'espoir de retrouver Erick s'est encore une fois écroulé, et qu'il y a une euphorie perverse à renoncer à lui... Englouti par la nuit bouillonnante, j'ai le front éraflé par les coquillages, des bulles violettes montent le long de mes jambes, et jusque vers le ciel qui surgit par de brusques déchirures, qui s'ouvre en grand au-dessus de moi, ou en dessous, je ne sais plus. Je virevolte dans une dimension sans limites, libéré, provoquant la fuite éperdue de centaines de poissons lumineux qui s'égaillent parmi les étoiles et transforment le Centaure en Serpent.

Depuis un moment quelqu'un gravite autour de moi, figure multiple de Protée qui se condense, se ramasse, et je reconnais sans surprise Erick. Enfin réunis, nous chavirons dans des profondeurs sans fond, évoluant en apesanteur parmi les étincelles sous-marines et les monstres aquatiques. La masse de son corps me heurte parfois sous la poussée des remous, et nous roulons au milieu d'efflorescences sulfureuses. Je veux étreindre cette forme qui, telle l'apparence de ce dieu maya, se dissout chaque fois que je suis près de la saisir, comme si, ombre de moi-même, j'essayais de réintégrer mon corps – mais c'est le vide que j'embrasse, un précipice liquide où je vous aperçois maintenant, Erick et Reine, enlacés. Vous tournoyez dans l'immensité phosphorescente, et je me souviens des constellations du Sud, et je voudrais vous rejoindre, mais vous êtes si loin – vous-mêmes tâchez de vous rapprocher de moi, mais vos efforts vous enfoncent davantage dans la fluidité de la nuit-mer, et le visage de Reine s'agrandit, s'étale comme une tache d'huile sur la sphère céleste, vous vous évanouissez en ondes concentriques, et je bascule dans les ciels voluptueux de la première nuit...

Je sombre...

Mes paupières n'en peuvent plus. Les chatons on escaladé la table, fouinent dans mes papiers. Je les repousse sur le lit. La pluie a redoublé, et j'ai cru entendre le chien ; tout est d'un noir absolu devant le bungalow. Et il est tard, si tard...

Dans le bourdonnement de mes tympans vibrent les entrailles de l'océan, m'assaillent les tumultes de la mémoire qui se couvre d'appels que je prends pour des ovations... Emporté dans le revers d'une lame, je suffoque, l'eau s'épaissit, m'envahit les poumons, la chute est lente et les autres s'agitent frénétiquement autour de moi.

Ils m'ont agrippé (je crois à un jeu) et me traînent sur le bord, estourbi, hoquetant et crachotant – empli d'une extase où toutes choses se confondent, plénitude de ces musiques chorales qui désormais me protégeront...

Dans le petit rassemblement qui nous entoure, je distingue le gouverneur (« *Sé todo...* », insiste-t-il), Selvas et Estella (tu es belle, Estella !), Tulo-le-serviteur, Pedro-le-filou de la Ventosa, et tous les autres... Ils s'esclaffent comme des spectateurs au cirque, et se mettent à tourner, manège d'algues emmêlées, et je suis un cheval qui court sous les clameurs d'une foule hilare. Au deuxième tour, j'entrevois Pedro qui tient par la main le fantôme d'Erick, déguisé en clown. Au septième tour, Erick n'a plus de tête, Reine a disparu. L'écuyère est sur le point de me rattraper, je lui échappe. Mais une gorgone en furie me talonne, engage le combat. Je me débats, et tout à coup, dans un fracas de ferraille et d'arbres qu'on abat, le chapiteau se déchire en mille morceaux...

Un phare déréglé s'allume dans la frange des vagues qui scintillent au ralenti, épiderme sensible de la nuit... « J'ai vingt ans, bordel ! Je t'aime, Markus ! J'ai vingt ans... » s'époumone à me répéter Charles qui rampe près de moi sur le sable. L'écume mousseuse nous pique le nez, nous irrite les paupières. Entre deux hoquets, je gueule que je ne suis pas soûl, la preuve, je rapporte à Jenny une chaussure qu'elle a perdue sur la grève. Était-elle la Néréide qui m'accompagnait tout à l'heure, la main qui m'a empoigné et tiré hors du gouffre ? Jenny est une bonne nageuse, je le savais...

Vos têtes penchées sur moi, comme dans les scènes d'hôpital dans les films, puis c'est Jenny en très gros plan, elle m'embrasse, et je vomis de l'eau sablonneuse, elle m'embrasse encore, et l'air me manque. La voix de Bill se détache dans l'obscurité, l'intonation particulière de son accent californien – où est le gouverneur ? Emmenez-moi auprès de lui, que je m'excuse. Ah, Charles, où étais-tu ? Les musiques se sont tues, et le silence est comme un murmure de l'espace où les étoiles oscillent par à-coups ; celles du Cygne et de la Lyre se pourchassent frénétiquement entre les palmes. Où êtes-vous, Reine ?

Ils me soulèvent et m'aident à marcher, mes bras passés autour de leurs épaules (c'est toi qui m'as sauvé, Jenny...), je vous aime, le contact de votre peau est rassurant, laissez-moi vous serrer contre moi...

Le souffle du large ravive mes poumons. Remonter des abysses de *l'eau-du-ciel* – abordant au seuil de la grande paix –, c'est comme renaître, et, nu dans la bienheureuse douceur d'exister, j'éprouve le sol qui se raffermit comme le rivage d'une planète inconnue...

La dernière nuit sans sommeil et la route (épuisante) s'abattent finalement sur moi. Les chatons se sont endormis dans mes chemises, blottis les uns contre les autres. Le New York Times étalé sur le lit. À la une : « *CANADA'S LIBERALS PICK A NEW LEADER ON SECOND BALLOT. A SUCCESSOR TO TRUDEAU. Turner, a Former Cabinet Aide Is Selected Over Chrétien With 54 % of the Vote.* » Couvrant une colonne voisine, contre la photo de congressistes enthousiastes, un autre titre : « *US DEBATING BID BY SOVIET TO OPEN SPACE ARMS TALKS.* » Ils ont déchiqueté les pages du *Devoir*, que je n'avais pas encore lu. Sur la carte que j'ai dépliée devant moi, les États-Unis ressemblent à un gros ventre ramolli qui s'affaisse. Les tracés d'encre de mes anciens parcours y tressent un réseau de lignes plus ou moins lâchement recourbées qui dessinent une sorte de cage thoracique déformée. Ou comme les vaisseaux d'un cœur malade.

Que ce voyage-ci soit, comme prévu, l'occasion d'y greffer l'artère d'un itinéraire inédit : l'ultime échappée qui doit décider de mon avenir en Amérique... Avec cette situation nouvelle que, pour la première fois depuis 1965, la route est nue devant moi : Erick ne m'attend plus au bout du monde. Je fonce vers le Pacifique comme on accélère pour précipiter sa voiture du haut de la falaise...

18 JUIN, 7 HEURES DU MATIN.

Cette rivière fangeuse où nous nageons, entre des collines de détritus, nous heurtant aux débris charriés par le courant, butant contre des cadavres qui flottent... Un instant horrifiés, il nous faut continuer malgré le dégoût ; et après tout, près de ces îles, les gens nagent aussi, il n'y a pas d'autre moyen ici. Au bout de ma main quelque chose de mou exerce une pression, s'accroche à mon bras, roule contre moi, une chose informe que je saisis et soulève hors de l'eau – le corps d'un bébé, que je rejette vivement en arrière de moi...

Et comment tenir le coup, alors que même dormir ne peut atténuer le vertige, et qu'on se cramponne à l'oreiller, ou ce qui en tient lieu (les dents font mal sous l'étau des mâchoires, le temps bat la démesure dans les veines) ? et que seule la sensation du mouvement pourrait nous préserver de la chute, que la simple évocation d'une ville nouvelle parviendrait à résoudre l'énigme de la nuit – et de toutes les nuits à venir ? et que le lendemain on a émergé des solitudes hantées, de nouveau en marche sous le jeune soleil, mais égaré dans le décor d'un paysage devenu opaque, impénétrable ? Alors on se demande ce qu'on fait là, seul si loin de chez soi, mais il faut avancer encore ; et au soir, dans la fatigue – les yeux brûlés par la poussière mêlée à la sueur du jour –, on se couche contre le flanc d'un tronc, mais rien n'a changé, le même abîme nous aspire dans ses bas-fonds où des figures obsédantes reviennent rôder...

Alors le voyage est une fuite dérisoire, et à chaque étape la mort est au rendez-vous – et l'on passe le reste de ses jours à tourner comme un tigre en cage, à la poursuite de l'impossible issue.

▼

11 heures.

Jardin du petit café à Bonneauville, à quelques milles de Gettysburg. Cette place de commune, ces feuillages partout, ce ciel délavé... — comme une nostalgie rimbaldienne du temps d'Erick. Quelques fermiers discutent à l'intérieur. Difficile de concevoir que ces *Américains* sont les descendants de déracinés du Poitou, du Limousin, ou des rives du Saint-Laurent, et qui ont renommé de toponymes ancestraux des hameaux, des lieux, des rues. Mais de quelle France sont-ils venus ? Ou n'étaient-ils que les enfants trompés de la *nouvelle* France ?

Ça va mieux aujourd'hui, l'oppression est moins forte, les pluies ont cessé. Je viens de faire la « visite » du Gettysburg National Military Park, imprévue, bouleversante, comme on touche une plaie qu'on croyait fermée, sinon encore à vif dans la lecture de Faulkner. Dans l'ancien musée de la poste, tout « sent » encore cette époque : les objets, la manière de s'habiller, l'odeur affadie des locaux... Musée du temps rompu, temps condensé et magnifié dans les choses inertes et qui leur attribue une portée tragique qu'elles n'avaient pas en soi. Car ce sac de cuir, ces chaussures ratatinées, ces lettres jaunies, cette canne de bois — que portaient-ils d'autre que l'évidence de leur usage vivant pour le vivant ? Sauf peut-être pour ces armes rouillées qui, en affirmant la nécessité du combat, prétendent dans le même temps que cette existence-là n'était pas suffisante. Au point d'en mourir. Du premier au troisième jour de la bataille, 65 000 *Rebs* ont affronté ici 85 000 *Yanks*. Quarante mille victimes au soir du 3 juillet 1863... Tombés des deux côtés pour la même Nation, au nom du même dieu. « *Each party claims to act in accordance with the will of God. Both, maybe, but one must be wrong. God cannot be for and against the same thing at the same time* », s'interrogea Abraham Lincoln.

La fracture profonde du pays inscrite – mais indiscernable aux yeux profanes – dans la gravité des sites, des collines plantées de tombes : tombes sous les arbres, tombes le long des allées, tombes derrière chaque muret, chaque talus... Les canons sont restés pointés, en attente, mais c'est une durée pétrifiée qu'ils maintiennent sous leur garde, accessoires d'un théâtre déserté de ses acteurs. Entre les deux fronts, pourtant, les pelouses des sous-bois semblent résonner encore des cris muets des milliers de combattants qu'elles recouvrent dans le silence mouillé et l'uniformité grise. On dirait que la terre palpite de leur refus, comme si la solennité attachée à ce périmètre consacré le faisait respirer, de même qu'en ces cathédrales nordiques, les gisants des rois vikings qui reposent dans les cryptes, manteau de pierre dont on habille le néant – et sur lesquels on se penche respectueusement.

J'ai évité les groupes de touristes, sillonné les allées du cimetière officiel, avec ses cavaliers de bronze et ses nombreux monuments sur lesquels les inscriptions s'appliquent à conserver le souvenir d'un sens. (Qui sont les *Daughters of the colonial wars* ?) Grandiloquence des symboles qui marquent des tournants dans le cheminement des peuples et que les édifices ou les statues figent dans des significations abstraites qui nous dépassent, qu'on ne comprend pas, et qu'on réunit sous le vocable d'*Histoire*, et qui donnent à des événements, des dates ou des paroles gravées, le caractère supérieur mais insaisissable de hauts faits sans commune mesure avec la banalité physique de l'instant où une baïonnette vous transperce et vous tue, sans rapport avec le carnage de masses d'hommes un matin ensoleillé qui ne l'exigeait pas... Une liste de noms inscrits sur la stèle du cimetière des résistants massacrés de Lans-en-Vercors (qu'Erick avait lue à voix haute), le mausolée des partisans dressé aux portes de Stalingrad, les champs de croix américaines en Normandie ou en Wallonie...

Sur une plaque, on apprend qu'en marge de la bataille de Gettysburg, le général George Amstrong Custer repoussa avec une brigade de cavalerie l'attaque de postes latéraux par les Confédérés (... Et le rappel fugitif des beaux vallonnements de la Little Bighorn, en territoire crow, dans le Montana, et la colline du *last stand*, hérissée de ses quarante-deux pierres tombales – sur les deux cent cinquante tués de la bataille.)

Pris beaucoup de photos, attentivement, comme on se recueille. Souvenir dédoublé, qui ne peut témoigner de rien. Sinon de mon passage...

Retourné au Cyclorama Center pour revoir cette insupportable scène d'un film d'archives, dans laquelle des vieillards, s'élançant de part et d'autre de la murette de pierre de Cemetery Ridge, simulent maladroitement l'assaut final du 3 juillet, avant de s'effondrer dans les bras les uns des autres, pantelants et fondant en larmes... À la fin, ces mots :

« SEVENTY-FIVE YEARS HAVE GONE SINCE GETTYSBURG, WHERE 43,000 AMERICANS WERE KILLED AND WOUNDED. FOR THE LAST TIME, NOW, THE FEW SURVIVORS JOIN HANDS... BLUE AND GRAY TOGETHER. THE WOUND HAS HEALED. »

Dans la galerie d'accueil, les tirages originaux des premiers photographes de guerre, Mathew B. Brady et Timothy H. O'Sullivan : des champs, et des cadavres à perte de vue se décomposant dans la boue. L'impitoyable vision des vingt mille hommes laissés sur le terrain après le carnage de Shiloh, dit « lieu de paix » — et l'impression de percevoir la rumeur des agonisants, que le jour naissant étouffera d'un manteau de mort...

▼

TRUCK PLAZA DE BREEZEWOOD, MIDI 30.

La *30* rejoint ici la transversale *70-WEST*, le sillon principal de mon avance. Matin jaune, orangé.
West Side Story à la radio, audible malgré le brouhaha. J'attends mes *two-eggs-jelly-toasts*. La *plaza* est un vaste complexe complètement distinct de l'activité propre à la région, au croisement de l'immense réseau des *highways* transcontinentales, et au cœur duquel, ainsi que dans un aéroport ou une gare centrale, se croisent destinées, expéditions, évasions.

Villages de migrants, avec leurs codes et leurs lois tacites, animés par la liberté fabulatrice de leurs récits et par l'exubérance des rencontres qu'on y fait, ces carrefours routiers constituent la version contemporaine des relais d'auberge. J'y retrouve partout la même fièvre qu'en 70, l'année de la traversée fondatrice, mais aujourd'hui effleuré par l'excitation (encore retenue, encore inquiète) que cette fois-ci sera la bonne... (Ma présence itinérante sur ce continent m'est devenue si coutumière que j'oublie que j'y suis un étranger. Seule l'Amérique donne cette impression...)

Par les fenêtres, ce ne sont que camions, *mobil-homes* et voitures surchargées, alignés de tous côtés au milieu d'un va-et-vient incessant. Arrivées et départs alternent dans une fébrilité qui prête à l'arrêt impromptu la tournure d'un événement. Les nouveaux, harassés, vont pouvoir se reposer. Les autres s'apprêtent à affronter l'étape suivante, exprimée en jours ou en millage, parfois en destination – se préparent aux grandes étendues appréhendées... Dans la fièvre du transit brillent déjà les soleils de l'Ouest, les chaleurs des plaines, s'imaginent les fêtes du Sud ou le rêve des horizons pacifiques, encore improbables... Pour certains, c'est le retour vers l'Est, avec ses haltes tristes et ses solitudes nocturnes.

Tout se joue ici : se restaurer, se rafraîchir, acheter la carte du prochain État, prendre des décisions, envoyer un mot d'adieu ou donner un coup de fil d'espoir. Univers clos qu'une singulière et puissante solidarité noue, du chauffeur professionnel au jeune couple en cavale : le fait d'être en route.

Dans un coin, un couple de motards, hippies d'un certain âge (barbe grise et cheveux blancs), compte l'argent que l'homme a tiré d'une bourse de cuir attachée à son cou. Indifférents à ce qui les entoure, on les dirait attardés dans une époque qui n'est plus la leur, dans une jeunesse dont les attributs rituels se sont pétrifiés dans le folklore. (Et moi, depuis longtemps parti, et pas encore arrivé, de quelle époque suis-je donc, à toujours recommencer la même et utopique traversée ?)

Derrière moi, une famille en vacances, le père, la mère, et les deux enfants. L'émouvante tendresse avec laquelle la petite fille prononce « *daddy* ». J'ai toujours pensé qu'un jour je reviendrais faire ce voyage, avec ma femme, avec mes enfants. Sans doute ne cesserai-je jamais de me dire cela, parcourant toujours seul le monde... « Tu vivais dans la solitude comme dans la mer et la mer te portait », avais-je noté dans le carnet noir. Nietzsche ? Et quand la mer reflue ?

Dehors, un ciel plus dégagé contre lequel tranchent les cimes noires des Allegheny Mountains. La frontière aux portes de contrées inexplorées qui inspiraient autant l'effroi qu'elles fascinaient, les hautes forêts d'*Atala*... Là-bas, les panneaux de l'embranchement indiquent *PITTSBURGH-CLEVELAND* et *COLUMBUS*. Me cramponner à la route, maintenant que le fil de la *70-WEST* est visible, et l'orientation assurée. Même si San Francisco (sonorité mythique d'un temps révolu...) n'est pour le moment qu'un nom sur les cartes, aussi lointain et abstrait que la première fois à la sortie de Newark avec mes quarante dollars en poche. Car je n'ai pas beaucoup progressé. Encore assommé par la rencontre de New York, je roule étreint par la même fébrilité que le chat qui, saisi par l'élancement qui lui dévore le ventre, se met à courir en tous sens pour s'y soustraire. Avant le Mississippi les distances prennent une éternité à franchir comme si, englué dans sa propre vie, il fallait un surcroît d'effort pour s'extirper des grisailles de ce côté-ci des terres. La lumière est-elle encore possible au-delà du Grand Fleuve ? Combien de jours encore ? Ne pas y penser. (Ça leur prenait combien de temps, aux pionniers, pour atteindre St. Louis ?)

Maintenant l'Amérique est à moi. Cette fois-ci, c'est à ma recherche que je pars...

▼

Motel Duquesne, 21 heures, même jour. (Washington, Pennsylvanie, à vingt milles de la Virginie-Occidentale.)

Sur le versant occidental des Appalaches.

Succession de sommets parallèles et de vallées embrumées, limite des anciennes possessions françaises et des jeunes

États-Unis. Faiblesse anormale du moteur dans les côtes, chutes de puissance intermittentes. Ai doublé toute la journée des caravanes immatriculées en Californie. « Un jour, me répétai-je, c'est *vers l'ouest* que je rentrerai de mes voyages. » Cela suffisait à conforter l'espoir d'une issue prochaine à mon impasse canadienne...

Toujours les mêmes prêcheurs, à la radio, à presque tous les postes. L'irréfutable logique de leur argumentation, harcelante mais séduisante à force de clarté, envoûtante par sa litanie même.

Puis en fin d'après-midi, dans l'atmosphère ouatée d'un crépuscule imbibé d'eau, une déviation m'a amené au-delà d'un pont couvert, où s'étirait une agglomération entre les aciéries d'un vallon encaissé. Personne en vue dans les rues, ni au centre du bourg où, dans un *general store* pauvre et misérable, j'ai acheté quelques fruits.

Je n'ai trouvé que ce motel à la sortie de la ville, en retrait en bas d'une côte boisée. Larges flaques devant la porte, l'air est gonflé de vapeur tiède. Le rougeoiement des fours fait danser le profil des crêtes à travers les arbres. Sourdes détonations métalliques, qui se répercutent par tout le val, souffle puissant des feux, sirènes... Une fine couche d'anthracite recouvre toute chose, et cela sent comme dans les banlieues industrielles. Dans ces zones délaissées de l'Amérique, on croit entendre les échos des luttes de la Pennsylvanie ouvrière, survivants de la grande famine d'Irlande et Juifs de Hongrie, Polonais de Silésie et Italiens du sud – et les supplications de l'enfer du Viêt-nam. Des révolutionnaires de *Molly Maguires* aux égarés de *Deer Hunter*...

La patronne, une dame de la *historic society* locale, m'a expliqué l'origine du nom du motel : un incident de frontière entre un détachement anglais sous le commandement d'un jeune *major* de vingt et un ans, George Washington, et une patrouille française fit des victimes dans les rangs de celle-ci. En représailles, les Français capturèrent un fort érigé par le gouverneur Dinwiddie pour affirmer l'emprise anglaise sur la

31

région et le baptisèrent Fort Duquesne, qui devint par la suite Fort Pitt, aujourd'hui Pittsburg. Ils s'assurèrent ainsi pendant quelque temps le contrôle de la vallée supérieure de l'Ohio. « Un petit incident qui déclencha une guerre mondiale ! » formula-t-elle vigoureusement. Il ouvrait en effet les hostilités entre les puissances coloniales de l'époque, qui aboutiraient au traité de Paris ainsi qu'à un nouveau partage du monde.

Elle énuméra quelques moments décisifs de cette guerre, situa la défaite des Français à Québec dans l'ensemble, raconta les exactions et trahisons commises contre les Indiens, bientôt refoulés de tous leurs territoires après la rébellion désespérée du chef ottawa Pontiac. Elle mentionna quelques péripéties de la Révolution américaine survenues dans les environs, à la périphérie occidentale des Treize Colonies, et conclut en citant l'épisode des « glorieux » *Paxton Boys*, ces « *vigilantes* » presbytériens qui, excédés par les accrochages sur la frontière, massacrèrent les membres d'une mission d'Indiens conestogas, femmes et enfants compris, et que Benjamin Franklin stigmatisa en les traitant de *Christian white savages*. Jugement auquel elle s'associait entièrement.

Elle semblait enchantée d'entretenir un Français de tout cela, et le jeu des forces militaires et politiques qui avait conduit à une Amérique anglaise plutôt que française devenait, avec elle, intelligible et passionnant.

À la télé, l'étrange scène : le long d'un canal, un joueur d'accordéon se déplace nonchalamment, accompagné de quelques pique-niqueurs. Ceux-ci sont venus avec leur costume du dimanche, leur chapeau, leur chemise empesée, leur robe à fleurs, et, se tenant maladroitement par la main et portant paniers, se dandinent, puis entament une danse sous les bouleaux. Des flocons de brouillard débordent du canal, les enrobent de songe. Quand la musique se tait, un bruissement jacassant s'étend sur la campagne où s'estompent quelques arbres. Puis deux jeunes gens et une jeune fille s'écartent des autres, s'enfuient par les chemins dans un jour morne, se cachent contre le talus d'une voie ferrée. À distance, un train

démarre d'un semblant de gare (un abri de bois, un banc, un
seul quai), et roule lentement devant eux. Le dernier wagon
passé, ils bondissent et s'engouffrent dans une petite auto
camouflée dans les buissons. Énigmatique sourire de la jeune
fille par la lunette arrière embuée, sur lequel l'image se fige :
«... Se sauvent vers la frontière», conclut la voix off, sous-
titrée. « *Who is singing over there ?* »

La troublante familiarité de ce flou poétique en noir et
blanc, venue d'un autre temps, et qui ressemble si fort à ce jour
de l'été allemand, à Neustadt, alors que Françoise et Nita
allaient partir, et qu'Erick était à mes côtés – alors que tout
était encore possible...

▼

« *ROMANS, BOURG-DE-PÉAGE, cinq minutes d'arrêt...* »

La petite gare de Romans où de rares omnibus consentent
à faire halte. Ces endroits que l'on a souvent vus défiler derrière la vitre du train, aussi familiers qu'inconnus, et qui sont
devenus comme des tableaux auxquels on ne prête plus attention. Un jour l'on descend, et c'est un univers en soi qui se
découvre, avec son relief et son rythme propres. Le quai de
pierre usée, le portillon qui grince, et ce sont les rues sans
trottoirs des localités de campagne où les pas résonnent entre
les murs des propriétés. Les rangées de noyers. Les jardins, et
les percées sur les escarpements de l'Isère, les falaises aux
portes de la Drôme. Pavillons aux volets clos. Déjà le soleil et
la sécheresse du sud.

L'adresse sur une enveloppe, une maison dos à la rue, un
portail orné de fleurs grimpantes. Il faut tirer le cordon d'une
clochette. Une femme d'âge mûr vient ouvrir. « Oui, Nita m'a
annoncé votre arrivée, elle vous attendait... » L'accent du Midi.
Elle repousse le battant. Cour de gravier. Nita apparaît, un livre
à la main. Surprise réciproque de l'âge, comme si on l'avait
oublié, mais ce sont les mêmes cheveux d'ébène qu'à Titisee,
la même frange sévère sur le front, les épaules seulement un

peu plus voûtées. Nita est une femme assurée, mais avec toujours cette réserve du corps, cette effusion qui se retient — mais l'émotion est réelle. Ses yeux rieurs. Elle me présente sa mère.

— Il vient du Canada, maman...

— Ah ! cet été on a vu les Jeux de Montréal à la télévision... Entrez donc !

Dans le salon ciré trône un piano. Assis sur un canapé Empire, embarrassés tous les deux. Fragrances de miel et de fleurs fanées. Elle proposera un thé, ou un café, que la mère apportera sur un plateau, avec des biscuits et une bouteille de Chartreuse jaune. « Oui, du sucre... » Échange de quelques banalités sur la maison, « qui date du XVIIIᵉ siècle », sur la chaleur, les vacances, sur mon séjour en France. Puis des considérations concernant son travail (titulaire en littérature germanique au lycée de Valence), qu'elle aime beaucoup et qui lui permet de participer à des colloques en Allemagne, ou en Suisse. Mais elle n'insiste pas, souhaite plutôt connaître mes impressions sur le Canada, puis sur l'effet de ce premier retour en terre dauphinoise. Elle veut savoir ce que je fais, ce que je deviens, si je me suis mis à écrire, m'interroge sur mes activités professionnelles, etc. Ce qui nous amène à discuter photo et cinéma. Je lui demande si elle a toujours son vieux *Leica*. « Une pièce de musée, maintenant !... » ironise-t-elle. Je ne peux alors résister au plaisir d'ouvrir mon sac et de lui tendre l'un de mes boîtiers. « Tu vois, j'ai finalement réussi à m'en payer un, moi aussi. Mon premier appareil sérieux, acheté à New York l'année de mon arrivée au Canada. Ça a pris du temps, comme tu vois... » Elle sourit, cela lui rappelle la fois où... « C'était où déjà ? Bâle, oui voilà. Oh, il doit me rester les fiches-contact quelque part. Je t'avais envoyé des tirages, je crois, non ? — Ils sont au fond d'une malle à Montréal... »

Elle verse la liqueur dans de petits verres. « As-tu toujours le film que tu avais pris ce jour-là ? — Bien sûr... » Son assurance légère. Elle devait s'attendre à ma question, car elle me devance. « On peut le voir, si tu veux... Tu veux ? — Tu te doutes à quel point cela me ferait plaisir ; mais je ne voudrais pas... — Mais non, vraiment ! » Nita est gentille, elle a toujours voulu faire plaisir. Combien de fois a-t-elle dû se projeter ces images, puis s'est lassée ? Peut-être tout cela n'a-t-il pas eu plus d'importance que d'autres moments de sa vie, qui sait.

Tandis qu'elle s'affaire dans la pièce voisine, une musique de Mahler s'élève doucement derrière les tentures. Et je comprends que, non, les nuits d'Hinterzarten n'ont pas été pour elle qu'un mirage de jeunesse...

Elle me prie de venir, c'est prêt. Dans le bureau bien rangé, elle a dégagé le projecteur 16 mm de sa housse poussiéreuse et le pose sur un tabouret. Sur le mur, une reproduction de Gauguin. Elle met la main sur la bobine, au bas d'une armoire. L'installe. Elle hésite, a perdu l'habitude. « Je n'ai pas vraiment continué, tu sais. J'ai bien une caméra vidéo, mais ce n'est pas pareil... » Elle ferme les volets, va récupérer son verre, branche l'appareil et va s'asseoir sur le tapis.

Scintillements de l'amorce sur la surface blanche, craquètements légers de la pellicule entre les roues dentées. Ce sont d'abord les chutes de Triberg, où nous étions allés ensemble : plans variés d'eaux vives, de sous-bois, de balcons fleuris aux contrastes décolorés. Coupe.

Formes hors-foyer, mouvantes. Des silhouettes sur le bord d'une corniche, pics enneigés. Coupe.

Ah ! Une aile de voiture à l'entrée d'un sentier, une *Opel-Kadett*, et autour, deux jeunes gens et une jeune fille, qu'on n'identifie pas tout de suite, qu'on voit de dos se mettre à courir. Coupe.

Et tout à coup en gros plan, Erick est là, rayonnant et vibrant... Mais c'est un gamin ! Cette façon qu'a Nita de le filmer, regards d'amour tels que vus de l'intérieur, aveux et confidences d'un cadrage. Il tourne la tête. Léger déplacement du cadre, et je reconnais Mk à ses côtés, épanoui. Coupe.

Bref plan de Françoise, debout, qui fait un signe de dénégation vers la caméra (comme elle est jeune, elle aussi !). Les visages qui s'évoquaient dans le clair-obscur du souvenir s'animent sous nos yeux avec une acuité étonnante... On se porte en soi comme le même, mais l'illusion cinématographique nous montre l'autre qu'on était dans l'instant disparu. Coupe.

De nouveau Erick et Mk, complices ; l'écran est plein de notre impétuosité, de l'échange de nos paroles muettes (on en perçoit la tendresse). Et me frappe l'évidence oubliée que, pendant toute la durée de notre histoire, si courte, les hommes que nous étions n'avaient que vingt ans ! Ils s'étreignent dans le jeu. Erick en Ferdinand-dit-Pierrot (ça ne lui va pas bien), et Mk-le-gangster (lui non plus) à ses trousses pour l'abattre ; mais Françoise-Karina bondit et terrasse ce dernier d'un coup de genou avant de se réfugier dans les bois. Coupe. Travelling avant cahotant vers des feuillages, qui s'agitent. Mk en jaillit, talonné par Erick, ce jeune bouffon imberbe, tous deux en équilibre sur un énorme tronc. Erick bouscule Mk, Nita s'avance, ils lui indiquent le hors champ, elle ébauche un lent panoramique, et Françoise réapparaît, plus nette, de plus près. Superbe Françoise ! Intimidée, elle se détourne de l'œil braqué sur elle, mais Nita la presse, et elle finit par capituler, s'abandonne. Long plan fixe sur elle (la beauté de ce plan qui dure...). On la voit pouffer, sans doute des blagues des gars qui chahutent à l'extérieur du cadre. Mouvement latéral : ils s'attrapent en effet par le collet, et Erick, d'un geste subit, pose furtivement ses lèvres sur celles de Mk qui feint l'ébahissement ; ils éclatent de rire. Une masse éclipse la scène, c'est Françoise qui se penche vers l'objectif en pointant sa tempe de son index, puis qui s'agenouille pour tracer quelque chose avec un bout de bois. Mise au foyer sur le mot *DUMM*. Coupe.

Françoise et Mk en premier plan, visiblement dans les nuages. L'expression caressante dont Françoise enveloppe Mk. Leur intimité récente les trouble (cela se voyait donc si bien ?). Il la prend par les épaules. Leurs têtes se rapprochent lentement, on dirait un ralenti. Jusqu'au noir – qui se prolonge.

Est-ce la fin ? Non, voici Erick, il vient contre l'objectif, qui l'esquive en déviant vers le sol. Flou de taches fuyantes par lesquelles on devine qu'Erick tente de retourner l'appareil vers Nita. Panoramique tressautant sur la cime des arbres, surexposition du ciel. Une partie de la tête de Nita, la main d'Erick, doigts écartés, la forêt bascule, et tout se précipite dans le désordre de la mémoire enregistrée, effritement des photogrammes en fin de bobine, à demi impressionnés. Éblouissement soudain. Sur le rectangle blanc courent rayures et chiffres renversés. Puis plus rien, juste le faisceau nu, juste le cliquetis de la pellicule libérée qui frappe encore le socle, qui s'immobilise enfin...

Le tout a duré à peine quelques secondes, ronde des visages aimés, intensité muette des jours et de leur délire – et l'incroyable promesse que la rencontre d'Erick avait fait naître. Une douzaine d'années accrochées à ces bribes saccadées...

Les sifflements d'un merle dans le jardin. Douceur tranquille des larmes. Nita est demeurée impassible, toujours assise sur le tapis, la tête penchée. «Il y a longtemps que je n'avais pas remis le nez dans tout ça», murmure-t-elle en éteignant la lampe du projecteur. Dans la fragilité de sa voix, pendant une fraction de seconde, j'entends la Nita blessée de Titisee. Prise au dépourvu comme moi... Le réconfort de sa présence, preuve que ces jours ont bien existé : témoin précieux d'un temps qui sans elle (sans Françoise, sans Sonny...), n'aurait pas été ce qu'il fut.

Puis, sans que je l'en aie sollicitée, elle se met à parler dans la pénombre, comme si au plus profond d'elle-même une poche venait de s'ouvrir. La face cachée de sa relation avec Erick, ce rapport de confrontation que Françoise et moi avions côtoyé sans en soupçonner la nature exacte, transparaît derrière ses paroles presque inaudibles, comme si elle ne s'adressait qu'à elle-même.

En l'écoutant, j'ai l'impression désagréable d'avoir été floué par Erick en ce temps où j'avais eu la conviction, si déterminante alors, d'être l'élu d'une confiance absolue et exclusive. Puis, enhardie par mon mutisme, Nita fait cette révélation dont je ne percevrai que plus tard toute l'importance : «Erick avait un secret qui m'assurait d'une redoutable emprise sur lui. Appelons cela une forme d'impuissance, mais ce n'était pas exactement ça... Tes frivolités avec

Françoise, tes succès timides mais réels étaient pour lui une véritable torture. Alors il se dissimulait derrière la seule attitude qui pouvait vous donner le change, en prétendant être tombé sur une fille frigide que les choses sexuelles effrayaient. Etc. Ce qui me mettait dans une rage froide, mais par pudeur, pour moi, pour nous, je n'ai pas eu envie de le démentir publiquement. Je ne tenais toutefois pas non plus à devenir une autre de ses nombreuses conquêtes. Cela a occasionné les rapports houleux que tu as connus. De plus en plus frustré, il a accentué auprès de toi le jeu du grand compagnonnage, de l'aventure héroïque – et tout le reste.»

(Alors que j'avais cru évoluer dans une sphère privilégiée avec Erick, je découvrais ce jour-là à Romans que Nita, sa victime apparente, avait en fait été la seule à posséder un réel ascendant sur lui, pouvoir dont il se défendait en le brouillant par un cynisme railleur. En la qualifiant de «pauvre petite vierge» ou de «snobinarde allumeuse», par exemple...)

Elle avoue que sa brève relation avec Erick a été la seule à avoir vraiment marqué sa vie sentimentale. Compte tenu de sa nature réservée, cet aveu est de taille et dévoile l'importance que mon passage prend pour elle, une façon de renouer avec cet épisode inachevé et couvé comme un trésor. Depuis, poursuit-elle, elle s'est résignée à s'installer dans ce qu'elle définit comme «un bonheur ordinaire, mais somme toute confortable». La littérature l'a toujours passionnée, et, sans problème financier, propriétaire d'une maison dans la Drôme, estimée dans sa spécialité, ayant l'occasion de se déplacer à l'étranger et publiant des articles sur la littérature allemande, elle se considère comme comblée. «Avec un large creux au milieu..., admet-elle. On cherche dans les œuvres des autres ce qui a manqué à sa propre existence alors qu'elles ne constituent elles-mêmes que des substituts (ou le regret ?) de destins qui ne se sont pas réalisés ! Beau sujet de thèse, ne trouves-tu pas ? »

Elle rouvre les volets. Dans le jardinet le soleil dore les feuilles de la vigne, une table est dressée sous la tonnelle. La mère nous apporte des fruits avec un pichet de limonade. Effluves de thym et de lavande, harcèlement léger des cigales, ce dont je m'étonne. « C'est déjà le Midi, ici, tu sais... » L'heure tourne. A-t-elle eu des nouvelles de Françoise ? Elles ont correspondu quelque temps, des cartes à Noël, puis plus rien. « J'ai son adresse, si tu veux... » Elle évoque, amusée, le jeu d'Erick auprès de Françoise. « Mais c'est toi qui comptais pour lui, ajoute-t-elle. Nous n'étions que des intermédiaires vers toi, des faire-valoir qu'il utilisait parce qu'il ne se sentait pas très sûr de lui avec toi. Et toi, aveuglé d'admiration, qui ne le voyais pas ! »

Cela me semble contradictoire avec ce qu'elle affirmait plus tôt, son emprise sur Erick, le secret... (Ou bien s'attachait-elle – ce jour-là – à préserver *à mes yeux* l'intégrité d'une période singulière qu'elle n'avait pas partagée de la même manière que moi ?)

Malgré la réponse prévisible, je lui demande si elle est mariée, ou si elle en envisage l'éventualité. Ses traits se rembrunissent, mais elle réagit avec humour : « Non... Tu vois, je vais vraiment finir vieille fille ! »

Puis, après une pause, la question que je retiens depuis mon arrivée et qui me brûle la gorge : a-t-elle une idée où il se trouve, ce qu'il fait ? Embarrassée, elle émet un gloussement ébréché. « Mais je n'ai plus eu de contact avec Erick, après Titisee ! Sauf le jour de Vizille, avec toi... »

Ton légèrement réprobateur. J'aurais dû m'abstenir...

Le château de Vizille... La visite d'Erick à Grenoble, l'unique fois où nous avons regardé le film de Bâle côte à côte, lui et moi...

Le moment d'abandon est passé, la mère revient. Nita replace l'invisible voilette de sa discrétion pudique – légèrement distante. C'est bientôt l'heure du train. Elle transcrit l'adresse de Françoise sur une fiche.

« *Mon beau bateau partira demain pour l'Amérique et je ne reviendrai jamais guider mon ombre,* etc. C'est d'Apollinaire, n'est-ce pas ? J'oublie toujours la suite... Quand rentrez-vous en Amérique ? » s'enquiert la mère. L'interrogation surprend en moi une absence d'émotion qu'en tout autre temps elle aurait soulevée. « Non, madame, c'est au Québec... » L'expression me paraît tout à coup amère et me fait prendre conscience que, vu de France, le vieux rêve est devenu une voie de garage. Elle m'accompagne jusqu'à la gare. Au moment de se quitter, la solidarité affectueuse qui nous rattache à une même expérience – un même regret ? – s'épanche dans notre embrassade. Pour un instant j'ai été un peu d'Erick qui repassait dans sa vie, même si elle ne tenait pas à réveiller une nostalgie stérile.

Cet après-midi-là, à Romans, nous nous sommes souvenus ensemble d'une éternité perdue...

▼

Il est tard. Un western de série en noir et blanc déverse ses cavalcades sur l'écran sans son. John Wayne à vingt ans... Tiédeur humide, et déjà le frémissement de l'aube dans le rectangle de la porte ouverte. En contrebas du chemin, des ombres se dirigent vers les aciéries qui bourdonnent derrière la rangée d'arbres. La relève du quart de nuit. Les entrailles mêmes de la puissance conquérante, le honni « impérialisme américain » des années militantes... (Le crachat obligé en bas de la passerelle lorsqu'on débarquait à *Kennedy International Airport*...)

Les confidences de Nita : comme si je ne l'avais pas toujours su, n'osant affronter la réalité... Le drame enfoui dans ces curieuses missives d'Hinterzarten que je n'avais pas spécialement remarquées, parce qu'elles ne me semblaient que la description de problèmes que je croyais surtout d'ordre littéraire. Ces lettres qui feraient durer le déchirement, l'alimenteraient durant ce terrible hiver...

Hinterzarten, 30 novembre 65.

Salut Markus,

Reçu tes lettres... Non, ne t'inquiète pas, la tourmente est passée.
(J'ai finalement terminé mes articles pour Reform, *même si Auschwitz me hante toujours, et que Berlin me tient...)*
En attendant que les choses mûrissent pour nous, je me suis remis à l'écriture, plus que jamais résolu à m'y accrocher. J'ai envoyé deux nouvelles à Jean Paulhan et je me suis attaqué au schéma de ce qui devrait être une nouvelle, mais que j'aimerais développer jusqu'au roman (j'ai lâché l'autre, les préoccupations qui s'y manifestaient étant maintenant dépassées...).

Thème : deux êtres qui s'épousent parce qu'ils ne se désirent pas. *(Ne hurle pas !)*
Pourquoi ? Je pense à ce défi permanent à vouloir sortir des ornières qui nous entraîne chaque fois dans des situations qui nous répugnent, qui nous effraient, mais dans lesquelles nous nous complaisons par une sorte de masochisme latent.
Car pourquoi mes deux zigotos risqueraient-ils une telle aventure ? Par simple jeu, crois-tu ? Par simple refus de l'ennui ? Par quelque machiavélisme de leur part (ou de celle de l'auteur...) ? Non, il y a plus que cela... N'a-t-on pas déjà assez proclamé le besoin d'absolu chez l'homme, cette volonté du « jusqu'au bout », cette exigence du sentiment épuisé, raclé, propre...
Mais le sexe, qui en est le chemin le plus immédiat et le plus irrésistible, pourtant, n'est qu'une course à obstacles où deux êtres, aspirés par l'obscur impératif de l'instinct, passent leur temps à se briser mutuellement les jambes, cherchant à l'aveuglette le foutu « bonheur » dans une forêt pleine de chausse-trappes et de menaces parfois embrasée de fulgurantes visions, fange de cris et de pleurs où ils finissent par se vautrer dans l'immonde (et la souffrance...). (Oh, les mignons petits champignons !)
Paralysé devant l'ampleur démesurée de la chose *(comme on dit quand on se vante...), on préfère la navrante masturbation, mais ô combien rassurante... Ou l'écriture... Sinon, autant crever tout de suite. L'avaient compris Roméo, Tristan, Don Juan et quelques*

autres. Ou plutôt, leurs créateurs : *c'est une épreuve sans issue, dont seule la mort peut délivrer les amants, nous disent-ils. (Mais Wagner ne réussit-il pas à faire de ce sacrifice une transfiguration ?...) Mais, Markus, ce sont des figures* composées, *précisément :* écrites, *ou* chantées... *Fictives – donc idéales. Tu piges ? (J'ai eu cette illumination, récemment : que la mort, c'est de s'aimer à tel point qu'il n'y a plus besoin de l'autre, enfin...)*

Mais revenons à mes personnages (ils ne gribouillent pas, eux !).

Ils ont donc renoncé au sexe (pour la sexualité au quotidien – il faut bien – ils se débrouillent chacun à part soi). Mais sur quoi pourrait se fonder leur relation, à *supposer qu'on lui conférât la qualité* d'amour *?*

Et là, mon vieux, je tombe en panne. Car de quoi est-il question au juste quand on parle d'amour ? de la connivence ? de la complicité ? d'affinités ? Tout cela, on peut le partager avec des *amis (masculins ou féminins). En quoi pourrait-il donc y avoir* amour, *autrement dit un lien exclusif, complet, singulier, sans l'attraction* instinctive *qui le justifie (ou l'alimente, c'est pareil) en nous portant vers* l'autre, *c'est-à-dire un lien d'amour* sans sexe *?*

D'autre part, si l'on admet qu'une personne est aimable *– entends bien dans le sens : « qu'on peut aimer », elle est* aimable *en soi, pourquoi ne le serait-elle donc que pour l'autre sexe ?*

Mettre en scène deux hommes ? (C'est sans intérêt et le problème est le même.)

Alors tu vois le dilemme...

Tout cela demande à être clarifié, travaillé, pensé... La grande difficulté restera le choix du mode narratif : décrire par des actes extérieurs la confrontation de deux consciences, alors que seul le débat intérieur est digne d'intérêt.

Ce qui me décourage dans cette voie, c'est l'impression de ne pas être génial, mais plutôt laborieux...

(Je suis impatient de faire la connaissance de Cornélia, mais souviens-toi que je fais toujours la cour aux femmes de mes amis... C'est la seule manière de leur montrer que je suis jaloux d'elles puisqu'elles m'enlèvent chaque fois une part de ce qui m'est très cher. Je les immole avec une infinie jouissance afin qu'elles n'oublient pas qu'elles sont coupables dans la mesure où elles sont indispensables.)

Toute mon affection à vous deux. Fraternellement,

Erick.

P.-S. J'ai eu un accident, et la pauvre Corneille est allée échouer dans un cimetière de voitures.

Hinterzarten, Schule Birklehof — 14 décembre 65.

Je ne sais pas ce que je ferais, mon vieux Markus, si tu n'étais pas là... Même à cinq cents kilomètres. Présence lointaine, diffuse peut-être, mais qui se manifeste toujours avec la même intensité quand je suis à plat, que ma plume devient stérile, que cette odieuse solitude m'obsède... *Tu as réussi à devenir en cinq mois ce que j'ai de plus important dans ma vie. Mais je ne t'ai pas donné de nouvelles, et toi tu t'inquiètes encore, et toi tu te débats dans le domestique, tu surnages comme tu peux dans le conjugal... Que faisons-nous encore là, dis-moi ?*

Je n'arrête pas de jeter sur le papier idées, plans, directives, et si cette élaboration est parfois enthousiaste et prolixe, elle se termine le plus souvent à l'arraché, dans un concert de grincements de dents et de papiers froissés.

Je t'ai déjà touché quelques mots du thème : les mésaventures d'un couple qui n'en serait pas un (en lui ôtant la justification sexuelle). Mais il me fallait littérairement *une raison concrète qui motivât leur intention, un défi qui nouât le tout. Alors j'ai réintroduit le sexe (si je peux me permettre...). L'impulsion a retrouvé sa fonction motrice, mais je l'ai* neutralisée : *l'attirance demeure, mais ils décrètent qu'elle ne constituera pas le terrain de leurs rapports privilégiés (je ne les fais pas habiter sous le même toit, afin de les débarrasser d'emblée du merdier conjugal, car je les veux malins, en plus !). Et me voilà pris avec l'affirmation d'un pari, mais sans enjeu concret, sinon un « pour voir » qui, certes, ne manque pas de piquant mais qui ne peut me satisfaire.*

Car tu vois un peu l'écueil : ils vont s'acharner à déjouer ce qui est au cœur de leur « intérêt réciproque » et finir par nourrir les mêmes tourments (mais cette fois inversés) en interposant une contrainte (ou un interdit) qui ne fera qu'aiguillonner ce à quoi je prétendais justement les soustraire. D'un autre côté, qu'est-ce qui les empêcherait d'y céder ? (Musil a réussi ça, lui, en faisant d'Ulrich et d'Agathe un frère une sœur. Si bien que de cette façon, l'interdit n'est pas volontaire mais externe aux protagonistes. Mais dans mon cas ?)
Je n'étais pas plus avancé...

Je persiste donc : offrons-leur toute la scène, je me dis, et voyons ce que cela donnera. Et je m'aperçois en les laissant agir que tout les sépare, passé familial, niveau social, points de vue moral et religieux... Je découvre qu'il n'y a entre eux qu'indifférence..., et la haine naît de cette indifférence. Mais il est impossible de la faire naître sans un motif valable, durable : se haïr car ils ne peuvent pas s'aimer ? En faisant de leur amour un amour sans objectif ? (Chez les autres, il se suffit en soi, puisque le sexe continue à pousser l'un vers l'autre les deux sujets, indépendamment de tout projet particulier – sinon le « foyer », la « descendance »... ou tout simplement le conformisme. Même la « haine mortelle des sexes » de Nietzsche entre dans ce cadre...)

Alors l'ultime solution : que l'homme se révèle impuissant. Se mépriser dans sa propre faiblesse, dont l'autre nous renvoie le reflet, etc. Haïr l'incapacité, de façon générale : le « ne pas pouvoir »... L'idéal serait ainsi d'amener le drame jusqu'à son paroxysme, en exacerbant l'hostilité entre mes personnages, et ce, jusqu'à la répulsion physique. Mais je connais le danger : s'attaquer à un tel sujet, c'est violer chez l'homme ce qu'il tient le plus à garder secret et contre lequel il se défend sans cesse (il est habile à ce jeu...). Et quand je parle d'impuissance, je ne parle pas seulement de sexe...

Ah, Markus ! De quel bonheur me privé-je : bobonne, un petit coup de missionnaire le samedi soir et les soupers aux chandelles pour les anniversaires de mariage ! (Mais l'inéluctable piège du « Je veux un enfant de toi » au premier coin de lit.)

(M'entends-tu me bidonner ? Tout cela est triste...)

Réflexions encore bien confuses et mal exprimées, ramassis d'idées surgies au moment de prendre la plume...

Le thème n'a rien d'artificiel, et je le méditais sûrement depuis longtemps. Les yeux ouverts, je vois le monde vivre et, scalpel en main – et certainement trop las –, je ne le trouve même pas affligeant. (Car il nous reste l'écriture : cette passion devant le paquet de feuilles, ce besoin de se tremper dans la matière, de s'y débattre, et d'en façonner de l'inouï... Il est extraordinaire d'être habité de cette manière-là, hanté devrais-je dire.)

As-tu décidé quelque chose pour Noël ? Réponds-moi vite. Je brûle de monter dans un train, bordel ! Et de vite entreprendre – prépare-toi ! – quelque action avec toi...

Grosses bises à ta Comtesse de Noailles. Avec toute mon amitié,

Erick.

(As-tu reçu argent et photos ?)

Hinterzarten, 14 janvier 66.

Vieux frère, Marette notre ministre des Postes et son confrère alle-mand nous ont trahis... Je n'ai strictement rien compris à la rédac-tion de ton télégramme, et, à la réception du deuxième, il était trop tard pour Noël. Je suis désolé pour ce qui vous arrive, Cornélia et toi... Markus, je te demande pardon de ne pas avoir senti combien il était important que je vienne. J'ai mal de vous savoir dans une telle détresse et de ne pas être près de vous. J'aurais dû vous rejoindre sans attendre votre réponse... On se reprendra bientôt, promis ? En mars, pour tes 22 ans ?

Cela dit, la situation n'est guère plus brillante de mon côté : le « funèbre oiseau noir » de la déprime s'est abattu sur moi...

C'est en effet une loque qui vous écrit, mon cher Markus. J'avais tapé une version de ma nouvelle-roman, sur le point de te l'envoyer, puis l'avais délaissée quelque temps sur ma table. Je viens de me relire, et tout ce fatras gît maintenant en boulettes dans la corbeille. Elle est là aussi, l'impuissance...

Je suis vidé. Où porter le trop-plein de son désir, quand il n'aboutit pas, où se tourner, dis-moi un peu, vers quelle autre forme de créa-tion, quel nouveau genre de vie ? Quelles pirouettes doit-on exécuter pour mériter sa place dans le cirque qui nous tient lieu de société ?

Faut-il s'enfermer dans une tour et, splendide isolement, méditer sur la racaille et ses problèmes ?... Ou s'astreindre à une discipline de travail comme tu le fais, en combinant astucieusement plaisir intellectuel et titillation de la chair ?... Ou bien mourir d'ennui et accablé de soucis comme je le suis, tout en y trouvant une espèce d'autopunition et de jouissance vaguement masochiste ? Courir le globe en quête de quelque Graal que l'espoir rend seul vraisem-blable ?... Mais quand ?...

Mais quand, où, pourquoi... – que de questions vaines, mon vieux Markus, puisque la solution n'appartient qu'à moi. Mais je me sens usé par ces perpétuelles ruminations : avoir toujours à chercher seul la réponse.

... Il nous reste heureusement les espaces – encore inviolés par nos pas – des marches de Gobi...

(Mais je sais que dans la mesure où Cornélia est à tes côtés ton avenir ne peut être envisagé de la même façon. Et pardonne-moi de

47

te le dire – mais je perçois comme une dérive de ton côté. ... Permets-moi donc de ne pas développer davantage aujourd'hui ; je refuse de céder à tout romantisme ou à toute folle idée d'évasion avant le lancement de la caravelle. Et après, geniessen, geniessen und leben aber zusammen...)

J'ignore comment va se présenter cette année pour nous. Mais tu sais qu'elle te sera consacrée – toi et Cornélia. En attendant...

Affectueusement,

Erick.

P.-S. Non, je ne t'envoie pas de poèmes. Pardon, vieux, mais ils sont mauvais et je n'ai pas encore le courage de les livrer aux bêtes... Par contre, voici une admirable photo : le poil à la Chateaubriand, l'œil noyé et songeur, la Jeunesse Triomphante... Elle est destinée à mettre Cornélia en condition en vue de ma très prochaine visite...

Incidemment, le Graal gît à l'Est, je te le rappelle. Cela nous prendra peut-être quelques détours insoupçonnés mais nous y arriverons, Markus, nous y arriverons...

La télé clignote dans le vide. Il est vraiment tard.

Le tremplin de l'écriture brisé dès le départ... Que de tortures, mais aussi que d'intensité en si peu de temps ! Car il nous restait la vie. On s'imagine que celle-ci sera la plus forte, nous menant toujours plus loin, poussé par de nouvelles forces, une vague submergeant la précédente, et l'on avance, on n'a pas le temps de s'attarder sur les débris mêlés à l'écume, scories d'histoires inachevées et de projets avortés. Et, palabrant sur la beauté des îles, l'on ne sort jamais du port...

Quelque part au cœur de l'Amérique, en ce motel au nom français...

Le trait définitivement tiré : l'adieu de New York est maintenant en arrière, enfoui dans l'ordre des choses passées. Et n'ai pas encore réussi à en écrire une seule ligne... Qu'en dire ? – Et tant à dire...

Trop difficile encore.

19 JUIN, SOIR. LIEBER STATE RECREATION AREA. À l'ouest d'Indianapolis (près de la 70, Indiana). 20 h 30, heure solaire.

Mes 387 milles depuis ce matin. Arrivé tôt. Parc très vert, grands bois, encore peu de monde. Kim, la préposée à la réception, m'a placé près du *comfort station* avec douches. Mon premier campement depuis le retour de ma téméraire expédition en solitaire en Alaska. L'installation m'a pris du temps, il me manquait des piquets, les casseroles étaient trop sales, noircies par d'anciens feux, et la vache à eau fuit. Sous-bois aérés, allées. Oiseaux. Le ciel est encore clair. Une famille italienne occupe l'emplacement voisin, contre la clôture ; des enfants se pourchassent autour de la moustiquaire, s'en écartent ; éclats de rires. Fumets de viande émanant d'un barbecue. Une radio grésille. *« Ragazzi, a tavola ! »* crie la mère. La fillette accourt en chantonnant un air, *Il silènzio...*

▼

C'est lors d'un voyage professionnel en Tchécoslovaquie, deux ou trois années plus tard, que je saisis l'occasion pour revoir Françoise et... Titisee.

Elle me guettait sur le quai de la gare de Belfort, mais c'est l'un de ses fils qui me reconnut, d'après les photos. Elle, les mêmes yeux d'un brun velouté, le même sourire intimidé. Amusée de me voir, après si longtemps. « Combien déjà ? — Quinze ans, Françoise... » Pendant le trajet, les banalités habituelles. Elle se montra impressionnée quand je lui appris que je vivais au Canada. « Pour de bon ? — J'en ai bien peur... — Ah bon ? Tu es ici en vacances alors ? — Pas exactement... Je vais faire des repérages à Prague, pour un film.

Mon boulot... Et toi ?» Mariée, mère de famille, elle colla-
borait avec Jean-Claude, son mari, à la gestion d'une coopé-
rative vinicole. « Et avec quatre enfants, je n'ai pas le temps de
m'ennuyer, crois-moi !»
Chez elle, les garçons courent autour de nous sans se
préoccuper du « Canadien» qui vient voir maman. Elle
m'emmène faire le tour des vignobles. Je lui relate ma visite
à Romans deux ou trois années auparavant. Elle est heureuse
d'avoir des nouvelles de Nita, et nous évoquons l'été de 65.
Mais Titisee c'est loin pour elle, et sans signification particulière. Ainsi, la journée de son départ qui, avec celles de
Sankt-Blasien et de Constance, se détache pour moi avec
acuité de notre histoire, ranime plutôt chez elle un pénible
souvenir : celui de la mort de son père. « Quoi ? Mais je pensais que... — Mais oui, j'avais dû rentrer précipitamment...» Je
demeure interdit : étions-nous donc à ce point aveuglés par
notre obsession pour que j'aie pu oublier *cela* ? Quant au reste
de la journée, elle n'en a conservé que quelques bribes
confuses. Elle s'en excuse presque : « Comment ça s'était
passé, déjà ?» Je lui dépeins la clairière à l'aurore, nous deux
à moitié dévêtus dans l'*Opel* (« La Corneille, ça ne te rappelle
rien ?»), le surgissement de son frère dans le brouillard,
l'intervention d'Erick, le petit déjeuner à Neustadt avec Nita,
son train manqué... Elle me fait préciser des détails, confirmer
la mésaventure de Roméo. « Ah oui, c'est ça ! Sacré frangin !
Il est maintenant gendarme...» Le déjeuner ? L'échange de
promesses ? Non vraiment, elle ne voit pas... Aurais-je inventé
tout cela ? « Sans doute... Tu sais, mon père venait de mourir...» Déçu, je l'oblige à fouiller un peu plus, je ne voudrais
pas être le seul à couver ces précieuses miniatures. Tout ce
qu'elle parvient à se remémorer se situe quelque temps après,
lorsqu'elle est retournée à Titisee pour une question de
certificat de travail : elle est tombée sur Erick au *Stube*, et il l'a
emmenée chez lui à Hinterzarten. « Quoi ? Il n'était pas parti
à Berlin ? — Ah ? Non, puisque... Mais la pièce était remplie
de cartons. — Et il n'a pas fait de commentaires à ce propos ? — Non... Mais on aurait dit qu'il n'était plus le même,

maussade, absent...» Le même soir (brève hésitation), elle
s'est retrouvée dans son lit. «Tu comprends, tu n'étais plus là.
Avions-nous même une seule chance de nous revoir ? Et il
avait l'air si paumé...» Elle a une moue gênée, une légère
rougeur au front. «Mais ç'a été désastreux, de toute manière...,
s'empresse-t-elle de corriger. — Tu n'as pas à te justifier,
Françoise...» Elle esquive : «Au fait, es-tu au courant de ce
qu'il est devenu ? — C'est justement ce que j'espérais que tu
me dises...» Elle rit. «Et comment je le saurais ? Non, jamais
eu de nouvelles. Mais vous ne deviez pas prendre la route
ensemble ? — Si, mais cela a échoué... — Et Nita ne t'a rien
dit, elle ? Ah bon...» Elle semble réfléchir. «Il était bizarre
Erick, quand même...» J'acquiesce, pour l'aider, tout cela est
effectivement sans intérêt désormais. D'insignifiantes varia-
tions sur une vieille rengaine. «Et sa manie de toujours m'appeler Francesca... Oui, un drôle de type... Très seul, aussi...»
Elle redevient songeuse, puis se ressaisit. «Et toi ? J'avais reçu
ta carte de Grenoble, ça m'avait surprise, je vous croyais déjà
dans les Balkans, ou par là... Tu avais écrit que tu préparais
l'université, ça a marché ? — Oui, j'ai réussi l'examen, mais je
ne me suis pas inscrit en fac. Je suis reparti en Allemagne, en
Basse-Saxe cette fois, où j'ai reçu une lettre d'Erick qui venait
d'atterrir au Brésil (oui, au Brésil...). Je me suis engagé sur un
bateau pour le rejoindre, on s'est ratés là-bas, et je suis revenu
en France. Les événements de Mai 68 ont éclaté alors que je
terminais ma première année en Lettres. Le bon moment,
j'étais mûr pour ça. Ensuite, licence et maîtrise dans l'euphorie
révolutionnaire ! Je plaisante... — Et vous ne vous êtes pas
revus ? — Non... J'ai failli, une fois, au Mexique... — Au
Mexique ? Mais qu'est-ce qu'il est allé fabriquer dans tous ces
coins ? — Je n'en sais rien... — Du moins, ça t'a fait voir du
pays, c'est ce que tu voulais, non ? — D'une certaine façon,
oui... — C'est marrant, vous n'arrêtiez pas de parler de
Byzance et de tas d'endroits comme ça, et puis vous allez vous
balader chacun de votre côté en Amérique du Sud... —
Byzance, tu dis ? — Oui, je t'assure...»

À la maison, elle allume l'électrophone, choisit un disque. « Tu vas trouver ça rétro... » La mélodie d'une chansonnette italienne emplit le salon. Une soudaine bouffée de réminiscences m'envahit. Elle, ça la fait plutôt rigoler, comme lorsqu'on feuillette un album de photos de famille.

La vie continuée rend dérisoire, à distance, l'attraction de ces gouffres que nous longions le souffle coupé... Il n'en subsiste que des images pâlies, où parfois sur l'une d'elles s'est concentrée toute la couleur, une seule couleur : comme ce gris électrisé des brumes dans les ruelles de Bâle où nous vaguions, foule à deux sous le parapluie, serrés l'un contre l'autre dans cette intimité étonnée qui suit l'amour, à courir pieds nus dans les caniveaux, à fredonner *Il Silènzio* devant le juke-box d'une *Konditorei* ; sachant qu'un jour cet air nous replongerait dans ce temps où le soleil avait été d'un autre monde, celui de notre été allemand, Françoise et moi ; alors que déjà se dressaient les horizons des villes fabuleuses qui, de la Perse à la Chine, allaient bientôt s'ouvrir à nous – Erick et moi...

Et ce soir, en ce parc de l'Indiana, *Il Silènzio* c'est la rosée dans les prés d'Hinterzarten, ce sont les nuits folles à parcourir les dômes de la Forêt-Noire – les voix chères à nos côtés...

« J'ai encore les photos de Bâle dans un coin... » Sa voix me fait sursauter. Elle va fouiller dans le tiroir d'un bureau. « Es-tu marié ? » lance-t-elle impromptu en remuant des papiers. Elle a du mal à croire que je vive seul. « Je n'arrive pas à remettre la main dessus... » Elle doit préparer le repas. La cuisine a le désordre de la vie même, profusion et générosité...

Un des garçons me fait asseoir en face de lui et s'accoude sur le bord de la table. « Dis, monsieur, c'est vrai que t'habites au Canada ? — Oui... — T'as déjà vu la police montée ? Et des ours ? » L'autre se joint à nous, intéressé. « T'as été au Grand Canyon ? — Je suis même descendu tout au fond, jusqu'à la rivière Colorado ; tu aimerais ça aller au Grand Canyon, toi, hein ? Dans ma chambre d'enfant j'avais épinglé une carte des États-Unis sur le mur. Je ne sais plus d'où elle provenait. Des petits dessins identifiaient les sites importants : les gratte-ciel de Manhattan, les bisons du Wyoming, les rues de Virginia City (une ville de chercheurs d'or), les *pueblos* du Nouveau-Mexique, et bien sûr le Grand Canyon. C'était comme une lucarne ouverte sur un univers fantastique, un domaine à moi que je pouvais explorer à ma guise ! Jamais je n'aurais cru que je verrais tout ça un jour ! Et puis un dimanche, à Paris, mon père m'a emmené voir la réplique de la statue de la Liberté, à la pointe de l'allée des Cygnes, c'est une île en plein milieu de la Seine... Alors tous les jeudis j'enfourchais mon vélo et j'allais m'asseoir à ses pieds, je la contemplais comme si elle n'était qu'à moi. Et lorsqu'on m'interrogeait sur ce que je voulais faire quand je serais grand, j'imaginais aussitôt la même statue, mais énorme, qui dominait la baie de New York, et je répondais sans hésiter : " Aller en Amérique... " Parce que, voilà, c'était inimaginable à l'époque, seulement bon pour les riches...»

L'enfant m'écoute, le menton dans les paumes. « Qu'est-ce que c'est des *plebos* ? » Mais son père vient d'entrer, et le gamin bondit vers lui. Présentations sans manières. Sympathique, Jean-Claude m'invite à souper avec eux, mais je décline son offre, souhaitant faire un saut à Titisee, et pour cela attraper la correspondance de nuit à Freiburg. Nous bavardons. Il m'entretient des problèmes de l'exploitation, je lui décris les hivers au Québec, mes virées à New York. Puis je conclus par une suggestion : « Ce serait chouette de se revoir tous un jour au Canada.» Avec un brin de cynisme, j'ajoute : « Nous tous et nos familles...» Françoise se pince les lèvres.

Ce soir-là, à Freiburg, j'ai dû attendre le train de Neustadt. Au buffet de la gare, qui avait été à la fois notre domaine et le théâtre nocturne de nos grandes envolées lyriques, nous les héros en transit d'expéditions imaginaires, une subite émotion m'a terrassé : tout était en effet resté pareil, les mêmes odeurs de bière et de parquet ciré, les mêmes bruits atténués par les boiseries, et j'étais à cet instant celui *d'alors*, enveloppé par les sonorités tout à la fois étrangères et familières de cette langue, de ce pays, par l'atmosphère intense d'un temps qui fut héroïque, comme si je venais de faire irruption dans le cadre oublié, et soudainement retrouvé, d'une scène d'enfance. Mais qu'avait-on fait du planisphère qui ornait le mur de la grande salle ? Qu'était-il advenu des rumeurs de notre initiation allemande ? Où s'étaient abîmés les désirs d'espaces lointains qui, en remontant les gorges du Höllental, le Val d'Enfer, nous enivraient dans les aubes assoupies ? Accablé par l'irrémédiable, je renonçai à un pèlerinage plus douloureux que je ne l'avais anticipé et laissai passer mon train, laissant mourir la nuit sous les hautes voûtes, à écrire d'impossibles lettres et à poursuivre dans la somnolence l'austère lecture du roman de Musil.

Le lendemain soir, je mis à profit l'arrêt forcé de Nuremberg pour enfin me procurer l'édition en allemand du *Journal* de Kafka. À Prague, je n'ai pas trouvé le cimetière juif et, aussitôt les repérages effectués, je suis rentré directement à Montréal.

L'animation du camp s'est apaisée. Mes voisins italiens ont couché leurs enfants. Le père suit un match sportif à la radio, le regard absorbé par le feu dont il fouille les tisons avec un bâton. La mère débarrasse la table. Ai négligé de fermer la moustiquaire, et l'intérieur de la tente est humide. Ma lampe donne des signes de faiblesse. Il se fait tard, mais en terminer : l'année passée, ma dernière tentative sur les traces d'Erick, comme pour aller clore cette histoire – que le télégramme de New York, inattendu, allait rouvrir... Après mon reportage à Berlin, alors que je risquais un détour par Titisee. La dernière tentative...

La voiture que je laisse à l'entrée de la station thermale, les larges trottoirs qui paraissent bien étroits, la foule des estivants, l'approche émue de ce coin de rue, de ce bout de jardin, de ces façades à la bavaroise... Puis le *Restaurant Seeblick*, avec ses balcons de bois et ses volets verts, sa terrasse que je contourne, pour voir... Et voilà justement *Herr* Winterhalder, Eugen, le chef du restaurant, se promenant dans sa cour, et que j'aborde de mon allemand maladroit : il se demande ce que je lui veux, et, non, ne se souvient pas de moi, son ancien commis français... Je ne suis pas très sûr non plus qu'il s'agisse bien de lui. « *Sommer 1965 ?* » Il se perd dans les années. Sonny, le pâtissier ? Manfred ? « *Nein, wirklich* », cela ne lui dit rien... Son front se plisse, l'effort est sincère. Dimka, la Slovène ? Et sa vieille sorcière de mère ? Non plus... Il a du mal à se tenir, même avec le support de ses cannes. Il se gratte le crâne, et finit par affirmer qu'il n'était pas à Titisee cette saison-là... Très étonné, je lui fournis des indices susceptibles de le guider. Alors que je mentionne son prénom, Eugen, il réagit aussitôt : « *Eugen, sag's du ? Ach ! Eugen ist tot !* s'écrie-t-il. *Er war aber der Vater !* » Le père ? Décédé ? « Eugen » n'aurait donc pas été Eugen ? Et ce père, je ne l'ai jamais vu... Je l'observe, perplexe : c'est pourtant bien lui malgré le visage gonflé par la maladie ; et ses intonations, ses « *gelt ?* », cette façon de froncer les sourcils en suivant le balbutiement de mes phrases, et sa jambe blessé – comment ne pas reconnaître le « capitaine Achab » qui effrayait tant les apprentis ! J'insiste. Quoique laborieux, mon allemand fait vibrer en moi des tonalités depuis longtemps enfouies, ranime toute une gerbe de sensations oubliées. Je m'échauffe. Ébranlé par ma certitude, conquis par ma véhémence, l'homme admet qu'il se trompe peut-être d'année. Rassuré, il m'offre de visiter les cuisines. Mais dans ces locaux rénovés et curieusement déserts, où plus rien ne subsiste des cuves rudimentaires et des fourneaux grondants, ni des barres de bois où séchaient les tabliers du chef, comment se figurer la frénésie des journées infernales que nous y avons vécues ? Et les couinements de Suzi, les minauderies de Dimka, les grognements de la mère Popeye ? Par la fenêtre, le lac ressemble toujours à un chromo de calendrier (mais la cour maintenant goudronnée a été dégarnie de ses buissons). Dans la boulangerie, je m'enquiers si Sonny, le Juif timide et complice de nos frasques de jeunes, réside toujours à Titisee.

Il ne comprend pas bien de qui je parle, puis cela lui revient ;
Sonny était malade, mais il ignore ce qu'il est devenu. Je
remarque le coin de la douche près du four, inchangé... Dehors, je voudrais faire durer le contact, m'asseoir sur le
seuil et fumer une cigarette, me laisser gagner par les impres-
sions d'alors... Mais je n'ose. Nous faisons quelques pas dans
la cour. « *Herr* Eugen, me permettez-vous de prendre une
photo de vous ?» La dernière occasion de sauver quelques
signes avant que tout ne s'efface. Il hoche la tête, sans refuser
ce nom. Je recule, cadre rapidement, déclenche l'obturateur
une fois, deux fois. Une femme apparaît. « *Meine Frau...*, me
présente-t-il, soulignant en français : la patronne, maintenant... » Quelque chose dans le regard de celle-ci me confirme
aussitôt qu'il s'agit bien d'eux. Eugen lui glisse quelques mots
en dialecte, et elle m'examine avec un sourire dubitatif.
Profitant de sa présence, je sollicite son concours : « *Frau
Winterhalder, erlauben Sie, dass ich...*» Elle paraît flattée. Je
règle l'appareil et le lui remets. Eugen consent volontiers à
poser auprès de cet inconnu qui prétend avoir été employé sous
ses ordres. Elle vise, appuie. Elle n'a pas trop bougé, ça ira.
« *Danke sehr !* » Nous demeurons sans rien dire, embarrassés.
Finalement, je tends la main au chef. « *Auf Wiedersehen,
Eugen ! Leben Sie wohl !* » Il retient mes doigts entre les siens,
me scrute étrangement, les yeux mouillés — dans lesquels
s'agite une lueur interrogatrice.
     Je salue la femme et les quitte.
     Mes jambes tremblent.

     Peu après, surplombant le lac sous les tonnelles du
Schwarzwalderhof, l'auberge qui avait servi de quartier général
à nos grandes entreprises, j'ai su que je ne reviendrais plus à
Titisee. Ceux qui avaient animé ces lieux s'étaient éparpillés
aux quatre coins du temps, et l'unique survivant était frappé
d'amnésie. Concentré sur le sens de cette période, sans nostalgie, je ne pensai même plus à Erick, m'efforçant simplement
d'établir le lien entre le Titisee de la légende et un présent
qui se réduisait à cette apparence ordinaire : « Une station

thermale en 1983.» De ce décor tout à coup dépouillé de ses éclairages intérieurs, il ne me restait plus qu'à enregistrer les échos, afin peut-être d'en recomposer un jour le relief disparu. Découvrant mieux la façade de l'auberge, je constatai que l'enseigne de la brasserie n'y était plus, ni l'inscription gothique sur le mur. Du lierre courait sur une surface maintenant parfaitement unie, sans ouverture. Le *Stube*, foyer bouillonnant de nos aspirations, avait-il jamais existé ?

Le jour s'assombrissait, et j'ai retraversé la rue principale pour aller photographier le restaurant, m'attachant à couvrir tous les angles (ce qui ne manqua pas d'intriguer le personnel de terrasse), opérant méthodiquement, froidement, avec une application professionnelle, comme on accumule des matériaux pour un contrat. Puis j'ai flâné le long de la plage, à l'heure magique où tout semble suspendu dans un temps indéfini, sensible à la sérénité du lac, au balancement des barques vides.

Avant la chute du rideau, je suis entré au *Seeblick* par la porte d'en avant, comme n'importe quel touriste, prenant place incognito dans cette salle à manger où, à vingt ans, j'avais fait le vœu de revenir – dans un futur lointain encore indistinct –, avec la femme et les enfants que je n'ai pas eus... Et je me suis fait servir dans ce cadre d'une saison où je n'avais été qu'un casserolier plutôt paumé, – avant l'irruption d'Erick dans nos vies...

Plus tard, devant la gare de Neustadt, j'ai tenté une dernière photo, malgré le crépuscule. Après avoir ajusté le trépied sur le capot d'une voiture, j'ai couru me poster sur les marches du parvis, désirant fixer, rétrospectivement, la scène dans laquelle je débarque pour la première fois en Allemagne. Je n'ai pas entendu le déclic de la minuterie, et la lumière était maintenant trop faible pour un deuxième essai.

Cette nuit-là j'ai pris une chambre au *Zartenbach*, à Hinterzarten, et renoncé le lendemain à demander la direction de la *Schule Birklehof* – m'éloignant à jamais de la maison d'Erick au fond de la clairière...

Une semaine après, et à cinq mille kilomètres de là, à Montréal, il se révéla que mon déplacement, durant le temps de pose devant la gare, avait dissous mon image, n'effleurant que d'un léger flou le centre de l'émulsion – l'empreinte d'un simulacre qui avait tourné court.

▼

22 H 15.

Le camp endormi. Des murmures par-ci par-là. Les phares d'une auto transpercent un instant ma toile de leur faisceau. Ma lampe agonise, un reste du gaz acheté à Whitehorse, au Yukon. La tente sent le moisi et je n'ai toujours pas réparé la déchirure dans le tapis (éraflé par le sol trop rocailleux du Big Bend Park, au Texas...).

Se réhabituer à dormir à même la terre.

Lieber State Park, 20 juin, matin.

Rêve où l'on m'avisait qu'Erick était de retour, qu'il serait là d'un moment à l'autre... Mais à quelle porte ? Et le temps de descendre, il me cherchera dans les sous-sols. Et je dois me rendre au studio, il me croira absent, il repartira. Comment le prévenir ? Allons-nous encore nous manquer ?

Et pourtant New York, à New York enfin...

Oser rassembler ce qui, sur le point de disparaître, disparaît déjà, rompre cette corde que je traîne, et qui me retient encore... Racler de ma peau, purger de mes veines ce sang qui risque de pourrir, qui obscurcit encore les perspectives.

... Il le faudra bien.

L'Italien part faire son jogging. Une clarté blafarde plane au-dessus des bocages, s'infiltre dans les sous-bois, soulève les prés d'une ondulation grise.

▼

Quatorze heures. Après Terre Haute, Indiana.

PIZZA HUT dans une *service area*. Intérieur sombre, îlot de fraîcheur isolé parmi les verdures écrasées sous une chape de plomb. Musique *blue-grass*, jeunes vachers et filles en jean, serveuses en costume d'opérette, jupe courte et bonnet frangé, tout à fait incongrus en cette place et à cette heure. Un homme attablé près du mur suit les camions qui filent sur l'autoroute. Il sirote sans hâte sa bière, fume pensivement sa cigarette. Quand le verre est vide, il dépose un billet sous le cendrier, se lève lentement et sort. Un souffle d'air chaud balaie la salle. On entend bientôt le ronflement d'un moteur qui démarre.

À l'écart de tout, j'ignore où je suis... On se sent comme dans un navire échoué au milieu des courants. Une pause dans le mouvement qui, irrépressible, se prolonge dans tout le corps. Ceux qui font halte ici ne s'attardent pas, on les dirait inquiets. Ils mangent à la hâte, s'informent du nombre d'heures jusqu'à St. Louis ou Chicago et reprennent le volant. L'impulsion de les imiter s'empare aussitôt de nous. Ce sont surtout des routiers qui viennent casser la somnolence qui les assomme ou téléphoner à leurs clients (chaque table possède un appareil). L'un d'eux rapporte qu'à Columbus on a tiré des coups de feu sur des camionneurs qui défiaient une grève nationale des *Teamsters's*.

Par les étroites fenêtres aux rideaux rouges, on aperçoit une nature indécise, cultures et pâturages séparés par des haies, un paysage encore domestiqué. Une station d'essence croule à l'ombre d'un bosquet d'arbres. Doublé sans relâche par les camions, un train continuel de voitures et de caravanes défile sur l'interminable piste, dans la vacuité d'un après-midi qui s'alanguit.

Tout cela ne finira jamais...

C'est de rouler face au soleil, comme des phalènes hypnotisées dans le vide sans fin de la chaleur blanche, qui fait se cramponner à ce fil d'Ariane les migrants que nous sommes, en route vers nulle part...

Le jour s'est peu à peu liquéfié, je ne sais pas où cela s'est produit. Dans la coulée d'asphalte surchauffé, parmi les moiteurs de mirage, dans l'hésitation soudaine qui me fit ralentir, c'était la peur qui montait... Il m'a fallu m'arrêter. (J'ai quelquefois le pressentiment que je vais me réveiller et me découvrir tout à coup en exil ; et, prenant conscience de mon égarement, me demander ce que je fais là, à une si grande distance de moi-même. Où m'attend le pays de ma vie réelle ?)

De violents orages s'abattent sur St. Louis, annoncent des voyageurs, deux hommes avec des enfants. La serveuse dépose devant moi le café, avec un grand verre d'eau plein de glaçons.

Sur la carte l'endroit est difficile à repérer. À conduire des heures dans la monotonie, on se croit toujours plus loin que l'on n'est en réalité. La *57-NORTH* qui coupe l'Illinois du nord au sud débouche bientôt sur la grande transversale est-ouest. Chicago à quelques heures de là... « Je reviendrai... », avait affirmé Cornélia sur le quai de la gare de Grenoble, en ce début de mars 1968, deux mois avant la fermeture de Nanterre et les premières barricades sur le boulevard Saint-Michel...

J'ai sorti l'emballage *PRISUNIC*, déchiré, qui accompagne le carnet noir, et qui contient son courrier, et qui découpe sur la table une tache jaune, signe insolite à ce croisement précis du temps et de l'espace. À l'intérieur, tous ses aérogrammes et toutes ses lettres, la plupart sans enveloppe, ainsi que le dernier cahier de son journal personnel, abandonné à Grenoble, interrompu. Et les dates, adresses, tampons qui attestent, à travers leur désordre, les étapes d'une passion fébrile, tourmentée, tumultueuse. Comme hors de leur contexte de simples mots peuvent raviver de singulières résonances ! Ainsi ceux de ce cachet d'oblitération : *Paris XVII, Av. de Wagram (17ᵉ), 12 H, 15-12-1966*. Et ce timbre de la *RÉPUBLIQUE FRANÇAISE* à 0,30 F, coq dressé face au levant, minuscule carré intime parmi les étendues du monde...

À l'intérieur, deux cartes postales sépia, l'une de la Place de l'Opéra, l'autre des bouquinistes du quai de la Mégisserie.

Oh – Mark – ce soir je suis si, si heureuse – ta carte de Bahia – tu es là – je te sens ici – Il n'y a rien d'impossible – oh que c'est vrai – tes projets me semblent très bien – il faut que tu satisfais tes désirs et moi aussi – il faut que nous restions toujours libres et toujours liés – nous sommes tous les deux seulement 22 ans et nous avons tant de choses à faire – La vie n'est pas un temps du repos – Tu me dis pas combien de temps tu vas naviguer –

(...)

– Est-il une question des années ou quoi ? Je ne suis pas inquiétée – je veux toujours que tu fasses ce que tu crois d'être le meilleur pour toi – mais pour mes projets à moi – il faut que je sache –

Si tu as besoin de quelque chose écris-moi – j'ai gardé un peu d'argent dans le cas où tu auras besoin –

Je t'embrasse, je t'aime –

Nélie

Je lis Jules et Jim – *je n'avais pas tout compris dans le film* – *à*
Göttingen – *à cause de l'allemand* – *c'est terrible comme livre* –

Papier avion des lettres qu'elle m'adressait au Brésil, le
plus souvent bleu, froissé par l'humidité (évaporée) des tropiques, sec et cassant, et pages de blocs-notes – aux surfaces
labourées par la bille, mots gravés sous le coup de la véhémence, de l'impatience ou de l'élan amoureux, textes serrés
ponctués de tirets, hachés comme la respiration d'une course...
Et ce cachet de Chicago sur la seule lettre d'Amérique
qu'elle m'a jamais envoyée, la dernière lettre, quand tout était
consommé, quand elle était redevenue une Américaine...

Chicago – August 16, 1968.

Chéri –

*Il m'a fallu beaucoup de temps pour réagir à ta lettre de Cannes –
(je ne pouvais pas répondre à tes autres – pas encore) – finalement
je comprends pourquoi tu n'es pas très enthusiastic à ma proposition
pour se revoir – je sais très bien – depuis mars – que tu t'es engagé
dans une nouvelle vie – Et qu'elle est indépendante de moi – mon
télégramme était une erreur –*

*C'est bien aussi toute l'agitation en France – les occupations et
tout – mais c'est juste quand tu as commencé tes études – est-ce que
cela va pas les faire louper ? – mais – comme tu écris – tu avais
besoin de cet élan, de ce mouvement – cette solidarité avec les
autres – Et moi aussi – j'ai trouvé les choses changées ici en Amérique – ces luttes partout – Martin Luther King qu'on a assassiné en
avril – et puis Bobby Kennedy en juin – ça va exploser si ça
continue – Je suis dans un comité contre President Johnson – et la*
dirty war *– même s'il dit qu'il veut stopper les bombardements –
c'est incroyable tout ce qui se passe – juste quand je suis rentrée
dans mon pays – et c'est important que je suis là – je suis contente –
mais ils ne voient pas l'activisme politique comme en Europe, ça les
révolte aussi toute cette misère – cette violence – mais eux – ils
préfèrent ce soit pacifiste – nous c'est le* flower power *– la fleur dans
le fusil – et vous c'est le pavé sur le nez du flic – j'ai lu ça –*

*Aussi – c'est chez moi ici – tout mon passé – tout ce que je connais –
que je comprends vraiment – Pas comme en France, c'était toujours
difficile pour moi – il a fallu revenir ici pour me retrouver –*

*Mais – comment dire – je cherche encore une raison à ma vie – la
joie – je ne l'ai pas trouvée encore – j'ai besoin de très peu pour être
enfin moi – je me demande si tu as jamais accepté cela complètement –*

*Quant à toi et moi – I feel confused – je ne suis plus sûre de nous
deux – Et puis je repense cette chose qui est arrivé – le premier hiver
à Grenoble – je ne veux pas me sentir coupable – mais je sais que je
ferai jamais ça encore – mais il ne faut pas regretter – Mark – je
t'aime encore je crois – ces trois ans avec toi – ça compte beaucoup
pour moi – vraiment – tout ce que tu m'as appris – sur la sincérité
avec soi-même – mais nous c'est une relation qui ne peut plus durer*

*comme avant – Quand j'ai écrit « envie de te revoir » – c'était pour
t'entendre –* to touch you – *te connaître à nouveau – les mots ne sont
plus suffisants, mais je sens que tu as peur – c'est peut-être trop tôt –
mais moi – j'ai besoin – Tu es loin de moi – tu as beaucoup changé
et moi aussi –* we are like strangers – *Que ferons-nous si on décide
de se réconcilier ? – il y aura trop à nous dire – En plus – je devine
que tu as une fille – Et cela te gêne que je retourne là-bas tant que
tu as cette fille –*
We must tell the truth – *quand nous étions ensemble nous avons fait
beaucoup de mal l'un à l'autre – nous avons toujours voulu soit
comme un a voulu – ou comme l'autre – mais presque jamais pour
nous-mêmes – je le sais parce que maintenant – ici – j'essaye d'être
entièrement moi – j'aime sortir – j'aime une vie confortable – me
promener toute seule dans les rues – ou passer quelque temps dans
un café à regarder les gens – je suis assez simple – à ma façon qui
n'est comme personne d'autre – et je voudrais vivre toujours libre –
libre dans mon esprit – et pour être libre je dois faire mes propres
choix –* I need to be a part of what is happening around me – *oui je
sais que tu comprends – tu as trouvé cela déjà – Et tu as raison de
pas vouloir me voir maintenant – il nous faudra du temps encore –
mais il faut que nous soyons entièrement nous-mêmes – c'est la
condition –*
Au fond de moi – I still love you – *mais je voudrais savoir ce que tu
es – et ce que cela peut être – notre relation ensemble – j'ai besoin
d'amour – d'un enfant – d'être une femme – c'est très simple –*

Cornélia –

Me revient l'écho tellement vieilli d'*Un homme et une femme*, que nous avions vu dans un cinéma d'Anvers, la veille de l'appareillage, et de la séparation – Cornélia disparue dans le sillage de ma vie, submergée par le temps.

Ainsi qu'Erick, à son tour emporté dans les remous...

Heureusement, il y a la route... Repartir.

Dehors, c'est la fournaise du midi solaire. Plonger dans les orages serait un apaisement.

▼

Vandalia, Har-Har Lake, 20 h.

Vingt heures. Assez loin peut-être pour ralentir un peu. Le *campground* est à l'extrémité d'un chemin caillouté, sur le bord d'un étang qu'alimente un ruisseau. L'eau me semble assez claire pour me tremper. C'est un garagiste qui m'a indiqué l'embranchement. Saturée d'humidité, toute la campagne est noyée d'une pâleur jaunâtre, luisances d'or sur le vert solaire des prairies ; derrière les feuillages, le disque démesurément agrandi du soleil embrase le ciel : on dirait les flamboiements d'un gigantesque incendie aux confins de la terre.

Presque personne, quelques pêcheurs de type « dur », bière en main, réunis autour d'une table en rondins. Un *camper* étincelant comme une carlingue d'avion s'est logé entre les arbres de la pente boisée, inquiétante présence métallique au sein de la nature. Pas de *comfort station*, bien sûr.

▼

21 h 30. Ma première baignade !

Moustiques, lucioles, grosses fourmis autour de ma lampe bientôt inutile... Encore le temps d'écrire avant qu'il ne fasse totalement noir.

Dès la tente installée (encore bancale), me suis jeté à l'eau (c'est un des affluents de la Kaskaskia qui se déverse plus au sud dans le Mississippi, m'a informé un pêcheur, par ailleurs dégoûté de me voir gigoter parmi les algues). C'est en nageant dans cette épaisseur tiède et argileuse, autour d'un îlot sauvage, que ça m'est revenu : cet après-midi, pour la première fois depuis New York, je me suis demandé où pouvait bien être Erick, après ces trois jours...

Et depuis, les bruits de la confrontation new-yorkaise se mettent à refluer – ainsi la marée qui ramène les corps qu'on croyait engloutis. Notre rencontre, Erick et moi, a brouillé les cartes, comme s'il ne s'agissait plus des mêmes personnages, comme si notre face à face n'avait plus rien à voir avec notre histoire inachevée, toujours suspendue à l'instant où un télégramme m'apprend qu'Erick est à Mexico et m'y attend. C'est ainsi que l'escale de New York n'a pas dissipé le regret de celle, ratée, de Recife : elles appartiennent chacune à des contrées distinctes de notre aventure.

Ainsi se défont les mythes qu'on a édifiés autour de deux ou trois péripéties et de quelques lieux – l'espace d'une nuit... Et, dans cet effondrement, le présent voyage confond tous les voyages, je n'y discerne plus l'intention qui me l'a fait entreprendre, errant dans une sorte de *no man's land* entre passé et avenir. *Hold to the now, the here, through which all future plunges to the past*, écrit Joyce. (« Raccrochez-vous à l'actuel, l'ici, par quoi tout avenir plonge dans le passé » : *d'abord* dans le passé, ajouterais-je.) Première et ultime raison de toutes ces années, l'Ouest est encore à gagner. Mais d'ici là, chasser les lambeaux de vapeur froide qui me hantent encore, nettoyer le terrain, m'épurer...

À New York, donc...

Était-ce bien Erick cette silhouette au bout du corridor, dressée dans la réverbération du couchant ? La poitrine oppressée, encore essoufflé, je me suis avancé jusqu'au seuil de la pièce. L'homme, qui me tournait le dos, continua à contempler le panorama, comme s'il ne m'avait pas entendu entrer. J'ai attendu. Dans un large espace semi-circulaire, des baies vitrées projetaient une clarté qui éblouissait. Sur la gauche, un paravent d'osier ménageait un salon garni de fauteuils de cuir. À droite, chevalets et tréteaux, étagères de bambou et pots de pinceaux encombraient un dégagement qui avait l'air d'un atelier d'artiste. La reproduction d'une épreuve de Diane Arbus était épinglée à cheval sur un angle, séparant bizarrement ses personnages. Des valises ouvertes étaient posées à même le parquet, autour d'un matelas. La fin du jour teintait de ses pourpres et de ses lilas un décor qui faisait vaguement penser à une passerelle de navigation. Je m'étais manifestement trompé de porte.

J'ai sursauté quand l'homme finalement s'est retourné. La durée – exacerbée par l'épuisante remontée de Manhattan – s'immobilisa d'un coup, tendue à craquer. Les années forment un halo autour des figures de la mémoire, et l'ombre portée de la plus prestigieuse d'entre elles était à ce moment-là trop tranchante, le cadre trop invraisemblable pour que je ne fusse pas poussé à regagner la porte en m'excusant.

« *Markus...* », a dit l'homme. J'ai tressailli ; comme une musique qui nous ramène d'un coup la scène oubliée, mais entière, mais intacte, la voix se révéla plus irréfutable que toutes les apparences, plus bouleversante que tous les souvenirs, sa voix *au présent* :

Erick devant moi, *et qui me fixait* !

Pétrifié, on ne sait plus quoi faire, on pourrait tout aussi bien fondre en larmes que s'enfuir. Tant de fois on s'est imaginé l'événement ! – et toutes les ébauches fiévreusement amoncelées s'évanouissent au moment même où celui-ci se grave dans le réel.

Mais le silence... Épais comme l'air raréfié de caves remplies de tentures et de parchemins, il nous enveloppait lui et moi en ce court intervalle où le temps venait de s'abolir, un pur instant à notre ressemblance : lui, Erick, une forme imposante profilée à contre-jour, et moi dans la pénombre, tout replié au dedans de moi. Il fit un pas, et ce sont les yeux qui, d'entre le creux des traits, traversèrent directement les deux décennies de notre séparation, le même éclat rieur d'un regard qui me dévisageait avec une attention très personnelle. Les cheveux encore très noirs, le front un peu plus dégarni, le pli ironique de la bouche toujours aussi charmeur, la même expression goguenarde sous les rides... Et l'immédiate reconnaissance de deux garçons fous qui, sur une corniche des Alpes, chahutaient pour l'éternité devant la caméra de Nita. Lorsque nous nous sommes précipités dans les bras l'un de l'autre, l'étreinte a eu en moi la force et le soulagement amers de celui qui, voyant s'ouvrir la porte de sa prison, découvre d'un coup que sa liberté ne lui servira plus de rien.

Qu'a-t-il dit, après ? Par quoi avons-nous commencé ? Non, c'est impossible. Pas encore.

Le jour décline lentement dans une grisaille uniforme, comme si la lumière s'asphyxiait, et l'éveil des grillons soulève de partout un tapis sonore. Aller nager encore...

Kansas City. Jeudi 21 juin, 14 h, à la poste centrale.

Il a plu. Un large rai argenté tombe en oblique sur la ville, qu'il balaye de son faisceau irisé et mouillé. Depuis une heure je me livre au plaisir de flâner dans cet étrange univers-frontière. (N'est-ce pas près d'ici, depuis le square d'Independence, que partaient les convois d'émigrants ? Aller voir, un jour...) Une forte odeur d'humus monte des jardins en paliers, se mêle aux effluves de miel des massifs de lauriers. Un frémissement me remue, familier, comme si peu à peu ressuscitait la vieille promesse, la sève même de la mémoire de mon futur. (Quelque chose comme ça...)
Suis venu ici rédiger et poster quelques cartes.

A.G. POST CARDS, ST. LOUIS : Gateway Arch at sunset, looking west, which what the early settlers did in their trek from St. Louis.

Kansas City, Missouri, 21 juin 84.
Chère vous ! Avez-vous reçu ma lettre de New York, postée dimanche ? Certainement en piteux état...
En route enfin pour cette nouvelle tentative de me sortir des ornières du nord... C'est long. Ça fait cinq jours que je me traîne dans le froid de pluies à n'en plus finir, étouffant maintenant dans les orages. Deux mille kilomètres d'une Amérique jusque-là sans intérêt, sinon l'absolu de ma lancée au but parfois absurde, parfois exaltant. « Aller vérifier le mythe », comme je vous l'écrivais. Du moins suis-je sur la bonne voie. Vous pouvez me mettre un mot à : General Delivery, Main Post Office *à* San Francisco, *où je compte rester le temps de me faire une idée des perspectives. Rappelez-moi – par vos lettres – cette époque où je préparais le terrain à votre venue, à* notre *avenir : donnez-moi une raison de refaire le détour par* Market Street. *Vous embrasse,*
Mk.

P.S. J'ai franchi la Porte de St. Louis, I walked the line. *Kilomètre après kilomètre, c'est bientôt le pays des « gens du soleil tombé », à nouveau...*

▼

Le passage du Mississippi, ce matin. En entrant dans St. Louis, j'ai cherché en vain les faubourgs anciens, me réjouissant déjà de faire le tour des bars de marins et des échoppes, d'arpenter des ruelles françaises. Mais tout a été rasé afin d'ériger l'*Arch*, cette envolée d'acier s'élançant à 630 pieds au-dessus des rives en hommage aux pionniers, symbole acéré d'une espérance sans cesse renouvelée... J'y suis monté. Du sommet, l'Ouest s'étirait sur l'horizon en un liseré d'un pur azur. À nos pieds le fleuve s'écoulait en une large traînée de rouille, charriant des trains de barges et des flots limoneux, et j'ai imaginé les radeaux de Cavelier de La Salle naviguant vers les conquêtes qu'en d'audacieuses explorations l'impétueux Normand avait fortement pressenties, les équipages encore émerveillés d'avoir trouvé l'artère royale du continent...

Au sous-sol, le Museum of Westward Expansion est consacré aux débuts de la *Western Frontier* ainsi qu'aux Indiens des Grandes Plaines. Y ai acheté quelques livres, renouant avec l'avidité d'étudier davantage cette tumultueuse (et douloureuse) période de transition.

Avant de reprendre la route, j'ai sillonné quelques avenues du centre. Partout de nombreux témoignages de l'importante colonisation allemande : architecture, brasseries *beer-and-pretzels*, noms de rues... Dans un jardin, la surprise d'aboutir devant la statue équestre de saint Louis ! Une inscription apprenait :

« PIERRE LACLÈDE LIGUEST NAMED THE SITE AFTER KING LOUIS IX OF FRANCE, PATRON SAINT OF THE THEN-REIGNING MONARCH, LOUIS XV. ON FEBRUARY 14, 1764, AUGUSTE CHOUTEAU, LACLÈDE'S 14-YEAR-OLD AIDE, STEPPED ASHORE THERE TO SET MEN BUILDING THE FIRST RUDE

HUTS. THUS BEGAN WHAT WAS TO BECOME THE GATEWAY TO THE RICH AND BECKONING LAND BEYOND THE MISSISSIPPI, AND TO ALL THE TOMORROWS THAT MADE THE UNITED STATES WHAT IT IS TODAY. »

Oui, c'est effectivement le jeune Auguste Chouteau, un Français de quatorze ans (débarqué ici par Laclède parce que la partie orientale de la Louisiane, de l'autre côté, venait de passer en mains anglaises), qui construira quelques baraques en attendant du renfort de la Nouvelle-Orléans, et ouvrira ainsi la porte des grands espaces qui feront l'Amérique telle qu'elle existe aujourd'hui. Mais « anglaise »...

▼

CARLISTA, 30 MILLES APRÈS WICHITA (KANSAS, 21 JUIN). 21 H.

Encore un endroit retiré, après quatre milles de gravillon le long d'un réservoir naturel. Une simple planchette clouée à un tronc, *Rural retreat fishing lake*. Petite prairie en pente douce, entourée de bouleaux. Les eaux se sont imperceptiblement illuminées d'un vernis orange estompé d'indigo avant de s'éteindre dans un violacé de plus en plus sombre, jusqu'au noir. J'ai planté la tente près du sentier (me suis taillé quelques piquets), le bois du feu est prêt à allumer. Se laver nu et, enrobé d'un frisson mousseux, s'abandonner sur le dos à l'obscurité liquide... Vers l'est brille une étoile d'un éclat incisif, aux scintillements de saphir et de corail. Ou bien est-ce Neptune, dont on signalait récemment l'apparition ?
« To the stars through difficulties », telle est la devise du Kansas...

▼

Après Kansas City, cet après-midi, une luminosité de plus en plus vive irradiait d'un ciel d'un bleu mat caractéristique de la Prairie. Tout en s'élargissant, l'espace s'est arrondi, déroulé comme la houle d'un océan, et il était facile de distinguer sur

le tracé nord-sud du *Chisholm Trail* le cours des troupeaux de
la Red River en marche vers Abilene, ou encore, au point où
les pistes de Santa Fe et de l'Oregon se séparent, de se représenter les chariots qui laborieusement attaquaient chaque côte,
enrubannaient chaque courbe. Vers le sud, les lourds convois
des marchands et de leur escorte, vieux routiers du commerce
avec les Espagnols ; de l'autre côté, les schooners des plaines,
toutes voiles gonflées, qui conduiraient les pionniers, familles
et bétail, vers les nouveaux territoires et la Columbia lointaine,
vers ce nord-ouest impénétrable entrevu dans les romans de
Parkman ou les relations de Lewis et Clark, voie mystérieuse
qui, à la bifurcation, semblait se perdre dans l'épaisseur du
continent. Par où cheminaient-ils ? Jusqu'à quels au-delàs
insoupçonnés se rendaient-ils, que leur poussée inventait à travers l'inconnu ? Aller explorer un jour les traces de cette
odyssée des temps modernes...

Cent quarante ans plus tard, et par une voie plus directe, je
vais enfin rejoindre ces rivages vers lesquels interminablement,
dans les gravures de mes livres d'enfant, ils s'acharnaient,
lentement, difficilement, mais dans une irrésistible et confiante
allégresse.

À la sortie de Wichita, la *cowtown* délaissée, la route filait
sous moi comme un ruban métallique, bronze à vif de la chaussée vibrante d'air chaud. Et c'était une soudaine sensation
de légèreté, non plus le harassant piétinement des jours
précédents – plongeant dans les sillons luisant de soleil
embrassant l'étendue ondulée et nue que bordait une étroite
bande de forêts. Contrastant avec un curieux effet optique de
surplace – une suspension toute méditative –, la vitesse
s'accordait parfaitement aux véhémences d'un quatuor de
Schubert...

C'est dans ces régions qu'eut lieu la transition, la méta-
morphose, un je ne sais quoi d'impalpable dans la texture
même de la lumière, dans le parfum de sauge – déjà sensible
sous le vent – des déserts proches, la subtile évidence
que c'était enfin l'Ouest à nouveau... Le Kansas – ce qui
signifie *« là où vivent les peuples du vent du Sud »* – passe

habituellement inaperçu, pourtant situé à la fourche des destinées des jeunes États-Unis et des turbulences de tout un siècle (ouverture de la piste de Santa Fe, Conquête de l'Ouest, Guerre civile, épopée du bétail...). Coronado, n'ayant rencontré que quelques villages zunis au lieu des Sept Cités de Cíbola, s'est aventuré dans ces parages à la recherche de Quivira, la seconde Golconde (mais lui se dirigeait vers l'est...). L'impression d'avoir glissé d'un pays à l'autre en quelques heures. L'occident, ressentais-je, a l'attrait des dérives sans danger, la magnificence d'une route qui n'a plus besoin d'arriver, une route sans fin où le jour ne meurt plus mais se fond dans la nuit et nous y accompagne. Une simple transition... Rouler vers le couchant, c'est se laisser couler dans un mouvement qui se suffit à lui-même, et nous comble, dans l'assurance définitive que la nuit ne sera jamais une vraie nuit. Comment dès lors ne pas se croire immortel, entraîné dans la « carrière des dieux » ?

Émergeant des bruines moroses de l'est, je me ranime, enfin parvenu aux lisières de mon Amérique intime : ces immensités où atteindre, au bout des jours, les splendides cités – le littoral où tout pourra recommencer...

Et aujourd'hui, troublant cette grandissante limpidité des jours, la voix d'Erick s'est peu à peu élevée, à la manière d'une voix intérieure superposée aux humeurs des paysages, ou comme la voix off d'un *road movie* déjà aussi anachronique que les films muets de Nita – Erick qui parle dans la nuit de New York... Alors des épisodes se détachent par bribes, s'imposent, des concordances s'établissent, des zones d'ombre s'éclaircissent, et la vérité de l'ensemble transparaît graduellement. Maintenant que l'hébétude de dimanche s'est dissipée – et hors de portée de l'onde de choc –, je suis prêt à exorciser les fantômes, à ériger de nouveaux repères sur les champs dévastés de la dernière bataille...

Reprendre tout dès le début...

Ce soir-là, tandis que la nuit descendait sur Central Park, c'est moi qui déclenchai la première salve :

« Que s'est-il passé, Erick, bordel ? Pourquoi m'as-tu fui aussi longtemps ? Qu'es-tu devenu ? Et que fais-tu à New York ? »

Mes questions tombèrent d'un seul souffle, haletantes, trop longuement retenues par les préliminaires de deux étrangers ne sachant pas encore très bien comment aborder le cœur de leur entretien. Il ne me répondit pas, prostré comme moi, chacun ressassant les causes, déboires, frustrations, enfin la colère, qui avaient donné à ces années l'un sans l'autre la tournure qu'elles ont prise : une poursuite essoufflante. C'est plus tard que les mots allaient venir et entamer l'obscure remontée vers l'aveu. Pour le moment, nous nous considérions avec une curiosité incrédule : que ce soit bien lui, que ce soit bien moi, en Amérique, réunis en plein Manhattan comme vingt ans plus tôt dans la chambre du *Seeblick*. Maintenant l'un en face de l'autre, c'était comme si cela suffisait, comme s'il n'y avait rien à dire. L'illusion que tout était encore possible dut bien nous effleurer – oh ! à peine l'éclair de la vieille aspiration !

Non seulement ne daigna-t-il pas céder à mon impatience, mais il me pria calmement de lui expliquer *de quoi je parlais*. Quel culot ! Je m'emportai, et lui fis d'un trait – entremêlant humeurs, amertume, rogne et passion – le récit désordonné de mes déboires dans son invisible sillage, qu'il écouta sans sourciller. Quand j'eus fini, il se pencha, les coudes sur les genoux, me scruta d'un long regard dont je n'étais pas certain s'il était de commisération ou de tendresse, et toutes mes préventions s'évanouirent.

« ... Mais Markus, tu te lamentes, tu mijotes tes trucs, et tu penses être le seul à avoir morflé. Déjà à l'époque, tu avais une façon de présenter les faits qui me foutait hors de moi. Titisee est un territoire tellement reculé dans notre histoire... Et tu es là à te réfugier dans le passé, à brasser nos souvenirs – juste quelques notes griffonnées sur un bout de papier par deux gamins avides de liberté – et pour en tirer quoi ? du vent, du néant, un gros rien... Et à te plaindre que le Canada n'est pas l'Amérique ! Mais mon pauvre vieux... *Non, je ne t'ai pas fui...*

« Reprenons, veux-tu ? »

Il se leva, parcourut des yeux les pics de l'Upper East Side puis, pivotant brusquement, lança : « Écoute-moi bien, Markus... » L'injonction eut le tranchant de l'annonce d'un règlement de comptes. Il se rassit. Et c'est alors qu'il entreprit le monologue qu'il désigna négligemment, à un moment donné (et non sans ironie), comme sa « confession » :

« Sur le quai à Breisach, j'avais autant la trouille que toi, figure-toi ! Si j'avais pu t'enfermer dans l'*Opel* pour te faire louper ton train ! Je n'ai pas osé te dire : " Reste. Voici ma situation réelle... " Je craignais de t'effrayer avec mes difficultés, et je ne voulais pas te perdre... Tu étais si entier, si enthousiaste – et moi j'étais dans le pétrin, incapable de te proposer quoi que ce soit qui pût te retenir.

« Je ne doutais pas qu'on réussirait à partir. Pourtant ce jour-là nous avions *déjà* accompli tout ce qui pouvait l'être : notre histoire *réelle*, je veux dire celle où nous avons effectivement partagé quelque chose, était déjà terminée. Et nous le pressentions, sur ce quai de gare, sans évidemment imaginer qu'on ne se reverrait en tout qu'une seule heure, un jour, à Genève...

« Ce soir-là, toi emporté par le train de Paris et les filles envolées, je n'ai pas eu le courage de remonter à Titisee. J'ai vadrouillé une partie de la nuit dans les boîtes de Freiburg. Au matin, à Hinterzarten, j'ai compris non seulement que l'été venait de s'achever, mais qu'il s'était produit quelque chose de sérieux... Et je devais me rendre à Berlin, où je n'avais pas de femme, bien sûr... Bon, alors tu t'interroges sur le motif de ce déplacement, non ? (Ah ! j'aurais vraiment dû te confier tout ça à Titisee !...) Eh bien voilà : je travaillais pour la *D.D.R.* Ça ne t'étonne pas ? Non ? Plus maintenant ? Bien ; ça me facilitera la tâche...

« Ayant épousé (comme on dit) les thèses communistes quelques années plus tôt, et exilé en Allemagne par suite de mon insoumission en Algérie (ça tu le savais, non ?), j'avais accepté de me mettre au service de la République Démocratique " dans sa lutte contre l'usurpation que constituait pour elle l'existence même de la République Fédérale " (c'étaient les termes officiels). Ils avaient besoin de gens susceptibles de rallier le maximum d'intellectuels, scientifiques, etc., à leurs thèses. Du travail de propagande, quoi... Ils me chargèrent d'entrer en contact avec des têtes pensantes des milieux universitaires du Bade-Wurtemberg afin de leur faire mieux apprécier le point de vue de la *D.D.R.* sur les affaires interallemandes et de les amener éventuellement, dans l'exercice de leur fonction, à collaborer avec les agents de l'Est. C'est ainsi que l'université de Freiburg devint ma base. Opérer dans les couloirs où Heidegger avait traîné ses guêtres de " philosophe du national-socialisme " ne manquait pas d'un certain piquant. Pour donner le change, Lahr n'étant pas très éloigné, je devais *aussi* flirter avec les Américains, question d'image mais aussi moyen subsidiaire pour glaner quelques renseignements supplémentaires ; ce serait toujours ça de pris... J'œuvrais sous le contrôle de *Frau* Andrès, et l'évaluation de mon rendement était largement positive. Le grand rapprochement franco-allemand venait d'être inauguré sous l'impulsion du couple Adenauer-De Gaulle, ce qui rendait crédible mon insistance auprès des officines et commissions créées à cette occasion, et dans lesquelles je m'étais fait les potes qu'il fallait (mes soirées à Freiburg...). Je rédigeais et transmettais des fiches documentées, j'agissais en outre comme secrétaire du comité " secret " pour le Wurtemberg.

« Or depuis le printemps, je traversais une mauvaise passe. J'avais milité au P.C.F. au temps des procès de Prague et vécu la tension de la clandestinité avec le réseau Jeanson, mais j'étais coincé à Hinterzarten, et j'en avais marre... Même si Titisee, ce n'était quand même pas le maquis !... Je voulais bien militer, mais mon tempérament individualiste se rebiffait, et j'étais titillé par l'envie de m'évader de tout ce cirque. Quand je t'ai rencontré, cette velléité n'a fait que s'incarner sous une forme palpable (rigole pas...). Par jeu, d'abord ; mais, à force de nous exciter sur Rimbaud et l'Orient, j'en ai sérieusement envisagé la possibilité... »

▼

77

Pourquoi cette entrée en matière explicative ne m'a-t-elle même pas remué ? Sur le coup, ce sont les précisions qui sont embarrassantes, ou qui font mal, comme le font les noms prononcés lors de l'aveu d'une infidélité qu'on ne faisait jusque-là que soupçonner. Puis la curiosité s'aiguise ; pas tellement pour la connaissance des faits, mais quant aux raisons. (Essayer de tout reconstituer avant d'arriver à San Francisco. En aurai-je le temps ?)

Il est maintenant 22 h 30. L'étape a été fatigante, me suis allongé à distance du feu. Tout autour, des craquements, l'étincelle sautillante des lucioles, le cri-cri des grillons, avec parfois un clapotis venant du réservoir. La surface parfaitement lisse de celui-ci frémit d'une intense activité subaquatique. Le clair de nuit s'y reflète, prolongeant la lueur du jour le plus long de l'année, qui n'en finit pas de disparaître... La terre s'est ouverte, chaude, et, les bras écartés, je la sens respirer contre mon dos. Au-dessus de moi, le silence palpitant de l'univers me recouvre et m'apaise – le réveil dans mon élément naturel après l'hibernation dans les régions nordiques, l'intimité d'un retour chez soi après une longue absence. Oui, il est encore possible de renaître de ce côté-ci du monde...

Le sens retrouvé du voyage...

Demain, septième jour de route, Dodge City. Problème de carburation ou d'allumage à la voiture. Grimpera-t-elle les Rocheuses ? Voir un mécano demain.

▼

Plus tard.

Malgré l'heure, j'ai feuilleté le chapitre sur St. Louis dans *The American Fur Trade of the Far West*, de Hiram Chittenden (volume 1), l'un des livres achetés au musée, découvrant l'ampleur et la solidité de la présence française tout le long de l'arc immense qui va de l'embouchure du Saint-Laurent au golfe du

Mexique. Et l'affirmation selon laquelle les « Treize Colonies » anglaises n'auraient pas pesé d'un tel poids dans l'histoire si l'empire français en Amérique du Nord s'était simplement confirmé dans les incontestables assises de ses racines louisianaises – cette Louisiane dite alors *française*, qui s'étendait du golfe du Mexique jusqu'aux limites de l'Oregon (territoire alors plus ou moins défini). (Pourquoi n'évoque-t-on que très rarement au Québec l'ampleur *de fait* de l'Amérique française d'alors ? Peut-être parce que justement elle avait tout le continent comme ambition, et donc bien au-delà des seules rives du Saint-Laurent ? Comme si l'on ne voulait plus rien savoir de cela...)

> « With more than half the cultivable soil of North America and the two more important systems of inland navigation in her possession, and with outlets upon the sea in sidely separated directions, France would control the future destiny of the continent, confining the British to the narrow Atlantic slope on the east, and the Spanish to the steppes and cordilleras of the Southwest. In other directions, the imagination could set no bounds to this magnificent empire, unless it were the unknown shores of the almost unknown Pacific. » (Volume 1, page 75.)

Et cet enchaînement étonnant d'événements par lequel, dans un intervalle de vingt-quatre heures, l'Espagne transfère son pouvoir à la France (entre 11 h et midi le 9 mars 1804), laquelle à son tour le remet aux États-Unis le lendemain matin. Il décrit ainsi la particularité de l'acte historique :

> « So deep was the feeling that, when the customary hour came for lowering the flag, the people besought Captain Stoddard that it might remain up all night. The request was granted, and the flag of France floated for twenty-four hours over the city from which it was about to be withdrawn forever. At the appointed time on the following day, March 10, 1804, the ceremony of transfer from France to the United States was enacted. The flag of the French Republic was withdrawn, and the Stars and Stripes waved for the first time in this future metropolis of the valley of Mississippi. Thus St. Louis became perhaps the only city in

history which has seen the flags of three nations float over it in token sovereignty within the space of twenty-four hours. » (*Idem,* page 105.)

Six heures, 22 juin (Carlista).

Mieux dormi que la nuit précédente. Des pêcheurs sont passés avant l'aube, et vers cinq heures du matin un concert d'oiseaux m'a sorti de ma tente. Une brume lumineuse enveloppait moelleusement les berges et d'infimes volutes dorées flottaient en spirale au-dessus du lac. Une aigrette a déchiré le miroir des eaux – et c'est maintenant grand soleil. Plus de gaz ; ai dû attiser les braises pour l'eau du café. J'ai du temps. Cette « confession » dont il ne faudrait pas perdre le fil... Je ne cesse de repenser à ce qu'a dit Erick, après, et qui concerne l'événement le plus accompli de notre histoire : la journée de Reichenau. Ce n'est pas tant la façon dont il évoqua celle-ci qui me revient – car enthousiasme et exaltation furent à cette occasion également partagés (il est des moments d'absolu dont l'évidence ne trompe pas) – que la duplicité qu'il exerça si naturellement durant ces heures. C'est ainsi qu'il enchaîna...

« C'est sur la route de Constance que l'improbable s'est produit. Ce jour-là j'ai eu l'intuition qu'avec toi je pourrais me dégager de tout ce merdier. Notre excursion helvétique n'avait d'ailleurs pas un but uniquement touristique, j'avais un courrier à effectuer. Mais le gars était en retard, et toi tu m'attendais sous la rotonde près du lac ; j'étais là à me morfondre au coin de mon parc, encore sous le charme de l'inspiration homérique qu'avaient soulevée en nous les chutes de Schaffhausen, quand subitement tout cela m'a paru complètement con. Je me suis dit qu'il était temps de faire preuve d'un peu de cran, et j'ai sacrifié le rendez-vous pour te rejoindre. Une heure plus tard à Reichenau, j'ai largué mes derniers scrupules... Il est vrai que la puissance qui jaillissait de ces masses de roc, dans ce cadre épique digne de Goethe, avait de quoi déchaîner toutes les audaces ! Tu affichais

une telle sérénité, tu accueillais avec un tel naturel nos hypothèses les plus débridées que j'ai capitulé, j'ai dit oui à toutes ces
folies qui jusque-là m'avaient plutôt amusé, je t'ai parlé de
Gobi... Je me demandais bien comment j'allais m'en tirer, mais
depuis le matin tu révélais assez de détermination pour deux.

« Avant d'enclencher la rupture, que je souhaitais progressive, je
résolus de continuer à fréquenter mes gens à Freiburg et de
m'acquitter de certaines tâches, dont la rédaction d'un plan
régional. Mais je prodiguais de plus en plus mes talents au *Stube*
et brûlais mes nuits avec vous ! Comment déployer un dévoue-
ment prolétarien dans ces conditions ? Les effets ne tardèrent pas
à se manifester. Les réunions devinrent houleuses, et je fus
convoqué à Berlin-Est afin de justifier quelques manquements,
me notifiait-on. Je passai outre à l'injonction. Puis tu as fini par
habiter chez moi, alors j'ai oublié tout ça. Les prairies, le roman,
la laitière, et surtout les atlas, c'était le bonheur, non ? Un
véritable exutoire à mon ras-le-bol... Fin août, incapable, donc,
de te retenir, je me suis résigné à te voir partir, te chargeant sans
que tu le devines de toutes les raisons qui me donneraient la
force de rompre avec moi-même. Tout à coup seul, et la maison
vide, je me suis totalement effondré. J'ai raté quelques réunions
importantes, et *Frau* Andrès m'a gentiment *conseillé* de me
rendre à Berlin... J'en conclus qu'il était préférable d'en finir.
Dans le train je me suis juré de tout balancer, certain de
convaincre les bureaucrates du *S.E.D.* de ma bonne foi. J'esti-
mais avoir procuré assez de garanties de mon sérieux, il suffirait
de dissiper quelques malentendus, et on pourrait s'arranger. Je
sais, on ne se défile pas sans risque de ce genre d'obligation ;
mais je calculais (à la légère, certes) que si ça devait se gâter
davantage, il serait facile de les baiser puisqu'on allait foutre le
camp, tous les deux. Je me suis cru plus malin qu'eux... »

▼

Les pêcheurs sont revenus et m'ont offert quelques spéci-
mens d'achigans. « *For your breakfast...* » Intrigués par ma
plaque d'immatriculation, ils se sont renseignés sur le Québec
(en avaient vu le nom dans des magazines de pêche, ignoraient
où c'était situé). Le « *Je me souviens* » suscita leur curiosité.

Facile à traduire, mais comment expliquer, non pas la phrase
(« Je me souviens que, né sous le lys, etc. », j'ai été conquis ?
Qu'en pensent les premiers occupants de cette terre ?), mais
son choix même ? L'acte d'une nouvelle fondation (« iden-
titaire »...) à partir de la défaite ? Car le « Québec », ce n'était
encore que l'Amérique *française* en gestation, seulement une
étape dans l'esprit des explorateurs et des premiers fondateurs
de la Nouvelle France. (Voir mes remarques d'hier soir.)
Vagues et reflux de l'histoire, couche après couche...

15 H, DODGE CITY.

*CARTE. DODGE CITY, « QUEEN OF THE COWTOWNS ». END OF THE
WESTERN TRAIL.*

*Kansas. 22 juin 84. Ma carte d'hier me semble déjà bien loin ! Et
c'est bientôt le* Far West *(enfin presque). Les Rocheuses sont en vue,
et je respire à nouveau l'oxygène nécessaire à ma survie imaginaire.
« Libérez les rêves » était notre slogan, rappelez-vous. Plus je me
rapproche du Pacifique — et de la grande décision — plus je pense
à vous, bien sûr...*
Vous embrasse, Mk.

21 H 30. HAYDEN CREEK, DANS LA SAN ISABEL NATIONAL FOREST,
au cœur des Rocheuses (Colorado), 500 milles plus loin...

Le rayonnement du crépuscule, réfléchi par les nuages,
affleure le flanc supérieur des gorges. Les 68 °F de l'altitude
surprennent, après les 100 °F de la journée.

Après les Red Hills baignées de moiteur, en matinée,
l'atmosphère est devenue de plus en plus limpide, les perspectives ont pris un relief plus acéré. Un panneau annonça

SANTA FE TRAIL TRACKS — 1822-1872. Depuis l'embranchement, les ornières de la piste étaient visibles à travers les
champs, une teinte différente des plants de maïs, de l'herbe.
Région de corraux à perte de vue, empestée par une âcre odeur
de bétail et de poussière. *« Dodge City, the Cowboy Capital.*
Visit Boot Hill Museum ! » Dodge City a bientôt jailli des
livres d'aventures – que les cow-boys avaient baptisée
« l'Enfer des Plaines » –, la cité la plus sauvage de l'Ouest où
vachers, éleveurs, soldats, joueurs professionnels et construc-
teurs de chemin de fer côtoyaient les figures légendaires de
l'Ouest. Dans la garrigue et les pierres du cimetière abandonné, les tombes des Wyatt Earp, Clay Allison, Luke Short
(Lucky Luke ?), Doc Hollyday, Kate Fisher, etc., étaient bien
réelles, dispersées parmi celles d'inconnus et plantées de croix
de bois sommaires (date de décès la plus récente : 1942).

J'ai écrit ma carte postale dans la fraîcheur plastique d'un
Denny's Restaurant (always open), en face d'un temple où une
pancarte affichait l'angoisse – ou l'avertissement ? – de sa
question : *« How long did it take for Noha to build the Arch ? »*

Parallèlement à l'Arkansas River, ce fut ensuite le long
cordon de bourgades accablées sous la chaleur, et qui, dédai-
gnées par le siècle, retombées dans l'oubli, ne s'en remettent
pas, percluses de nostalgie dans l'apathie des après-midi d'été.
Parfois des convois de marchandises marquaient d'un lent trait
noir l'horizon, de ces trains dont les équipages d'autrefois
fondaient des villes près des points d'eau : deux ou trois
baraques de bois, une *broadway* ouverte de part et d'autre sur
le désert, une éolienne. À Garden City, proprette et toute
blanche, une banderole tendue devant une église de carton pâte
vantait *« The World' Greatest Buffalo Herd ! »* Faisait-on réfé-
rence au troupeau long de trois milles et large de deux milles
décimé cent ans plus tôt par les chasseurs de peaux, les
sportsmen ainsi que les exploits d'un certain « Buffalo Bill »
Cody ?

Au revers d'un escarpement ou aux abords d'un cours
d'eau caché, des bourgs offraient tout à coup l'oasis inattendue
de leurs voûtes de feuillage, sous lesquelles la lumière qui

rasait les pelouses esquissait des arcs-en-ciel dans la bruine des jets d'arrosage.

À Lamar, un monument en l'honneur de la *Madonna of the Trail* se dressait sur la place principale :

N-S-D-A-R-MEMORIAL
TO THE
PIONEER MOTHERS
OF THE
COVERED WAGON
DAYS.

Statue en pied d'une femme à la mine austère, mais l'allure fière, un bébé dans les bras et un jeune garçon agrippé à ses jupes. Se perpétuer dans le repli de son destin transformé en statue...

C'est bien avant Pueblo (au mille 2431 depuis Montréal) que les Rocheuses, appelées les Shining Mountains, sont apparues d'un coup. Longtemps avant qu'on les atteigne, une barrière ferme l'horizon, que l'on prend d'abord pour un fond de ciel chargé d'orages, puis l'on s'aperçoit qu'il s'agit de la ligne des sommets, crêtes et neiges éternelles de leurs plus hautes chaînes. On les nommait aussi les « Hautes Terres ».

Plusieurs heures plus tard, ce fut la beauté du soir après Pueblo, où se déclinèrent en liserés noirs les profils entre-croisés d'une succession de vallées qui s'incurvaient en cuvettes de plus en plus resserrées.

La voiture « freine » encore dans les côtes (le concessionnaire était fermé à Dodge City).

(Entré aujourd'hui dans le *Mountain Standard Time.*)

Le torrent bouillonne en arrière du site, en pleine pente forestière. Coin de sol aplani, juste assez d'espace pour la tente. De gros rochers disposés en table rudimentaire me permettent d'écrire et de manger. Le feu fait danser les arbres (ai effarouché une biche et un lièvre en ramassant du bois). Humidité pénétrante des cascades, senteurs de résine, criailleries du côté des familles qui campent en bas du défilé (on est vendredi soir).

Continuer le récit d'Erick qui, comme le son d'un ruban magnétique, ne cesse tout le jour de m'accompagner sur le défilement des plaines. Erick à Berlin...

« Pour la première fois, j'ai eu la pétoche en passant le Mur à *Checkpoint Charlie*. Car là, je n'étais plus sur mon terrain. Si ça tournait mal, qui viendrait me récupérer ? Je regrettai de ne pas t'avoir mis au parfum, d'autant plus que dès la Friedrichstrasse mes antennes m'avertirent que j'étais suivi. Reçu immédiatement, mais bouclé pendant quatre heures dans un bureau du *Stadtmitte*, je ne me fis aucune illusion : ça sentait effectivement le cramé, et mon retard n'expliquait pas tout. Deux gentils camarades commissaires sont venus m'interroger dans la soirée. Mais j'avais à peine ouvert la bouche qu'ils me trituraient déjà sur mes résultats insatisfaisants — dossiers incomplets, absence de progrès dans les ralliements, défection de quelques-unes de mes recrues, la petite bête, quoi !... Puis il m'ont reproché la frivolité de ma vie publique. Bordel, ils n'étaient pas sans constater que mon personnage " mondain " constituait une couverture incomparable ! Après tout j'étais connu pour ça à Titisee, je noyais ainsi le poisson. Au fil des discussions il m'apparut bientôt que quelqu'un s'était interposé. Eh oui, *Fräulein* Andrès ! (Même si elle me chouchoutait, la garce, elle se montrait impitoyable quant à la cause, et mes comportements, à ses yeux immoraux, lui semblaient contradictoires avec ses idéaux.) Je n'avais donc plus rien à perdre et je jouai mon va-tout en leur avouant mes intentions. Je leur proposai de neutraliser moi-même mes sources, je jurai de ne plus refoutre les pieds en Forêt-Noire et d'effacer toutes mes traces... Rien à faire ! Ils exigeaient que je leur dise où je comptais aller, avec qui, etc. J'ai fermé ma gueule. Je considérais simplement – ô combien naïf ! – que ça ne les concernait plus. J'avais aussi le souci de te protéger, pas question de trahir notre projet, même si mes bonzes étaient déjà parfaitement au courant de mes rapports avec toi...

« Ils n'ont pas desserré l'étau pendant une semaine : séances d'autocritique fastidieuses, répétition des mêmes arguments, pression constante, isolement... Un avant-goût de ce qu'ils surnommaient affectueusement " le traitement ". J'ai su par la suite qu'ils n'auraient pas dédaigné de me récupérer (trop bon sans doute !), mais mon obstination contrariait leurs plans. D'une part j'en savais trop pour qu'ils me relâchent comme ça, de l'autre ils ne tenaient pas trop à utiliser les grands moyens pour un petit con comme moi. Mes ennuis avec les autorités françaises (qu'ils avaient habilement exploités) les exposaient, dans le cas où il m'arriverait un pépin, à attirer l'attention sur eux. Ils m'ont retenu pendant trois semaines dans le secteur Est, mais je n'ai pas flanché. Période difficile, à battre le pavé d'un Berlin dont même Döblin aurait eu honte, loin de mon *Stube* et de mes petites chéries, tu vois ça d'ici... Et j'étais obsédé à l'idée de tes lettres qui devaient s'accumuler à Hinterzarten, l'inquiétude que je présumais de ton côté, etc. Comment allais-tu réagir ? Ce n'était pas le moment de se lâcher. Quel désir j'ai pu avoir de ces lettres, Markus ! Elles m'auraient assuré que je pouvais ne pas être aussi moche que ça, aidé à tenir le coup...

« Ils se sont finalement rendus à l'évidence (que je leur martelais depuis huit jours !), que si j'avais réellement prémédité de les doubler, cela m'eût quand même été plus facile à Titisee que de l'autre côté du Bosphore, non ? Et que, puisque j'étais proscrit de France, ma marge de manœuvre demeurait de toute manière bien mince. Une lueur se leva dans leurs cerveaux d'abrutis, et j'emportai leur adhésion lorsque je m'engageai à maintenir mes liens dans le Wurtemberg jusqu'à ce qu'ils me recrutent un remplaçant. Sans compter sur moi, par ailleurs, pour le faire à leur place, qu'ils s'adressent à la vieille... Ils m'ont donc laissé aller, non sans me menacer des pires atrocités au cas où j'aurais le mauvais goût de leur jouer un tour. Je suis rentré et je t'ai aussitôt écrit... »

Difficile de discerner dans ce mélange de bluff et d'élan cocorico la part de sincérité et de fabulation. Comme s'il avait voulu travestir les motivations plus profondes de son revirement politique. Et toute la suite déjà comprise dans cette gymnastique justificatrice...

Il est 23 h 30 (mon heure). Air piquant de l'altitude. Transi par la bruine du torrent qui se répand et s'effiloche entre les troncs. Le feu n'est plus qu'un amas de braises rougeoyantes et translucides où s'élaborent d'infinis scénarios. Bruits de la vie animale dans la forêt.

Madonna, n'était-ce pas le nom d'un vin du Rhin ?

23 JUIN 84. SEPT HEURES DU MATIN (HEURE DES PLAINES).
Je devais présenter un texte lors d'une cérémonie (congrès,
etc.). Plusieurs feuillets de grand format. Je lisais certains
paragraphes en allemand, mais je ne serais pas allé loin comme
ça. Je disais donc aux autres que je sauterais ces passages. Il
y avait aussi des illustrations, je n'allais quand même pas les
décrire, et d'ailleurs comment aurais-je fait, il y a tant de
manières de s'y prendre ! Et puis – objectai-je tout haut – vous
les voyez vous-mêmes ! Je me retirais. Au bout d'un couloir,
une lourde porte cédait, se refermait derrière moi. J'étais bloqué sur le toit d'un immeuble. Une échelle appuyée contre une
façade voisine semblait à portée de main, mais elle était
comme à l'envers. Je l'agrippais, mais mon corps se retrouvait
en équilibre au-dessus du vide. Si je regardais en arrière, je
basculais, et je ne pouvais plus bouger autrement qu'en faisant
un bond, ce qui s'avérait trop risqué. Comment pouvait-on
sortir par là, pourtant le seul moyen ? C'est qu'on peut, me
disais-je, et je m'élançais. Tout devenait noir, et j'étais en bas
– sauf et le cœur battant. Un taxi me raccompagnait, je ne
reconnaissais pas la ville. Je constatais qu'on était à Québec,
et non à Montréal. J'avais oublié que j'avais déménagé. Chez
moi, des ouvriers effectuaient des transformations à la maison
que j'habitais, les plafonds étaient à ciel ouvert, des cloisons
avaient été abattues. Il y avait du monde partout, plus aucune
place pour moi. Et ça allait durer, me disait un contremaître. Je
fonçais jusqu'à ma chambre : elle avait été entièrement
repeinte en noir, mais heureusement, la malle était encore là, je
respirais.

Large déchirure d'azur, limpide, véhémence des oiseaux
dans les sous-bois abrupts. Le soleil n'a pas encore réchauffé

le fond des gorges, et il fait frisquet (50 °F). Nuit froide malgré mes précautions (couverture de sol supplémentaire, duvet + drap, chaussettes, et la touloupe sur la tête), mais bien dormi. On est samedi, et ça bouge déjà en bas sur les *family sites*. Me sortir de là, l'humidité a tout imprégné, tente, vêtements... Ferai une sieste sur les sommets pendant que ça séchera.

▼

SALIDA, COLORADO. 7 H 30 *(MOUNTAIN TIME)*.

Cette curieuse sensation de déjà-vu quand je suis entré dans Salida, qui s'accentua lorsque je m'orientai sans difficulté dans les avenues. J'ai déambulé dans la *main street*, et jusqu'à la pente de la montagne sur laquelle le nom *SALIDA* s'inscrit en caractères géants, comme souvent dans les petites villes de l'Ouest. Et j'ai tout à coup compris : je suis déjà passé par ici, en route vers le Nouveau-Mexique et l'Arizona.

Des boutiques ouvrent déjà. Quelques promeneurs, tôt levés pour un samedi. Disent bonjour quand on se croise. Ambiance de village qui s'éveille, naissance des bruits. L'air a déjà cette luminosité acérée des altitudes qui rend si précis le contour des choses : idéal pour la diapo (mais pas envie de travailler). Fait bon, dans les 70 °F. Tourné dans les rues à la recherche de cartes postales. Acheté de quoi déjeuner dans un *general store* de bande dessinée qui fleurait la cannelle et le vieux plancher ciré. Homme âgé, grand et maigre, courtois.

J'écris dans le petit parc municipal recouvert d'un feuillage épais ; des écureuils rebondissent par-ci par-là sur les pelouses ; des geais sautillent hardiment vers les tranches de pain que je dépose pour eux sur le banc.

Et la suite (je suis réchauffé et j'ai un peu de temps), la suite, alors que Cornélia est entrée dans ma vie :

« À mon retour, à la fin de septembre, j'ai littéralement dévoré tes lettres. Dans la première, de Paris, tu m'apprenais que tu avais recueilli les informations pour la Turquie, tu m'envoyais

les tarifs bateau pour Istanbul, et le passeport serait bientôt prêt.
Bon sang que tu avais pris tout ça au sérieux ! Dans les
suivantes, tu te disais paumé à Grenoble, et très seul, et tu
t'inquiétais de mon silence, évoquant les soirées d'Hinterzarten,
les promesses, enfin tout le truc. Dans le tas, l'une d'elles
m'annonçait que tu venais de faire la connaissance de Cornélia.
Bon... J'ai flairé le piège. En renouant le contact, j'ai rouvert des
perspectives communes, j'ai tenté de ranimer ton enthousiasme
même si le mien battait de l'aile. Nos échanges ont plutôt été
laborieux. Tu renâclais chaque fois que j'émettais une suggestion. Au début parce que tu étais fauché et que tu devais
chercher du boulot et une chambre ; plus tard parce que tu
préparais l'entrée en faculté "pour ne pas perdre de temps", et
ainsi de suite. Ce que nous avions redouté se produisait ; le
quotidien avait rétabli des exigences qui n'avaient plus rien à
voir avec notre objectif. Je t'accordais volontiers qu'il te fallait
survivre (et je t'avais involontairement laissé tomber à un bien
mauvais moment), mais c'était l'état d'esprit qui avait changé.
Monsieur se permit même de faire la fine bouche sur une
proposition de séjour en Palestine... Insidieusement, Cornélia
prit une place grandissante dans ton existence. Tu prétendais que
cela n'altérait en rien tes intentions, ne menaçait pas notre
engagement, etc. Mais un jour, la nouvelle : vous aviez
emménagé dans un même appartement – après m'avoir juré tous
les grands dieux que ça ne t'arriverait jamais ! Te citant
Nietzsche, ma réponse a certes été cinglante (du genre :
"L'éternel féminin rend l'homme lâche"), mais en fait je me
suis dit, bon, passons là-dessus, moi-même je ne suis pas tout à
fait prêt.

« Période sombre de mon côté : perte d'une amie chère, tensions
étouffantes dans mon "travail" pour la D.D.R., contrôles
pointilleux de Frau Andrès. Je me suis attaqué à un nouveau
roman, mais ça ne marchait pas très bien. Puis on s'est loupés à
Noël... Cornélia venait d'avorter dans des conditions humiliantes
et tu te sentais coupable, tu ne voulais pas l'abandonner, etc. Dès
que j'ai pu me libérer, j'ai pris le risque de remettre les pieds en
France et je suis allé vous voir à Grenoble. C'était en mars, tu
fêtais tes vingt-deux ans... (Vingt-deux ans, bordel !) À part la
bise que je t'apportais (rigole pas...), je tenais à sonder la

détermination que tu ne cessais de réaffirmer. Là, je me suis trouvé confronté à votre misère épouvantable : tes emplois minables, l'étude de nuit, la chambre sans chauffage ; et bien sûr, au désarroi de Cornélia et à sa jalousie à mon égard... J'ai encore en tête l'accrochage assez pénible que nous avons eu à Vizille (où Nita, affolée de nous voir tous aussi pâles, nous avait emmenés nous aérer...). Bon Dieu que tu m'as déçu cette fois-là ! Tu t'esquivais avec la plus mauvaise foi, m'opposant des faits de la situation internationale, m'énumérant le nom des pays en guerre, refusant d'aller " jouer au mercenaire ", etc. ! J'avais beau te rappeler que ce frangin d'Arthur n'était pas allé composer des vers au Harrar, et que c'était précisément ce qui nous avait excités, rien à faire... Tout était prétexte à te défiler. D'autre part je découvrais à quel point tu avais besoin d'une femme auprès de toi (tu le niais, en plus !), d'où l'importance pour toi des études, de la stabilité matérielle, etc. Exactement l'enfermement que nous avions exécré et voulu fuir... Tu n'étais vraiment pas disposé à partir cavaler dans les steppes ! Pour te ménager, mais méprisant le Markus timoré qui se débattait devant moi, j'ai laissé entendre que de toute façon mon roman exigerait de moi encore quelque temps. Je t'ai filé le peu de fric que j'avais en poche, et je suis rentré, bien résolu à m'en tirer tout seul. »

(C'est qu'il fallait d'abord affirmer le couple, m'assurer de cette base qui seule pouvait me donner la confiance de me projeter sans réserve dans l'avenir. Et c'est ainsi qu'on croit que l'amour non seulement nous protégera de tout – il m'avait mentionné dans une lettre le danger de cette illusion –, mais qu'il nous ouvrira à tout le reste, comme naturellement. Cornélia, Erick, c'était pour moi la même chose sous différents aspects, la force vitale qui me poussait vers l'avant. Rien ne pressait...)

« Dès le lendemain, à Hinterzarten, j'ai prévenu *Frau* Andrès que je tranchais tous mes liens avec eux : qu'ils ne me considèrent plus à leur solde ! Qu'ils aillent se faire foutre, je saurais bien m'en sortir. Elle n'a pas bronché, mais je n'étais pas naïf : finies les tergiversations fumeuses, ça allait sûrement barder ; et vite... Un collègue que j'avais mis au courant m'a refilé l'adresse d'une planque au Brésil. Exil pour exil, je me suis dit que ce serait plus marrant sous les Tropiques que dans une tôle de la *D.D.R.* Une pointe de remords à ton égard m'a quand même fait hésiter, et j'ai laissé traîner la chose jusqu'à ton examen, sait-on jamais. Mais quand, l'ayant réussi, tu m'appris votre décision d'aller vivre en Allemagne, Cornélia et toi (le comble ! moi qui comptais sur toi pour m'en échapper...), j'ai accéléré les préparatifs.

« C'est dans ces circonstances qu'on s'est revus en juin à Genève, déjà plus sur les mêmes rails, toi et moi. Notre dernière chance... »

Oui, les prémisses de l'abandon (tout au moins du mien) sont déjà là : après la forte emprise de Cornélia sur mon présent, le choix de partir avec elle à Göttingen ne pouvait faire autrement qu'apparaître comme une trahison. Ce qu'il était... « Erick absent », « Erick disparu » ont été pour moi les leitmotive de ces années, mais c'est bien moi qui rompis le premier le pacte...

Mais je m'attarde, et les Rocheuses m'attendent... Si je me souviens bien, l'ascension débute dès la sortie de Salida. Après – et cette pensée m'exalte déjà – ce sera l'ampleur des Grands Plateaux désertiques jusqu'à la trouée des sierras – et jusqu'à l'océan...

Le moteur tiendra-t-il le coup ?

COL DU MONARQUE, SOLEIL AU ZÉNITH.

C'est au ralenti, et en hoquetant, que la voiture a franchi la ligne du col, mais ça va, le radiateur va refroidir avec l'air des hauteurs, vif comme du cristal.

MONARCH PASS, COLORADO
ELEVATION 11,312 FEET – 3,711 METERS.

Personne n'a pu me renseigner sur l'origine de la dénomination de ce col. En hommage à Byron, qui avait baptisé le mont Blanc « le monarque des montagnes » ? À cause du *monarch*, le papillon gardien de l'Ouest dans une légende sioux ? Ou du papillon d'obsidienne, l'astre noir des Mexicains ? Courir pieds nus dans la réverbération de la neige est une griserie...

▼

« BUVETTE » DE GREEN RIVER CREEK, EN UTAH, 16 HEURES.

L'Ouest, de l'autre côté du monde !

La Grande Barrière passée, c'est enfin l'autre versant du continent, le point de non-retour pour les immigrants, comme le sera l'Hudson pour ceux d'Ellis Island. Toutes les eaux, désormais, les accompagneraient vers le Pacifique. *« Et quand nous eûmes navigué beaucoup de jours, nous touchâmes à la terre de promission. Nous entrâmes dans le pays, nous y dressâmes nos tentes, et nous l'avons appelé la terre promise »*, chantaient les Mormons...

There's plenty of gold
in the West we are told
in the new Eldorado...

braillaient plutôt les *Fifty-niners*, « ceux de 59 », prospecteurs et aventuriers de la ruée vers l'or, sous-estimant les périls à venir.

Depuis le sommet ç'a été la folle descente dans une enfilade de déclivités de plus en plus rocailleuses qui s'étagent sur le flanc occidental des Rocheuses et qui s'aplanissent jusqu'aux terrasses alcalines du bassin de l'Utah. On côtoie pendant des heures le torrent à sec de la Gunnison Creek, puis le cours de l'interminable Blue Mesa Reservoir, épousant avec l'un et l'autre les sinuosités du terrain, sortes de causses colorées qui se chevauchent, entrecoupées de cols et de localités qu'on traverse à vive allure, presque sans se rendre compte, glissant dans le rien – et ce pourrait être pour toujours... C'est une fois en Utah, dans une aridité toujours plus sauvage, qu'une pancarte annonçant « *Refreshments and Picnic Tables ahead* » attira mon attention. En guise de buvette, il s'agit en fait d'une baraque à fronton de planches avec un perron de bois à demi défoncé, construite sur un sol sablonneux au bord de la Green River, qui n'est plus qu'une *creek* à sec. Quelques *pickups* sont garés sous l'enseigne délavée et criblée de trous (le nom se devine encore : *Hesperios*). Tonnelle à moitié effondrée sur le côté, appentis d'herbes sèches et de morceaux de bâche de l'*U.S. Navy* ; une balancelle à toit de bambou, des caisses et des bonbonnes de gaz entre lesquelles se faufilent des lézards. En arrière du bâtiment, la tour d'une pompe éolienne surplombe une citerne de son assemblage branlant de madriers. À son faîte, une girouette en forme de tête d'animal pivote mollement en grinçant. Tout autour à perte de vue il n'y a que la pierre, le sable et les ors chatoyants des lointains, et le tapis austère et clairsemé des sauges sur lequel seules les tiges tordues de quelques *ocotillos* se détachent, pareils à des serpents carbonisés. De l'autre côté de la route, les lampadaires s'affaissent au-dessus des pompes rouillées d'une station-service désaffectée. Sur le bas-côté, un panneau avertit en grosses lettres :

NO SERVICES AVAILABLE ON 1-70
NEXT 100 MILES BETWEEN GREEN RIVER
AND SALINA – UTAH.

La chaleur (proche des 100 °F) est dense et sèche – telle une gouache trop riche – et nous enveloppe sans être insupportable. Le vent faible et intermittent est une respiration murmurante, comme une voix, ou plusieurs voix qui se taisent dès qu'on bouge la tête. Couinements d'invisibles *prairie dogs* qui se répondent. Soudains tourbillons de poussière qui s'élèvent, s'évanouissent. Haut dans l'éther, un oiseau de proie se trahit à ses larges tournoiements en plané. Encore sous l'effet des cahotements et assourdi par la vitesse, je demeure un moment dérouté par la brusque accalmie de l'arrêt. Tout s'est figé dans une immobilité frémissante, et ces étendues qu'on avait hâte de dépasser, qui s'enchaînaient et se dissolvaient derrière soi, acquièrent tout à coup un relief et une palpitation propres qu'on ne soupçonnait pas. Magie du désert, un silence minéral et pourtant animé de remuements, de reptations, mille et un bruissements de la vie que la distance amplifie en un souffle universel. D'un point cardinal à l'autre tout n'est qu'homogénéité de la matière brute, et l'on ne peut que se sentir accordé à cette intime présence au monde, humain juché sur un rocher du cosmos qui dérive dans la proximité de l'ardent rayonnement solaire...

Et le calme qu'inspire cet accord ; il n'y a plus rien à craindre quand on a rencontré le désert. Et, sous l'impulsion du familier tressaillement, porté vers les terres de mon devenir, j'éprouve pleinement la puissance de ce que représente pour moi l'Amérique.

Non, plus rien à craindre : hormis le mortel manque d'eau...

Quand je suis arrivé tout à l'heure, quelques *ranchers* alignés dans la pénombre buvaient nonchalamment leur bière au comptoir, découpés par un fin faisceau latéral. À peine se sont-ils détournés, reprenant leur pose méditative (l'insondable mutisme du *loner*...). Le patron a eu une phrase de bienvenue, m'a servi et a repiqué le nez dans son journal. Derrière le bar massif, un miroir au tain écaillé, des étagères encombrées de bouteilles, des programmes de rodéos ; sur les murs, une cible de fléchettes, le portrait d'une vedette de *country music*, dont un ventilo déglingué faisait trembler la chemise effrangée, l'affiche touristique d'une île grecque ; dans l'arrière-salle on distinguait une table de billard bancale, au tapis usé : pur décor de western, et pourtant si naturel – ici –, qu'on se sent comme un habitué venu faire un tour au café du coin. Il faisait trop sombre pour écrire. Le chien m'a escorté dehors. Je me suis assis contre le mur à l'angle.

Un lambeau de toile se balance sous les courants chauds. Même inhabités, ces espaces portent les marques disséminées d'un *passage*, comme on dit d'une époque qu'elle a passé. Quand Santa Fe est fondée par les Espagnols, en 1609, les *Pilgrims* du *Mayflower* n'ont pas encore levé l'ancre d'Angleterre... À ce croisement des origines, le paysage américain suscite l'émerveillement d'une nostalgie apaisée, la confirmation que l'universelle poussée vers l'ouest a bien une raison d'être. Tant qu'on s'avance vers l'horizon, l'avenir se perpétue, intact : absence de limites et marche sans fin. Un avenir pourtant toujours hors d'atteinte... Du moins sa pérennité permet-elle de donner une visée au mouvement, qui ne cesse lui-même d'attester l'existence du but.

Et quand il n'y a plus d'horizon ? Aspiration et perte : l'Eldorado existe bien puisque personne n'en est revenu...

Bienheureux les hommes d'Alexandre qui, après avoir longé l'Indus, découvrent avec épouvante l'Océan Extérieur aux extrêmes frontières du monde connu ! Lui-même s'aventure seul vers l'est pendant quelques heures, mais l'au-delà de la ligne, à ce point, recèle une vérité encore insoutenable, et il ne peut que rebrousser chemin...

Et succombe à son retour à Babylone...

Et tous ceux qui ne regagneront pas le port : Magellan aux Philippines, James Cook aux îles Sandwich, La Pérouse au large de l'Australie, La Salle dans les marais du Texas... Ou ceux qui sont rentrés pour mourir, dans l'hébétude des hommes dont on ne veut croire le secret – Marco Polo dictant ses *merveilles* en prison, le retour enchaîné de Christophe Colomb...

Une camionnette passe sur la route. Le chuintement des pneus sur l'asphalte ramolli étouffe la trépidation hurlante des radios. Elle bifurque après le pont sur une piste de terre, soulevant un tumulte poudreux dans son sillage.

Ces notes prises en roulant, aujourd'hui :
Le sens de la vie dans l'exploration des bordures inconnues : fascination et effroi. Le voyage américain, mais la cité slave qui hante mes nuits. Le buste de l'*homme aux semelles de vent*, en face de la gare de Charleville, sous-titré « BATEAU IVRE ».

Alice perdue dans les villes. *Im Lauf der Zeit.*
Les ports européens dépeuplés, Hambourg en flammes.
Ou l'errance amnésique de Travis jusqu'au Texas. Glaces
sans tain et reflets du passé.

L'épilogue de *Kaos*, des frères Taviani : *« Apprends à voir*
les choses avec les yeux de ceux qui ne voient plus, dit à son
fils la mère depuis longtemps décédée. *Tu en ressentiras de la*
douleur, c'est sûr, mais cette douleur te rendra ces choses
encore plus sacrées et plus belles. Regarde... » L'homme se
tourne vers la fenêtre : la voile d'une tartane glisse lentement
sur la mer, traverse l'écran, disparaît. *« Je sais, maman, ce que*
regardent maintenant tes yeux... »

Et la poursuite commencée ce jour de juin 1966 à Genève,
après ce rendez-vous déjà anachronique qui allait répercuter
ses vagues jusqu'aux rivages des Amériques, depuis les confins
du Brésil jusqu'aux cimes de Manhattan...

« Écoute, vieux... D'abord, je n'étais pas sûr que tu te pointerais
à la gare. La veille, Cornélia m'avait dit oui au téléphone, mais
je ne lui faisais pas confiance. Je m'étais littéralement enfui,
courant les correspondances ferroviaires pour atteindre Genève à
temps tout en surveillant étroitement mes arrières. J'ai oublié ce
que j'espérais de cette rencontre, car les dés étaient jetés. Du
moins pour un moment...

« L'ambassade du Brésil m'avait avisé que le visa serait
disponible ce jour-là, il ne me restait plus que quelques heures.
Cette double attente, à la terrasse du buffet, a été un vrai
supplice. J'avais en plus la trouille d'être repéré par la police des
frontières et extradé en France (sans compter que j'ignorais
comment réagiraient les camarades de *D.D.R.* en constatant mon
" évasion "). Inutile de te dire dans quel état j'ai pu guetter votre
apparition ! Dans le fond, je nourrissais vaguement l'espoir que,
dans un geste de folie comme nous seuls (croyais-je) en étions
capables, tu partirais avec moi ; comment ? Je n'en avais aucune
idée. Mais dès que je t'ai aperçu, guilleret, la guitare sous le bras
et Cornélia trottinant derrière, j'ai compris ma naïveté. Tu avais
réussi ton examen et, la *Peugeot* pleine, vous étiez en route pour

Göttingen où tu voulais t'inscrire à des cours, emportant bobonne et de monstrueuses illusions... Un grand jour pour vous, c'était évident, votre destin déjà inscrit dans les ornières du conjugal ! Inconciliable avec le désir de Gobi, tout ça. J'ai pensé : Quel gâchis ! Les hommes se marient, et les hommes se perdent les uns pour les autres...

« Mais sur le coup, je dois dire, votre présence m'a calmé. Tu étais là, j'existais encore pour quelqu'un, et dans mon état ce n'était pas rien. Mais talonné par l'urgence, j'avais le sentiment d'être espionné de tous côtés, cerné comme un fauve piqué de lances qui le poussent vers la trappe – et il n'y avait plus rien à attendre de toi. Que tu avais l'air pitoyable, dans ton euphorie de pacotille ! Je n'ai pas insisté. Et elle, l'Américaine, avec son expression de femelle inquiète défendant son petit bonheur (son bonheur, Markus, pas son mec !), et qui m'épiait, sur ses gardes. Je l'ai détestée... Non, Markus, non, ma froideur n'était pas de mépris, ou de colère, seulement le résultat de mon plus profond désarroi. Vous étiez là, mais ça ne servait plus à rien. Le plus étonnant, c'est que je m'alarmai bientôt pour votre propre sécurité. Inutile de t'exposer pour un sursaut d'amour-propre déjà résorbé. J'ai souhaité vous voir foutre le camp au plus vite ; ce n'était ni le moment ni l'endroit pour s'expliquer. Alors, les manières... Malgré la débâcle, je ne désespérais pas de revenir là-dessus un jour – sans bien sûr imaginer que ce serait à New York pour nos quarante berges !

« Ce fut en effet notre dernière rencontre...

« J'ai obtenu mon visa, et le soir même je m'envolai vers le Brésil. Ma pensée allait vers toi, toi et Cornélia sans doute déjà arrivés en Basse-Saxe... »

Erick a dit : « Ce fut notre dernière rencontre... », et le choc que cela me fit ! Parce que je croyais que notre histoire avait duré au-delà de ce jour d'été devant la gare – alors que nous ne l'avons vécue que dans la séparation ; parce que Genève se situait encore si tôt sur le tracé de ce futur commun, qui, nous en étions persuadés, aurait bien l'occasion de se déployer à nouveau ; et qu'il nous fallut près de vingt ans pour nous revoir ; et que je me retrouve ici, seul sur les routes de l'Ouest où déjà le face à face de New York n'est plus qu'un souvenir, aussi reculé que toutes ces années que je suis allé extraire.

Encerclé par le temps : *la ligne droite est un labyrinthe.*

L'angle de la lumière dessine au loin une grande vallée bleutée, et la senteur violente des sauges étourdit. Sur ces étendues ne cesse de s'écouler un temps qui s'est arrêté pour toujours. L'espace abolit ici toute durée... On pourrait choisir de vivre d'une telle nudité, et, n'étant plus en marche, éprouver l'éternité dans sa plénitude.
Un moment de pur Ouest...

Débouchant d'un plissement imperceptible à l'œil nu, une cavalcade de chevaux décoche l'arc soudain d'une traîne alezane ; ils finissent par se disperser dans une aire plus broussailleuse où ils se mettent tranquillement à brouter. Le chien se précipite vers eux en aboyant. La porte treillagée claque, le patron siffle sa bête, qui revient l'oreille basse.
— Ce sont les mustangs des Indiens...
Il a un accent indéfinissable.
— Il y a des Indiens dans cette région ?
— Un campement de Shiwits à quelques milles d'ici, et la réserve des Uintahs sur le plateau. Pas de problèmes avec eux... Mais d'où venez-vous ? me demande-t-il, le pouce vers la voiture.
— Du Québec, au Canada...
Il a une moue dubitative.
— Vous allez en Californie, bien sûr... Tous ceux qui passent par ici y vont...
— Plus tellement d'alternative, non ?
— N'ai jamais fait le saut, remarquez... Selon les croyances populaires espagnoles, California était une île près du Paradis terrestre, étiez-vous au courant ?
— Non, mais l'information me plaît, et il me précise que

ce royaume était peuplé d'Amazones noires qui montaient des chevaux sauvages.

Au moment de partir je veux lui payer mon *Coke*.

— Laissez ça ! Vous avez un bout pénible à faire, mais ça ira, on s'en tire, vous verrez... *Take care !*

Il faut poursuivre. Je suis – j'étais – de ceux qui, dans la lente et irrésistible migration, préféraient continuer, aller toujours plus avant jusqu'aux lisières nouvelles...
Un léger trac à reprendre le volant. Un peu tard, mais j'ai de l'eau, et j'ai renoué avec l'intimité du désert...
Et je vais vers le soleil...

MONROE HOT SPRINGS CAMPGROUND, UTAH (SOIR, 23 JUIN).

Effervescences d'eau dans le nez, la bouche, les oreilles, les cheveux ! Je nage dans les eaux sulfurées des sources tandis qu'au ras de mes yeux noyés les miroitements cuivrés du soir virent d'un rose pastel à un mauve étincelant, et c'est comme une lave de feu qui déferle et me submerge. Au-delà du bassin turquoise qui ondoie comme un drap de soie, c'est la plaine à l'infini, qu'une barre nébuleuse voile doucement... Je m'accoude sur le rebord, le visage ruisselant de vapeurs thermales.

Au pied de la falaise, un homme grand et maigre vient d'apparaître et me regarde avec timidité, comme s'il dérangeait un cérémonial privé. Son corps cassé vacille, on le dirait ivre. Je lui adresse un salut de la main, il sourit. Il a dû considérer cela comme une permission, car il se déshabille avec empressement, s'empêtrant dans son pantalon. Quand il est en caleçon, il s'approche du bord en hésitant, mais tout émoustillé, à la manière de quelqu'un qui ose défier un interdit. Il se glisse prudemment dans la partie peu profonde et, surpris par la chaleur (à la limite du tolérable), il lève les bras et pousse un sonore *« Oh, schön warm ! Wie toll ! »*. Cette langue, cet accent, c'est tout à coup, là, en plein désert, l'écho vivant et fugitif de mes saisons allemandes qui se raccorde inopinément au mythe de l'Ouest. Je réponds spontanément : « *Ja ! Wunderbar ! Welch ein Glück !* » C'est effectivement un bonheur, cette eau ! Il s'enhardit et nous nous ébattons au milieu de la piscine en riant comme deux vieux copains. Puis je m'élance en fendant l'onde, saisi à chaque émergence par une brise chargée de parfums sauvages. Toute réserve dissipée, l'homme fait quelques brasses en glapissant. Les nuages se sont éloignés et le soleil refait irruption au-dessus des crêtes, déroule jusqu'à nous une large coulée d'or qui nous inonde bientôt.

Alors que je m'apprête à sortir, le dos cambré en haut de l'échelle, l'attraction est la plus forte, et je virevolte dans une grande éclaboussure avec l'impression de me jeter dans le quartz fluidifié du couchant. Dix, quinze longueurs effrénées ne suffisent pas à assouvir l'ardeur qui me fouette, haletant comme on cède à la fièvre amoureuse – à nager comme on vole, immatériel et moulé dans la matière...

Après sept jours de voyage (et près de 500 milles depuis les Rocheuses), c'est comme si chaque étirement de mes bras, chaque battement de mes jambes essayait de reconquérir les années pétrifiées. Remonté du fond des ténèbres, j'exulte, me vautrant dans la cendre des détresses éteintes avec une exubérance animale, métamorphosant la boue en transparence de jade. Étreint d'une rage soudaine, je me lave des suies du passé, de la solitude du nord et des rendez-vous ratés, buvant à pleines gorgées dans les tourbillons les larmes de la tristesse, enfin bue comme on le dit de la honte – honte du gâchis et goût de sel, sel de la terre et des houles marines, ou l'exhalaison des algues aux marées basses de l'enfance, eaux trop rouges de la naissance avortée, eaux-sèves, eau-sperme, eaux de l'exil – à cet instant sans ménagement mêlées. Et dans ce vertige liquide où s'inverse le ciel, un infime cordon me relie à tout ce qui palpite, fièvre des moussons, trombes des orages trop vite évaporées au-dessus des sierras, – me relie au souvenir démultiplié des eaux souveraines, torrents, golfes, lacs, où j'ai puisé l'intense avidité de vivre.

Eaux anciennes...

Ainsi les bains de nuit sous les lianes des forêts englouties de la Tchefuncte River, parmi les mousses habitées de venimeux *mocassins d'eau* ; dans les courants de l'impétueuse Pecos, à la fourche des migrations texanes ; au passage à gué du Rio Grande dans la faille du Santa Elena Canyon ; aux portiques de l'aurore diaprée par l'émeraude glacée du lac Kluane, au retour d'Anchorage ; parmi les poissons du Chalchiuitl aux chutes de la Toma ; dans les courbes d'ébène du Mississippi, où me frôlaient les alligators. Eaux sèches de mars ou gerbes bouillantes des geysers – eaux nocturnes, nacrées, parfois furieuses, ou d'ambre tiède, comme le soir en altitude à Dezadeash...

Eaux de la mémoire...

Lorsque je m'échoue dans les dernières lueurs, l'homme n'est plus là. En aplomb du bassin, l'ocre des falaises est attisé par les rayons du soir. Le souffle court, adossé aux bouillonnements qui jaillissent du roc, je contemple la plaine qui sombre dans de grandes splendeurs mordorées.

C'était il y a une heure. Avant de rentrer, j'ai soigné quelques photos du crépuscule reflété dans la piscine, opérant avec trépied, mesures de pose, et tout ; mais comme dans le viseur le cadre paraissait étroit ! Dérisoire fragment d'infini prélevé sur le temps...

Une grosse *Dodge* noire était stationnée en plein milieu du chemin du camping, toutes portières ouvertes. C'était celle de l'Allemand ; assis sur le siège arrière, les jambes à l'extérieur, il était en train de s'essuyer méticuleusement les orteils. Un autre homme était appuyé contre la carrosserie, petit et corpulent, vêtu d'un costume fripé, les bras croisés et la mine renfrognée. « *War's gut ?* » me lança mon hardi compagnon, visiblement satisfait. « *Ja, Ja ! Ausgezeichnet !* » Il est parti d'un bon rire complice. Nous sommes des amis, maintenant...

▼

Monroe est une petite localité sise à l'orée d'un plateau des Wasatch Ranges. L'on y pénètre par une avenue envahie d'herbe et bordée de tamaris alourdis de poussière. Les trottoirs sont lézardés, et la plupart des maisons, sur le point de s'écrouler, ont leurs fenêtres condamnées. Des lauriers-roses prolifèrent dans ses quelques artères, bourg fantôme livré au domaine millénaire des vents...

En y circulant au pas, abasourdi par le silence, je fabulais sur l'hypothèse que ses habitants, isolés au cœur d'une immensité de pierraille incandescente, et assiégés par les tempêtes de sable, avaient un jour abattu les palissades qui les protégeaient de cette tentation mortelle : l'absolu à leur porte. Car comment assumer une quelconque destinée en sachant que les arbres, les plantes, les fleurs ne constituent ici qu'un accident, une zone trop frêle pour être dans l'ordre de la nature, même si le cocon azuré de l'atmosphère peut créer l'illusion d'être à l'abri ? La nuit, ils allaient scruter les profondeurs étoilées, et la fraîcheur de la rosée les rassérénait un peu. Mais, incapables de supporter leur irréductible précarité, ils étaient partis, malgré que toute vie – ils le savaient – s'asphyxiait au-delà des bornes de leur enclos. Ce sont des prospecteurs qui, dans un raccourci peu fréquenté de la redoutable piste de Californie, tombèrent sur leurs squelettes blanchis par le soleil...

Mais ce serait oublier les sources...

Tout ce qui reste de l'agglomération s'est réfugié ici, se cramponnant à l'unique carré de verdure à des milles à la ronde. Quelques saules délimitent la prairie. Même si au-dessus de nous le ciel est déjà d'encre, un filet de clarté mourante souligne le contour des chaînes de l'horizon circulaire.

Après une petite lessive à l'une des fontaines-robinets, je profite de cet ultime reflet pour me raser, à genoux dans le gazon, face au miroir accroché à un piquet. Sur les emplacements voisins, des gens conversent devant leur *Winnebago*, véritables appartements ambulants où les femmes se promènent en robe de chambre.

J'ai placé l'ouverture de la tente face à la vallée. La toile se gonfle, puis expire. Satinée de fraîcheur, ma peau commence à s'imprégner de l'odeur familière des sauges. Du linge propre... L'obscurité s'est infiltrée partout, confondue au tissu sonore des étendues invisibles : ce moment où le désert s'éveille...

(En nageant me revenait cette phrase de Malcolm Lowry, que j'avais notée dans le carnet noir : *Perhaps because he was drinking, not water, but certainty of brightness ? Certainty of brightness, promise of lightness, of light, light, light, and again, of light, light, light, light, light !*

« Boire de la lumière », oui, comme une promesse infinie...)

▼

Plus tard.

Ces étranges Allemands, inquiétants tout d'abord. Ils ont rôdé entre les véhicules et sont venus ensuite à la table où je revoyais mes notes. Ils m'ont invité à aller prendre quelque chose ailleurs avec eux, mais j'ai refusé, trop fatigué. Et pour aller où ? Monroe croule dans son silence... Je leur ai offert du *Coca-Cola* tiède de ma glacière de fortune. Ils avaient roulé toute la journée pour voir quelqu'un au camp, mais ne l'avaient pas trouvé, et ils se demandaient où ils allaient dormir.

L'homme des sources se présenta, Helmut Bleibtreu, professeur d'histoire à la retraite, et, sans préambule, me raconta dans sa langue qu'il avait été aviateur pendant la guerre, et que le souvenir des bombardements qu'il avait effectués sur la France le hantait encore, quarante ans après. Tirant de courtes bouffées de sa cigarette fichée à l'extrémité d'un filtre, il confessa ne s'être jamais consolé d'avoir détruit des centres urbains et tué des enfants. Il en tremblait encore : son élocution et ses mimiques étaient en effet celles d'un désaxé ; par intermittence, comme dégrisé, il se mettait à plaisanter, subitement affectueux. Il fit le récit de quelques

105

missions, nomma des villes, interrompu parfois par de brefs sanglots. Son compagnon – présenté comme Klaus – le réconfortait en l'entourant de son bras, mentor discret le protégeant, ou le surveillant, difficile à dire. D'où ils venaient, où ils résidaient, impossible de l'apprendre. L'homme détournait d'un signe toutes les questions à ce sujet, qu'Helmut d'ailleurs paraissait ne pas comprendre. Finalement, peu disposés à se hasarder sur les routes à une telle heure (trop tard en tout cas pour Las Vegas), ils se sont résignés à dormir dans leur *Dodge*, près de l'entrée du terrain.

Le « village » maintenant endormi. Quelques voix dans l'ombre. Ronronnement des climatiseurs des caravanes. Ma respiration en parfaite consonance avec la pulsation de la nuit qui repose d'un bout à l'autre des plaines. Descendu des latitudes où se flétrit le velours des pêches, j'ai quitté la périphérie, et, oui, je la vois bien la trajectoire, l'arc de cercle que je décris sur le continent. Mais vers où ? Même si la destination est claire, j'ai parfois l'impression que seul le ressort de l'élan m'emporte encore vers l'ouest, simple force d'inertie du vieux désir qui s'en va mourir comme le flot sur la grève. Car en arrière-pensée, je ne peux plus éviter que ne se pose la question : et après ? Je pressens ce que serait un monde sans directions – le point où, se fondant dans le grand but, elles s'annuleraient... Angoisse du vide appréhendé, et quelque chose d'aussi troublant que l'espérance (mais je n'aime pas ce mot, pas assez concret, pas assez *terrestre* : le spirituel ne peut se jouer que dans la chair. Ou pas. Et espérance de quoi ?). Non, il me suffit pour le moment de me savoir en mouvement : la poussée initiale n'a pas fini de s'épuiser dans le parcours de mon renouveau... ou de ma perte.

Mais où est le centre ? Si elle attise surtout ma curiosité, cette question n'a pas vraiment de sens pour moi ; ce sont les lointaines limites qui m'intéressent – ou plutôt leur approche. Mais pour y parvenir, il me faut d'abord me dépouiller du noir manteau d'Erick, comme le serpent se débarrasse de ses mues, que le vent emporte et qui, s'effritant, entraînées par les ruissellements de la terre, raniment un instant les eaux mortes.

Americi Terra : c'est un Allemand qui t'a nommée, Amérique...

24 JUIN. MOUNT CARMEL, 15 HEURES, sous l'auvent d'un *Dairy Queen.*

Un garagiste m'a déconseillé d'affronter les hautes températures du Nevada avec mes pneus usés. Lui ai confié la voiture, il m'a dit de revenir dans une heure. Disséminées le long de la vallée des Wasatch, des bourgades s'égrenaient dans la tiédeur du dimanche matin. Rien ne laissait deviner que derrière les paisibles rangées de coteaux la rigueur des sables blancs est des plus impitoyables. Des chevauchées de motards surgissaient, aussitôt absorbés par le rétroviseur.

À Panguitch, où j'ai déjeuné avec les Allemands, on annonçait la projection de *Koyaanisqatsi* au cinéma d'en face, le *Dixie.* Discutant en anglais avec moi de leur itinéraire, Helmut, plus lucide que la veille, m'apprit qu'ils vivaient à Milwaukee, « la plus *deutsch* des villes américaines », où ils avaient émigré ensemble juste après la guerre, en passant par le Canada.

« Pourquoi par le Canada ?

— Vous savez, en ces années-là, il était plus facile pour les exilés qui... », commença Helmut, mais un furtif froncement de sourcils de Klaus, replié dans le même mutisme que la veille, le fit taire.

J'ai à mon tour situé mon émigration dans son contexte continental, parlé de mes séjours de jeunesse en Allemagne ainsi que des reportages que j'y ai récemment effectués, répondant aux questions d'Helmut sur la vie à Berlin avec la réalité du Mur (qu'ils n'ont pas connu).

Nous nous sommes donné rendez-vous à Las Vegas.

▼

AU GARAGE, PLUS TARD.

J'ai flâné dans les rues dominées d'escarpements abrupts, prenant quelques diapos ; mais l'acuité du midi solaire est vite devenue intenable. La voiture est encore sur le pont de graissage. Le patron m'a fait patienter dans son jardin ; parasol « *Valvoline* » et banc de bois près d'une petite fosse à reptiles. Est-ce la chaleur ? L'image d'Erick perdu sous le Capricorne m'obsède, l'ami débarquant seul de Genève, gravissant d'un pas lent les collines avec sa valise, une adresse en main, interrogeant le paysage, hébété par le décalage horaire et l'inconfort des autocars poussifs.

« Le Brésil ! Une *fazenda* près de Rolândia, au Paraná, une région colonisée par les Allemands ! Nous qui avions fantasmé sur Gobi, je me retrouvais dans le même jus... Je compris trop tard que le vieux qui me recevait était l'un de ces exilés du IIIe Reich que les services *U.S.* avaient protégés pour de sombres desseins politiques, et qui, depuis, s'étaient fait une spécialité de récupérer les brebis égarées du communisme. Après un hiver à ruminer sur le gazage des Juifs, je n'étais pas sans subir amèrement l'ironie du guêpier dans lequel je m'étais fourré. Bien amer, oui, mais j'étais trop abattu pour me révolter. Et comme le vieux était somme toute sympa, j'ai écrasé en serrant les dents. Gros bavarois toujours culotté de ses *Lederhosen*, il s'était reconstitué un *Kindergarten* à sa manière, se réfugiant souvent dans le cellier avec les copains du voisinage pour faire revivre le bon temps des *Jeunesses*... (Il importait lui-même ses caisses de *Steinhäger* et ses tonneaux de *Würsten*.) Passionné de Bruckner, il occupait des après-midi entiers à faire tourner ses 78 tours de Wagner sur la terrasse. Mon aisance dans sa langue et ma culture germanique lui plurent, et il se prit d'amitié pour moi. Après quelques semaines, il fit de moi son lieutenant et m'attribua la responsabilité des effectifs dans ses plantations. Il me proposa même de participer aux bénéfices si je le confortais de quelque assurance sur mes intentions. C'étaient pas les compétences qui couraient la garrigue ! Et cultivées, de surcroît ! Jusque-là, les irrécupérables qu'on lui avait expédiés avaient eu tendance à noyer leur rancœur dans la bière, s'étaient pendus ou avaient succombé à la malaria – ou que sais-je encore. Il m'avait quand même à l'œil, se méfiait de ma conversion (que j'exagérais sans mal : il me suffisait d'évoquer la gueule fripée de *Frau* Andrès). Je n'étais pas converti, j'étais laminé, exsangue. Il s'efforçait de percer à jour mes motivations, mais je n'en avais plus. Il était veuf et n'avait plus que sa fille (dont il m'offrait la main, tu vois le truc ! Mignonne par ailleurs...). Sa femme et son fils avaient été tués sous un bombardement pendant la guerre, et il aurait aimé me garder. Mais brillant comme je lui apparaissais, il se doutait bien que je ne finirais pas dans son trou. De fait, je ne me voyais pas à cinquante berges en train d'écouter du Satie en admirant le soleil se coucher sur mon domaine !...

« Par la force des choses, je pensais souvent à toi à Göttingen, une nouvelle étape, la nana qui t'aime, les études côte à côte... Et je rageais en imaginant tout ce que nous aurions pu accomplir si tu avais été là. Je n'avais pas renoncé à tout espoir, je te connaissais : tu ne résisterais pas longtemps à la lourdeur saxonne. Et je souhaitais secrètement que l'Américaine se lasse, et te lâche...

« Une fois remis, j'ai voulu me ressaisir. Un Français que j'avais rencontré dans l'avion – le fameux Robert Piquet – était entré en communication avec moi, et depuis quelque temps il m'engageait à venir le voir à Rio. Il mijotait un plan d'expédition dans le Mato Grosso, ça m'intéressait.

« La veille de quitter Rolândia, je t'ai écrit un mot dans lequel je te mentionnai Recife. »

La lettre de Göttingen : le tournant, ce moment unique où sans l'ombre d'un doute je dis oui à son appel. La chance irrésistible, malgré Cornélia, de réparer l'acte manqué de Genève, et le sursaut par lequel, un mois plus tard à Anvers, je réponds enfin au serment de Reichenau...

La voiture est prête, vient de me dire le mécano qui n'a pas réussi à identifier la cause des ratés du moteur. « Bah ! Si elle vous a mené jusque-là, elle continuera bien jusqu'à la côte... »

▼

LAS VEGAS, 20 H, AU « *EL RANCHO LODGE, MOTEL – VACANCIES* ».

Air climatisé et films pornos à la télé !

Après Mount Carmel, rassuré par mes chausses neuves, je pénétrai dans la parenthèse du Zion National Park, un monumental désordre de la nature qui procure un avant-goût de la configuration des enfers : route en corniche, sinuant à la verticale de canyons tortueux, entre des cirques de porphyre d'un rouge enflammé et des arches de feu, ou plongeant dans des gorges d'encre sèche – jusqu'à l'ouverture brutale, mais majestueuse, sur le dernier désert. Chaos et somptuosité de la croûte terrestre boursouflée, comme un déchaînement de fureur des dieux lassés de toute cette horizontalité...

Puis, dans la langueur de l'après-midi sur l'autoroute, un lourd ennui cotonneux brouillait nuages bas et buttes sédimentaires d'un gris sale, lorsque, du sommet d'une éminence, les lumières de Las Vegas sont apparues au creux d'une large cuvette évasée, à une vingtaine de milles de là. Aux abords immédiats de celle qu'on désigne comme la « Perle du Nevada », la dentelure violacée des chaînons se réfléchissait dans un lac. Me dirigeant vers celui-ci, intrigué, je garai la voiture près de la berge, puis dévalai le dévers, impatient de me jeter dans le miroitement de la vasque. La nappe d'eau me cloua sur place d'émerveillement : le paysage semblait s'y être renversé, dédoublé, et la découpure de mon corps flottait dans la vision de la ville qui scintillait devant moi. Je fis quelques pas, l'image s'évanouit... Les pieds dans la silice brûlante, j'éprouvai ma première expérience d'un mirage ! Dans la voiture je vérifiai sur la carte : *Ivanpah Lake (dry)*. J'ai risqué quelques photos, mais comment fixe-t-on une chimère ?

Entrée déroutante par un long boulevard à l'américaine, avec d'innombrables stations-service, placards publicitaires, poteaux, restaurants aussi vastes que les vitrines des marchands de meubles, etc. ; effet de kaléidoscope urbain alors

111

qu'aux intersections on entrevoit le désert avec ses lignes pures, ses textures minérales.

Puis c'est rapidement l'immersion dans la confusion des néons et des enseignes des motels silhouettés contre un ciel qui s'est embrasé de sang, puis les chapelles (« *Wedding Special : 32,95 $* »), et la ribambelle de comptoirs des chaînes *fast-food*, et enfin le quartier des casinos : déploiement d'architectures en stuc, anachroniques et provocantes, luxe clinquant imitant les oasis du Sahara, fontaines fluorescentes, tours persanes de pacotille et porche de l'*Alladin*, Alhambras de comédie musicale, jets d'eau réels aux couleurs de bonbons, tout un Orient cartonné de fête foraine... Le *Casino Center* baigne dans le clignotement des milliers d'ampoules des hautes et célèbres devantures : celle du *Golden Nugget* ruisselant de pépites, l'arche porte-bonheur du *Horseshoe*, la « cataracte » du *Keno*, etc. ; un plein jour électronique se déverse de partout sur les flots de touristes. Ouvertes sur la rue, les salles de jeu se succèdent, profondes comme des cavernes, et les ondées fraîches de leur climatisation débordent sur les trottoirs. Il y a plus d'un siècle, les cheminots de l'*Union Pacific Railroad* ont monté ici trois planches et une façade, et ç'a été un *building* ; il en ont bâti quelques autres et ont qualifié cela d'*avenue* ; quand celle-ci en a coupé une seconde, puis une troisième, l'ensemble a acquis le statut de *town*, et ils l'ont baptisée *Las Vegas*. Tout le long du « *Strip* », celle-ci se donne aujourd'hui des allures de métropole : la foule, les encombrements de taxis et de limousines, les super-hôtels, les magasins et les gigantesques centres commerciaux aux parkings sans fin, les sirènes de police – le tout à l'imitation de toutes les *broadways* des États-Unis. Cohue et embouteillages new-yorkais à quelques pas de la plus implacable désolation...

▼

22 h au *Mint*.

Helmut me guettait dans le hall luxueux et surpeuplé du casino. « Je n'étais pas sûr de vous reconnaître », s'exclame-t-il en m'apercevant. Nous suivons Klaus qui nous fraye un passage dans l'atmosphère d'excitation propre à ces établissements. La tension est ici à fleur de peau, électrisée : turbulences autour des écrans, cascades de signes, de dessins et de chiffres, annonces des croupiers, proclamations, hourras des gagnants – vieilles rombières fardées, le regard absent et la cigarette au bec, écrasant leurs chairs sur les étroits tabourets et actionnant machinalement les leviers en un mouvement et un rythme quasi masturbatoires. Partout on entend des grêles de *quarters* dégringoler dans un cliquetis caractéristique qui déclenche l'hystérie, entretient la fièvre ambiante : la frénésie d'une troupe au combat. Des jeunes filles déguisées en « Annie du Far West » circulent parmi les rangées de machines, fournissent le *change* nécessaire. Vers le centre sont regroupées les tables de jeux, roulette, *black jack* ou baccara, séparées par un clair-obscur étudié (lustres au-dessus des tapis verts). Petites zones en ovale dans lesquelles évoluent un banquier, un croupier, deux ou trois joueurs. Des cartes, des jetons, le roulement de la bille qui tourne. Là on réfléchit, on calcule, de grosses sommes sont misées.

À l'étage en galerie, les mordus fatigués se reposent, affalés dans des fauteuils confortables, ou mangent, juchés sur des tabourets devant des buffets gainés de cuir. Klaus s'éclipse. « Il va se charger de l'approvisionnement, me dit Helmut. Nourriture et boissons sont gratuites dans les casinos, voyez-vous, ce qui permet à ces messieurs les amateurs et intoxiqués de subsister plusieurs jours et plusieurs nuits d'affilée. Vous pouvez même commander un petit déjeuner à onze heures du soir, si vous voulez... » Il repère une alcôve libre avec des sofas et des reproductions de l'Ouest sauvage. D'ici l'on surplombe le grouillement et l'agitation des salles qui se prolongent dans des arrière-plans indistincts et enfumés. Cela ressemble à une foire au bord de la panique. Klaus revient avec des assiettes de viandes fines garnies de salade et des canettes de bière.

Helmut s'incline vers la table basse, comme hypnotisé par quelque chose que nous ne pouvons voir.

— C'est la table ronde, murmure-t-il en allemand sur un ton bizarre.

Il fait glisser lentement ses mains de part et d'autre de la courbe.

— Mais cette table qui tournoie comme le monde est aussi une table parlante, la table des enchantements..., déclare-t-il pompeusement, comme on prononce une formule.

Je me demande s'il est sérieux ou s'il plaisante. Il se redresse.

— Avant la guerre, Klaus et moi avions fait le vœu d'aller en Amérique. C'était dans une taverne de Lübeck, et il y avait une table comme celle-ci... Était-elle ronde ? Nous étions quatre autour... Tu te souviens qui étaient les autres, Klaus ?

Ce dernier le considère avec la commisération qu'on a pour un détraqué qui recommence ses divagations, puis hausse les épaules, mais sans mépris. Helmut ouvre tranquillement son porte-cigarettes, en extrait une *Pall Mall.*

— Saviez-vous, me fait-il observer, ignorant la réaction de son compagnon, que dans le cycle du roi Artus, tous les éléments concordent avec la théorie platonicienne selon laquelle l'univers est sphérique ? Platon dit en effet...

Il craque une allumette, qu'il élève, tel un sage sur le point d'énoncer une parole, et cite : « *Ayant placé l'Âme au centre du corps du Monde, Dieu l'étendit à travers le corps tout entier et même au-delà de lui et il en enveloppa le corps. Il forma ainsi un Ciel circulaire, ciel unique, solitaire, capable par sa vertu propre de demeurer en soi-même, sans avoir besoin de rien autre, mais se connaissant et s'aimant lui-même suffisamment.* »

Tout cela m'intéresse – et m'intrigue – et, comme je ne suis pas certain d'avoir compris, il traduit en anglais, et continue :

— Autour de la Table des Festins, selon la tradition arthurienne, se tient la réunion fraternelle des Chevaliers, et, au centre, à l'image du monde et du ciel parfait, le Graal fait rayonner l'âme de la lumière...

Il oscille légèrement, le doigt tendu vers le plafond, dans une pose de statue ou, plutôt, comme quelqu'un qui, atteint d'une balle dans le dos, se maintient en équilibre durant un ultime instant avant de s'écrouler, puis il s'effondre dans l'épaisseur des coussins.

Une hôtesse à bas de résille intervient.

— *Anything wrong, Sir ?*

Klaus la rassure d'un geste en la repoussant.

À l'autre extrémité du parterre, un orchestre se démène sur une scène exiguë, ne s'interrompant que pour de courtes pauses, à moitié caché par les palmes de plastique. Une chanteuse en robe de lamé d'argent susurre dans un micro les paroles sirupeuses de ses rengaines dans le brouhaha et l'indifférence générale. Ici à l'étage, le va-et-vient de silhouettes érotiques suggère le déroulement de cérémonies clandestines dans les salons aux portes closes.

— Quel pacte concluent-ils ? je ne me rappelle plus... s'interroge tout haut Helmut en recouvrant ses esprits.

Klaus marmonne en allemand quelques mots incompréhensibles.

— *Ich weiss es*, lui rétorque Helmut d'un ton agacé. Mais nous sommes toujours ensemble non ? C'est que, voyez-vous, moi je suis du Schleswig-Holstein, tout au nord, et lui de Bavière, me dit-il en repassant à l'anglais ; on ne peut réunir paire plus dissemblable ! Dites-moi, lors de l'une de vos tournées, ne seriez-vous pas allé par hasard jusqu'en ces régions moins tempérées, mais tout aussi charmantes ?

— Je me suis en effet arrêté une fois à Schleswig, je revenais de Norvège par Hirtsals...

— *Ach die Heimat ! Wenn werde ich wiederseh'n ?* (« Ah, quand reverrai-je ma terre natale ! », languit le poète). C'est précisément à Schleswig-Haithabu que je suis né ! s'écrie-t-il, heureux comme on l'est de retrouvailles avec un ami d'enfance. Vous avez donc vu *« die Stadt der Wikinger »*, la vieille cité des Vikings, comme on l'appelle encore.

Oui, j'avais fait le tour de ces lieux, et je lui en commente la visite, la barque-taxi qui m'avait emmené sur les canaux de la Schlei et l'effet grandiose de la cathédrale Sankt-Petri qui s'estompait en arrière dans la brume de chaleur, la petite baie de Haddebyer Noor où le guide m'avait conduit, m'expliquant comment les Vikings avaient fondé sur ces berges un comptoir commercial qui jouerait un rôle déterminant dans le développement de l'hégémonie scandinave en Europe. Dans la foulée de leurs expéditions conquérantes (Écosse, Irlande, France, Angleterre), ils avaient colonisé l'Islande et porté leurs voiles jusqu'à des rivages inexplorés perdus aux confins de l'Atlantique (aujourd'hui ceux du Canada et des États-Unis), mais sans s'y établir (sauf au Groenland où une colonie se maintint pendant plus de cinq siècles avant de s'éteindre mystérieusement). Ironiquement, m'avait-il fait remarquer, ce seraient les descendants des Angles et des Saxons, leurs prédécesseurs et rivaux, qui, originaires du même territoire, réussiraient bien plus tard l'implantation sur le nouveau continent.

L'homme m'avait détaillé la signification des inscriptions runiques sur les pierres qui jalonnaient le sentier. Depuis le haut des talus recouverts de bruyères et de genêts, il avait dirigé mon attention sur le champ qu'ils circonscrivaient. « Sous ces blés est enfoui un site important d'une des puissances les plus téméraires du Moyen Âge, sous nos pieds gisent les restes de rois germains et vikings. On a mis au jour dans le Vieil Uppsala des navires-tombeaux ensevelis sous des tumulus. »

Nous étions montés jusqu'aux fortifications du *Danne-werk*. De là se distinguaient clairement, vers l'est, l'horizon planté d'îles de la Baltique et, à l'opposé, les terres en déclive vers la côte basse de la mer du Nord. Entre les deux, le tracé du *Kograben*, cette voie séculaire qu'empruntaient les navigateurs danois d'une mer à l'autre parmi les méandres des moraines. « C'est la distance *terrestre* entre ces deux rives qu'ils faisaient parcourir à leurs drakkars. Deux mondes – l'ancien et le nouveau – s'ouvraient ici l'un à l'autre, séparés par la péninsule du Jutland, au milieu de laquelle nous sommes. » L'ampleur de la perspective m'avait effectivement impressionné...

Suspendu à mes lèvres, penché vers moi à cause du vacarme assourdissant des machines à sous, Helmut se montre captivé par mon évocation des *Marschen* de sa jeunesse. Il écrase son mégot dans le cendrier et poursuit lui-même en me situant la scène : l'arrivée des navires qu'on déleste dans la baie d'Haithabu, que les marins – attelés – tirent lentement hors de l'eau, les marchandises que les femmes transportent sur leurs épaules, tandis qu'un échange incessant d'hommes s'opère d'avant en arrière pour déplacer les rondins sur lesquels roulent et grincent les quilles. « Puis représentez-vous la harassante progression du cortège dans la canicule, les craquements de la coque, les cris des guides, les ahans de l'équipage. Au bout de deux semaines, ils ont franchi les trente kilomètres entre les deux mers. Cette percée vers l'océan et les conquêtes enflammait mon imagination de gamin, et j'allais souvent y courir. Comme sur une piste d'envol, je m'initiais à mon futur décollage (il écarte les bras, imitant un battement d'ailes, la mine extatique). Ma famille, mes camarades, personne ne comprenait. Après tout, leur clamais-je, les Vikings sont bien allés jusqu'à Constantinople ! Et quand nous sommes partis de Bremerhaven, Klaus et moi... »

L'autre qui lorgnait les jambes des filles d'un air faussement négligent lève vers Helmut un visage dur. Celui-ci ne s'en émeut pas outre mesure, mais reste coi et sort de nouveau son étui à cigarettes.

Un jeune couple est venu s'asseoir près de nous. En short, chaussés de souliers de randonnée, tous les deux blonds et les cheveux en broussaille, ils détonnent dans ce cadre. Helmut allume une cigarette en suivant tous leurs gestes. Après avoir déposé leurs sacs à dos, ils hésitent, puis la jeune fille se rend à l'un des buffets et revient les mains chargées de victuailles. Elle nous demande s'ils peuvent utiliser un coin de la table.

— Allez-y, les enfants ! les y encourage Helmut.

Ils sont un instant déconcertés par son accent, puis ils ouvrent des contenants dans lesquels ils entassent sandwiches et œufs durs.

— *Schauen Sie mal an diese Jungen, da !* Regardez-les ! Personne n'a bombardé leur village, à eux ! se lamente-t-il avec cette intonation fébrile qu'il avait hier à Monroe.

Il les couve longuement d'un regard attendri, puis il se tourne vers moi, se reprend.

— Et à Schleswig, êtes-vous allé voir le vaisseau de Nydam, au Landesmuseum ? me demande-t-il, les yeux embués.

J'avais justement tenu à examiner de près « la plus vieille embarcation des civilisations du Nord ». Reconstitué dans une enceinte voûtée aux murs dépouillés, le bateau avait soulevé en moi, malgré son état vétuste, un enthousiasme empreint de révérence. Comment concevoir que des familles entières, voguant sur de pareils assemblages de bois, si vulnérables en apparence, eussent pu braver les tempêtes de l'Atlantique avec matériel, bétail et provisions ! L'indicible excitation que j'avais éprouvée à en caresser les courbures, à palper la surface rugueuse de l'étrave, à ressentir sous les doigts l'épreuve, le temps, l'épopée nordique...

— Mais les Vikings n'ont pas *fait* pour autant l'Amérique, relève Helmut, même si les fils d'Erik le Rouge, Leif et Thorwald Eriksson, partis du Groenland – le *Grönland*, nommé par leur père –, ont débarqué sur ses rivages cinq cents ans avant ce cher Colomb !

— Le « Vinland » ?

— D'abord au « Markland », le Labrador actuel (d'aucuns affirment qu'il s'agit du bien-nommé *Newfoundland*), puis, en effet, en ce Vinland énigmatique des mythes orphiques, selon la version d'une autre saga, et que les historiens situent quelque part entre Boston et le Long Island Sound... À ce propos, vous doutiez-vous que l'algonquin, la langue des Indiens de ces régions, est parsemée de termes norvégiens et gaéliques ? Ah ! ah ! je vous étonne, n'est-ce pas ? Une preuve indirecte que les *northmanni* ont eu un contact prolongé avec les occupants de ce continent... Pas mal, non ? On a même connu des Indiens aux cheveux blonds, et l'un de vos semblables, un chercheur français, en a même repérés au Paraguay ! Concluez vous-même !

Il est ravi de son effet. Derrière nous, une bande de femmes d'un certain âge en robe de soirée chahutent en trinquant, et leurs éclats criards nous distraient. Dans un moment d'accalmie, Helmut pointe le tableau accroché au-dessus de ma tête :

— Admirez cette merveille ! s'exclame-t-il. *The Rocky Mountains Lander's Peak*, titre original en anglais, mais en fait l'œuvre d'un Allemand ! Le rêve pastoral du paradis perdu... Les premières peintures du Nouveau Monde exécutées bien avant que les photographes ne s'y mettent, par Albert Bierstadt, un naturaliste de l'ancien duché de Berg, en Rhénanie. Êtes-vous au courant que l'Amérique aurait pu être allemande ? « Il fut un jour où la Grande-Bretagne était l'Amérique des Germains », a pertinemment rappelé Benjamin Franklin ! Permettez-moi de vous relater ça...

— *Ach, nein !* s'emporte Klaus, qui doit avoir entendu pour la énième fois ces anecdotes.

Il tend le poignet vers Helmut en tapotant sa montre de l'index. Helmut soupire, résigné ; sans doute habitué.

— Bon, je n'ai pas le temps... Mais lisez un jour les exploits de ce compatriote du Bade, Johann Jakob Astor ! C'est lui qui ouvrit au commerce la Columbia et le Nord-Ouest et assura ainsi aux États-Unis la future possession de l'Oregon. « *Astoria* », ce serait un joli nom pour cette Amérique-là, non ? Vous ne pensez pas ? *United States of Astoria...* dit-il en pesant chaque mot, songeur. Et ça fait toujours « *U.S.A.* » ! Il est vrai qu'en allemand cela aurait donné « *Vereinigten Staaten von Astoria* », ou plus simplement « *V.S.A.* ». Ah ! ah !

Klaus est déjà debout. Helmut s'efforce de se relever seul mais bascule en arrière, le bras tendu. Klaus lui attrape la main et le tire doucement vers lui.

— *Entschuldigen Sie, bitte*, me prie Helmut en se prenant les reins à deux mains. Oui, toutes nos excuses ! Avec la nuit que nous avons passée, ce n'est pas pour nous, ces excentricités. Nous vous laissons... Mais où allez-vous planter vos piquets, ce soir ? C'est le désert, tout autour...

— J'ai trouvé une chambre au *El Rancho...*

— Ah ! L'un de ces petits motels avec des films coquins ! Hé ! hé !

— Vous paraissez bien connaître Las Vegas ! Vous y venez souvent ?

— Oui, mais pas pour jouer...

— Helmut !... rugit l'autre.

— Oui, ça va, Klaus, ça va... Et dites-moi, quelle sera votre prochaine étape ?

— La Vallée de la Mort, autant que possible...

— Ô splendeurs de l'enfer et paradis mortel ! Alors recommandez votre âme à quelque dieu shoshoni et... n'oubliez pas l'eau !

Il me tend la main.

— *Also, Markus, viel Spass !* Amusez-vous bien ! Et ne vous ruinez pas sur ces machines ! Aussi, passez nous dire bonjour à Milwaukee, au retour... À moins que nous nous soyons fourvoyés en chemin...

Déjà sur les pas de son ange gardien, il fait demi-tour tout en fouillant dans la poche de son pantalon et me glisse une carte de visite entre les doigts, se retire. *« Schuss !...»*

— Bonne chance, Helmut !

Déesse aveugle, Fortune, démultipliée et électrifiée, fait tourner partout autour de moi sa roue d'illusion et de misère.

Voilà plus d'une heure qu'ils sont partis. Il est près de minuit. Une autre durée semble régler les rythmes de ce lieu, rien ne différenciant les heures ni ne marquant l'alternance du jour et de la nuit, sinon le genre de la clientèle. Un serveur voltige entre les gens, un seau à champagne à bout de bras. Le claquement sec d'une bouteille qu'on débouche retentit, suivi de cris aigus et de rires.

Une grosse femme en lingerie noire sous un déshabillé transparent a remplacé la chanteuse de tout à l'heure. Elle a les cheveux teints, « montés » comme une pièce de pâtisserie, et interprète langoureusement *« Those were the days, my friend... »*, comme en ce soir de 1970, dans un saloon de Rock Springs, *The Cowbelles*, où m'avaient entraîné mes compagnons de route, la première fois. Et j'ai la poitrine étreinte d'un sentiment de solitude irrémédiable.

▼

UNE HEURE DU MATIN, galerie à l'étage, 6th Street. *Room 28.*
91 °F.

Les supermarchés encore ouverts. Ai fait quelques provisions de base en vue de l'étape périlleuse qui m'attend.
Même là les *slots machines* résonnent aux quatre coins du
magasin (une dame âgée s'échinait à l'une d'elles, son chariot
plein derrière elle). Une lueur indigo tremble encore dans le fond de nuit à
l'ouest de la vallée. Ciel hollywoodien... Sur Las Vegas Boulevard, c'est l'heure de pointe, avec des files de caravanes pare-
choc à pare-choc... La plupart des voitures sont munies de
vaches à eau attachées à l'extérieur des portières. C'est le flot
quotidien des vacanciers qui voyagent de nuit pour éviter les
excès thermiques de la journée.
Derrière les bosquets de lauriers, une piscine miroite sous
les magnolias. Forte envie de m'y précipiter... Des bouffées
d'air chaud surgissent d'entre les palaces rutilants, pleines
d'âpres odeurs qui rappellent que tout cela n'est qu'une
construction de carton dont les pans pourraient s'abattre et
nous laisser nus sous la lune, qu'au fond de ces trous obscurs
Las Vegas se perd dans les sables.
Rapide fondu au noir...
À la télé, chuchotements et gloussements de personnages
en cabriolet, les belles images du film *The Misfits*, le Nevada
en arrière-plan du profil de Marilyn Monroe. *« Have you got
a home ? »* vient-elle de demander à Clark Gable. *« Here... »*,
dit-il en montrant de la tête les reliefs en haut contraste qui
défilent derrière eux. L'insidieuse nostalgie que réveillent ces
quelques plans, cette musique... Ne pas céder. (Font-ils de
la publicité pour l'État, ça fait deux fois qu'ils passent le
film ?) La plaie des *air conditioners*, grelottements artificiels.
J'aurais préféré dormir sous les étoiles, comme la fois où, en
route pour le Grand Canyon et le Mexique, j'avais été bloqué
à la sortie de la ville.

Mes paupières s'affaissent. Pas le courage de me remettre à la nuit de New York, à ce moment où le sol se fêle, l'ellipse du Brésil, inexpliquée, la faille dans laquelle s'engouffreraient nos espoirs et mon avenir : l'absence d'Erick à Recife.

(Et ce souvenir – refoulé – de notre courte échappée à Charleville – mais quand ? – sur la tombe de Rimbaud – située dans le virage de l'allée principale qui surplombe le quartier, en plein soleil, et notre promenade le long de la Meuse, jusqu'à la maison de ses quinze ans, sur le quai qui porte son nom – entrant dans la cour...

... Et cette soudaine et troublante interrogation, ce soir : que serions-nous devenus, ensemble ?)

Partir tôt...

Furnace Creek, 18 h 30 le 25 juin (108 °F !...).

Death Valley National Monument : enfin au fond de la Vallée de la Mort ! Presque l'enfer, oui ! Cornélia à la télé ce matin ! Je sortais mes bagages dans la cour du motel (le soleil affleurait la crête des *ranges*), lorsqu'une voix m'a immédiatement ramené vers l'intérieur où grésillait le poste allumé. Dans le cadre d'un reportage sur la convention démocrate d'Atlanta, une femme intervenait au nom d'un comité de défense des droits civiques de Chicago. De la voir ainsi, siégeant derrière un bureau de direction, il me fut difficile sur le coup de déceler d'où me venait cette irréfutable impression de familiarité, presque d'intimité. De la voix même ! – signe aussi irrécusable que le parfum qu'elle portait et qui m'effleure parfois au hasard des rues. Sous l'autorité du discours, derrière cette assurance de femme mûre (nous n'avions que vingt ans !), c'était bien Cornélia, la Cornélia de Grenoble lorsqu'elle animait les premiers « Comités Viêt-nam » à l'Association étudiante de la rue de Sault. Surpris sans l'être, à l'écouter comme s'il était naturel de me tenir au courant de ce qu'elle faisait dans son pays...

Pourrait-elle même imaginer que j'y rôde depuis une dizaine d'années ? Moi qui rêvais d'écrire des livres qui l'émouvraient, jaloux des personnages de Durrell dans le *Quatuor d'Alexandrie*, desquels elle était amoureuse !

À la une du *Los Angeles Times*, à la réception, la photo d'une manif monstre à Paris contre la loi sur l'enseignement laïque, présentée par le nouveau gouvernement socialiste de Laurent Fabius.

Sur mon pare-brise il y avait une note : « *Lieber Markus, alles Gute ! Wir laufen nach der Zeit. Wie immer... K. und H.* » (Tout va bien, nous partons à la poursuite du temps, comme toujours...) « Courir après le temps », mais vers quelle destination ? Condamnés à une perpétuelle errance, Helmut ruminant un impossible oubli, Klaus lié à leur secret par sa muette fidélité – que recherchent-ils aux États-Unis ?

▼

La route a été longue et monotone jusqu'à Beatty, dans la chaleur étouffante et sous la menace brunâtre d'une tornade de sable qui effaçait toute démarcation entre la terre et le ciel. Sur les flancs orientaux de la sierra Nevada, des pistes ondulaient comme des rubans dans l'air qui, de ce côté, était d'une fluidité opaline.

Puis, dans la montée de la *State 58* qui mène à Death Valley, ç'a été la panne. D'abord toussotant, le moteur s'est comme cabré, et la voiture a stoppé. Un chiffon enroulé autour de la main, j'ai débranché et replacé les câbles des bougies, vérifié tous les contacts. Rien à faire. Le niveau d'eau dans le radiateur était normal. Manifestement une surchauffe des circuits, mais avec une telle température, comment auraient-ils pu « refroidir » ? Et si c'était plus grave ? (Les ennuis récents ne sont pas sans me causer des soucis.) Tout alentour ce n'était que rocaille et silence. Remarquant plus haut un semblant d'habitation, je décidai d'y aller requérir de l'aide.

Après un demi-mille exténuant, cachée par un replat, apparut tout à coup sur la droite, en contre-plongée, toute une façade de la rue disparue d'un village en ruine qui s'érigeait, insolite et solitaire, au milieu de toute la nudité du monde. Trouant quelques murs encore debout, les fenêtres découpaient d'absurdes rectangles dans l'azur, ouvertures mortes sur le vide des vents. Je reconnus aussitôt l'endroit, et m'y aventurai, étonné de tomber ainsi par hasard sur l'une des plus célèbres villes fantômes de l'Ouest.

Un raidillon de chaussée dépavée aboutissait à une plate-forme sur le côté de laquelle se dressait... une gare ! Ses abords étaient encombrés de vestiges de la période du boom minier : chariots à bagages où s'entassaient de vieilles malles, carcasse d'une diligence sans roues, poteaux indicateurs réunis en gerbes, toutes sortes de lampes de mineurs accrochées sous la gouttière du toit... Une plaque d'émail écaillé proclamait : « *Rhyolite, the most ghostly ghost town of the West !* » En impasse, la « rue » se terminait par quelques marches de lauze qui accédaient à un véritable carré potager, qu'abritait une rangée de saules. Une femme était là, qui étendait du linge. Âgée d'une soixantaine d'années, elle me salua simplement, comme si elle était habituée à voir des touristes se promener parmi les ruines. Mise au fait de ma situation, elle me pria d'attendre et entra dans un bâtiment qui dépassait d'une haie de buissons. Sur son fronton se détachait une enseigne repeinte : *Rhyolite Ghost Casino*. Grimpant sur une murette pour prendre des photos, je pus survoler d'un coup d'œil les pentes unies du désert Amargosa qui s'effilaient les unes derrière les autres comme des dunes aux proportions de montagnes. La femme revint avec un jerrican d'eau qu'elle chargea dans un *pickup*. « Vous n'êtes pas le premier, vous savez ! me dit-elle en me raccompagnant. En général, ils calent tous avant le col. Vous comprendrez bientôt ! » Une fois le radiateur purgé, et rempli, la voiture redémarra.

Ce fut alors la rude ascension jusqu'à 4 300 pieds d'altitude. Roulé au pas, tout aussi anxieux d'atteindre le sommet qu'ému de découvrir bientôt cette contrée décrite avec tant de crainte dans les récits. Quand on parvient au Daylight Pass, c'est la frontière de l'État, *WELCOME TO CALIFORNIA* ; mais ici, la Californie, cela ne veut encore rien dire. À six milles de là, au défilé du Hell's Gate, s'ouvre d'un coup devant soi le prodigieux panorama de Death Valley : une trouée gigantesque entre les massifs de la sierra, où, 4 000 pieds plus bas, une mer laiteuse s'étire à perte de vue ; et c'est comme un autre monde. On est à la fois frappé de stupeur (rien ne laisse prévoir la brusque ampleur d'un tel gouffre), et sous le choc d'une fascination physique devant le spectacle d'une telle violence, le tout marqué d'un effroi perplexe : traverse-t-on vraiment *cela* ? On s'arrête, le cœur battant, on évalue prudemment ses réserves de nourriture et d'eau, on consulte ses cartes, on flanche un instant : après tout, retourner à Las Vegas ne serait pas si long, d'où Los Angeles est directement accessible... Sinon, il allait falloir affronter le précipice, et l'issue vers l'ouest paraissait hasardeuse (un mince trait en zigzag sur les larges surfaces vierges de la carte). Et avec un engin qui risquait de me laisser en plan... Finalement, saisi d'angoisse mais vivement attiré, j'ai pensé que je n'aurais peut-être jamais l'occasion de revenir ici, et je me suis lancé...

La route, encore anodine, quoique en très mauvais état, serpente dans un terrain de roches volcaniques que ponctuent des bornes d'altitude : « 4000 feet », « 3000 feet », « 2000 feet », etc. Tandis que l'on s'enfonce entre les convulsions basaltiques, l'air devient tellement brûlant que l'oppression provoque un réflexe de panique : on ferme précipitamment les vitres, mais il n'y aura pas d'échappatoire à cet engloutissement aérien, aucune amélioration prévisible, on est pris au piège.

En bas, pas âme qui vive. Le « camp » annoncé de Furnace Creek – où je me trouve – n'est en fait qu'un périmètre artificiel qui se distingue à peine de la désolation environnante par quelques tamaris rachitiques. La baraque dite d'accueil est tapissée des habituels avis, conseils de sécurité, calendrier d'activités, messages épinglés par les randonneurs. Un écriteau signale que nous sommes à 196 pieds sous le niveau de la mer. De-ci de-là des tables rudimentaires marquent l'emplacement des sites, et les tubulures des prises d'eau font comme des créatures surréalistes plantées dans ce champ de caillasse, cernées par une nature qu'on dirait avoir été ravagée par une explosion tellurique. Les oreilles encore bourdonnantes, je me suis installé sous le feuillage plus nourri d'un tamaris, à l'ombre duquel j'écris maintenant.

Sortir la tente (mais à quoi bon ?), me « doucher » sous le robinet et aller en reconnaissance dans cet univers surréel – avant que, en cette lumière encore somptueuse, le soleil ne quitte ces abysses.

▼

Deux heures plus tard. Il ne fait *plus que* 105 °F !

Deux chaînes montagneuses enserrent une mer de sel qui
semble se consumer en ses propres ravinements, labours géants
d'un détroit figé dans ses tumultes, marée de glace d'où fusent
des colonnes de silice. Des effets de mirage superposés rendent
translucides les hautes murailles, entre lesquelles les ondes de
l'air emprisonné saturent la lumière d'un poudroiement de
pollen.

Je reviens de Zabriskie Point où, me croyant le seul spéci-
men de mon espèce au sein de ces bouleversements tecto-
niques, j'ai été tout à fait ébahi d'apercevoir des êtres humains
qui dévalaient en hurlant l'un des vallons creusés par les plis-
sements géologiques – crevasses en vagues saccadées d'un
ocre ardent, sorte de figuration reptilienne de l'érosion –,
projetant d'épaisses fumerolles de soufre dans les feux du
couchant. C'étaient les jeunes du casino ! Sans le savoir, ils
étaient en train de rejouer une séquence d'Antonioni : che-
vauchée sauvage au ralenti de la génération du refus à laquelle
nous nous étions identifiés sur nos écrans, dans des films tels
que *Easy Riders, Woodstock, Five Easy Pieces,* et bien sûr
Zabriskie Point. (Engagés nous-mêmes dans le renouveau
malgré les tanks soviétiques dans Prague et la reprise des bombardements sur le Viêt-nam du Nord...)

Nous sommes rentrés ensemble au camp. Ils se pré-
nomment Craig et Valerie, de Chicago, et se déplacent en stop.
Ils n'ont même pas vingt ans, et c'est la première fois qu'ils
s'aventurent hors de l'Illinois ! Encore des adolescents...
(N'étions-nous que des adolescents à Titisee ?) Je leur ai proposé de les prendre avec moi, demain, mais ils préfèrent explorer les environs. C'est mieux comme ça, j'ai encore besoin de
me concentrer avant San Francisco.

Parfum trop douceâtre des tamaris. Comme le reflux d'une
marée volatile, le soleil s'évapore moelleusement de la vallée,
et les éclatantes colorations du décor se fondent les unes aux
autres, unies en des nuances qui s'affaiblissent rapidement. Sur

le versant décroissant du jour, j'aspire à une parole souveraine afin de m'apaiser et de parfaire l'écoulement de tant de beauté, pour la dire, et la transformer en lieu *commun* — afin qu'elle ne se dilapide. Les fontaines ont cette évidence, parfois, quand la fin de l'après-midi se fait chaleureuse... C'est qu'elles sont elles aussi excès et dépense de l'insaisissable, la monstruosité secrète et contradictoire du vivant.

Un liseré phosphorescent court encore sur l'arête des contreforts, tandis qu'à leur base une nuit mauve s'étend imperceptiblement.

Fragilité de la voix humaine dans cet état extrême de la nature ; les jeunes rient, s'embrassent, préparent leur repas, aménagent soigneusement un creux de sable pour leur bivouac. Ils sont beaux. Le garçon est-il Xipe-Totec, revêtu d'une nouvelle peau ? Et elle, la déesse de l'eau au nom imprononçable ? Ils ne se préoccupent pas de moi, mais je les sens rassurés par mon voisinage. (Audacieuse, Valerie vient d'attraper un scorpion, le brandit fièrement vers moi en le tenant comme il convient.)

Si c'est ici la Californie, je suis donc arrivé... Il suffira (!) de surmonter l'épreuve de la Vallée et l'obstacle des sierras, et, après le désert Mojave, ce devrait être en roue libre jusqu'au Pacifique. Mais d'abord m'extraire de ce magma, ce qui s'annonce périlleux. On verra... Plus question de revenir sur mes pas.

La proximité de San Francisco commence à me remuer, me déconcerte aussi, comme si je n'étais pas prêt. Comme si la force agissante du mythe, presque insupportable, anesthésiait mes facultés d'enthousiasme : tout ce qui va se jouer là-bas et dont j'ai été distrait depuis Montréal... (le voyage est une tension suffisamment pleine). Mais c'est encore trop tôt, et je n'en ai pas terminé avec Erick.

(Quel âge aurait aujourd'hui l'enfant abandonné dans les draps pleins de sang d'une chambre de l'hiver grenoblois ?)

▼

MÊME SOIR, UNE HEURE DU MATIN.

Retour d'une petite équipée avec Craig et Valerie, à marcher dans le vif-argent de la nuit et à s'imaginer seuls sur une planète inconnue, définitivement seuls, tels les survivants d'une collision cosmique. Une rosée vaporeuse monte de l'océan de givre... Confidences échangées à voix basse, comme si nous avions peur de troubler la quiétude absolue de ces prairies lunaires, d'en réveiller les dieux assoupis. Aucune vie n'est ici perceptible (est-elle même possible ?), seulement les infimes craquements du sol, la rumeur ténue de millions de secousses microscopiques qui façonnent sur des millénaires cette création titanesque. Densité frémissante de la voûte céleste saturée de cristaux, bombardée d'étoiles filantes. Le renard du gardien du ciel a semé ses diamants, entre lesquels s'ébranle lentement la caravane de la Grande Ourse...

« La nuit avait une fêlure et de calmes salamandres d'ivoire. » (Lorca à Harlem.) Je suffoque sous la toile, impossible de se soustraire à l'étreinte des profondeurs ; et dehors, de nuit, c'est le danger des scorpions. Tant pis...

Un fond de clarté stellaire. Essayer de reprendre le fil – le maillon manquant, ce trou noir dans notre aventure –, si cela se peut, dans cette chaleur...

« Pourquoi t'avais-je indiqué Recife ? Parce que c'était le premier port pour les navires en provenance d'Europe et qu'en vérité je ne croyais pas que tu ferais le saut... Deux mois avaient passé depuis Genève, et je n'avais aucune idée de la façon dont tu réagirais à Göttingen en recevant ma lettre (aucune illusion, en tout cas). Et si jamais tu te décidais, avant que tu ne te dégotes un moyen d'embarquer et n'abordes les côtes du Brésil, j'avais un bout de temps devant moi. J'ai séjourné un mois à Rio, chez le Piquet en question, un mec assez ambigu, artiste raté qui jouait à l'aventurier, qui n'en avait ni les moyens ni l'envergure mais tirait son épingle du jeu aux dépens des autres... Il avait pigé mon état de faiblesse et me proposa d'être son associé dans une entreprise bizarre au Mato Grosso. Je n'avais rien à perdre, il me serait toujours loisible de continuer tout seul. Il organisa un rendez-vous dans la jungle avec l'un de ses copains qui – je m'en aperçus sur place – traficotait sur le dos des Indiens (des trucs d'armes et de drogue). Une authentique expédition quand même, avec journées de train sur les hauts plateaux, forêts d'acajous impénétrables, descentes de rivières, etc. ! J'ai largué Piquet et j'ai atterri à Belém (ne me demande pas comment), puis à Manaus. La ville était un vrai repaire de bandits. J'étais assez démuni, parti avec seulement quelques *cruzeiros*, tes lettres, des photos et ma machine à écrire portative. Tu me vois glander sur les quais, sac à l'épaule et ma fidèle *Japy* sous le bras ? J'ai fait la connaissance d'un prospecteur qui employait des équipes d'orpailleurs le long de l'Amazone. Après une virée dans les bordels (et une cuite mémorable...), il m'embaucha d'office comme « attaché de pouvoir » auprès de ses contremaîtres. Afin de mieux récupérer ses avoirs, il avait besoin de raffermir son autorité sur eux, et j'étais selon lui le type qu'il lui fallait. Bon salaire garanti. L'idée d'aller naviguer au cœur de l'insondable Amazonie (dans le sillage d'Orellana et de La Condamine) n'était pas sans m'empoigner. Qui sait, peut-être y serais-je enlevé par ces guerrières de la légende ? Mais une fois à jeun, j'ai ruminé l'affaire, et l'isolement qui m'attendait m'a plutôt effrayé. Je me suis dégonflé. C'est alors que j'ai eu vent qu'un Juif marchand de fourrures et de pierres précieuses s'apprêtait à remonter le cours du Madeira jusqu'à Pôrto Velho, à la frontière de la Bolivie, à trois cents kilomètres de là. Je suis allé le voir. Il a consenti à me prendre à bord de son caboteur à condition que je lui apprenne le français ! Monsieur se piquait de culture... »

J'étouffe, impossible de poursuivre.

(Et moi pendant ce temps quelque part dans l'Atlantique, le cap sur le Brésil, la poitrine gonflée d'impatience et l'inquiétude au ventre, tous les deux pris dans l'aventure telle que la rumeur de Titisee avait pu l'espérer pour nous – enfin en route, mais séparément ; l'un vers l'autre, mais pas dans la même direction, condamnés à la solitude comme dans l'histoire de ces parallèles qui ne se rencontreraient plus qu'à l'infini...)

6 h 15, Furnace Creek, le lendemain matin, 26 juin. Déjà l'accablante pression...

L'escalier de la faculté où je croise d'anciens profs qui ne me reconnaissent pas, le quartier d'enfance dont il manque des pans entiers depuis la dernière fois, le pont romain du Gard sur lequel je m'attarde, pénétré de chagrin, l'amante trop lointaine qui revient, mais trop tard, les choses qui renaissent, et s'étiolent aussitôt... Et d'autres bribes, trop obscures. (Les rêves qu'on oublie nous laissent la douleur d'histoires intimes égarées à jamais. Ou l'empreinte d'événements réels dont on aurait perdu la mémoire.) Et puis ce tableau, depuis une terrasse : dans un espace indéfini sous un éclairage à la Tanguy, un énorme vaisseau émerge du sol par un mécanisme complexe qui suscite ma curiosité, et cela me rappelle que je dois partir. Le capitaine vient me prévenir qu'ils ont des ennuis. Je lui dis que d'aucune façon je ne puis retarder mon départ et que je vais m'en tirer autrement. Il me réplique qu'il est particulièrement important que ce soit par ce bateau qu'ait lieu le (...?) (*passage* ? non, ce n'est pas le mot qu'il a utilisé), et il me prie d'être patient. Mais je crains que, tout se compliquant, il ne soit alors trop tard (lié à l'hypothèse de revenir en France).

Mon thermomètre indique déjà 92 °F. Douceur veloutée de la lumière sous l'ombrelle du tamaris, qu'un soupçon de brise effleure. Déjeuné d'un reste de fromage fondu et de *Coke* bouillant. J'ai apprécié la douche sous le robinet, presque « fraîche » dans les circonstances. Dispos, content de m'évader de ces entrailles calcinées. Mais par où peuvent bien passer les pistes dans ce colossal corridor de roc et de cendre, où se trouve la brèche dans cette barrière dressée à pic ?

Les jeunes dorment nichés à l'abri d'une nebka, Valerie lovée de dos contre le garçon (près d'elle, le sachet en plastique contenant le scorpion). Quand j'ai rangé le matériel, elle a levé la tête et a dit : « *Good-bye !* » Craig a entrouvert une paupière. Ils ont paru un moment confus, et, impuissants (ou indifférents ?), se sont rendormis. Au lever, ils ne se souviendront pas.

Je ne me résous pas à partir. Adieu, Valerie, adieu, Craig.

▼

Dantes View, 7 h 30 du matin (5475 pieds, 100 °F).

Ai fait l'ascension jusqu'ici par une route en lacet taillée dans la paroi. Le point de vue qui s'offre a bien quelque chose de dantesque, une formidable exacerbation des forces terriennes et aériennes combinées, un embrasement de feu et de lumière jaillissant des tréfonds minéraux. Comme on s'est dégagé de l'étuve atmosphérique, l'air est plus clair, on respire. Au fond de la dépression, la coulée lactée, rutilante, se prolonge de part et d'autre sur de longues distances, pareille à un fleuve de glace tourmenté. Des nappes brumeuses dérivent entre les flancs de cette vertigineuse faille. Au-delà, on devine les cimes enneigées de la sierra Nevada, estompées par un voile de rouille. Pas un souffle malgré l'altitude.

Est-ce ainsi que s'impose le désert de Gobi, dont Erick prétendait que personne n'en avait jamais achevé la traversée ? (Mais les Chang-Chung ? Sempat ? Sven Hedin, et d'autres ? Peut-être, de sa part, cela faisait-il aussi partie du mythe...) Ou que se présente la fatale Gédrosie dans laquelle Alexandre entraîna sa troupe au retour de l'Indus ? Selon les panneaux interprétatifs de la rotonde, l'incident qui valut à la région son nom de « Vallée de la Mort » est moins tragique que sa réputation ne le laisse supposer. Un convoi de *Forty-niners* des familles Bennett-Arcan cheminant vers la Californie s'était égaré dans les *ranges* en abordant le massif trop au sud. Sans guide et tombés dans le piège de cette terre sans eau et sans ombre où tout indice pour s'orienter se révèle vite trompeur, ils avaient vu leur bétail décimé, et leurs réserves se réduisaient dangereusement. À bout de force, ils avaient envoyé deux des leurs (les jeunes Manly et Rogers) chercher du secours. Les familles attendraient plutôt que de s'exposer à un anéantissement certain. Guidés par des Shoshones, les deux hommes revinrent après une marche forcée de 400 milles. Se scindant alors en six groupes, ils parvinrent à s'échapper de la tenaille de feu. Du haut des Panamint Mountains, l'un d'eux jeta un coup d'œil en arrière en lançant un rageur : « *Good-bye, Death Valley !* » Si la mésaventure leur coûta leurs chariots et leurs bœufs, seul un homme perdit la vie dans l'odyssée.

Selon la table d'orientation, les Panamint sont juste en face, qui barrent l'autre côté du gouffre. Par là, l'unique itinéraire vers le Pacifique si l'on ne veut pas refaire le détour par Las Vegas. Ce qui me condamne à m'immerger de nouveau dans la fournaise des champs incandescents...

▼

VISITOR CENTER, 14 HEURES, EN BAS.

On est saisi d'un frisson quand on entre dans le bâtiment climatisé du quartier général. Dans cette oasis artificielle, le corps oublie rapidement la pression extérieure. Quelques personnes flânent sous les arcades de bois, familles surgies d'on ne sait où (j'ai dû apercevoir tout au plus deux ou trois voitures depuis vingt-quatre heures). Des placards didactiques élucident les mystères géologiques du *Early* et du *Late Precambrian*, de la *Paleozoic Era*, de la *Oligocene Epoch*, etc. On fait état des cultures des tribus qui ont peuplé la région. Les Shoshones, établis depuis l'an mille et encore présents, l'ont appelée *Tomesha*, « la terre embrasée ». Les grandes plaques transparentes du Mosaic Canyon (ou celles des riches compositions ignées de l'Artists Drive) attirent plus particulièrement les visiteurs, qui n'osent effectuer l'excursion sur place. Mais la vision qui se déploie derrière les hautes baies vitrées demeure incomparable. Comme de l'intérieur d'un aquarium, on regarde les incroyables perspectives avec stupéfaction, mais non sans anxiété. C'est que le *ranger* déconseille de tenter la « sortie » à cette heure, et surtout aux plus hardis qui, comme moi, ont l'intention d'emprunter le débouché par le Towne Pass (qui grimpe à plus de 4 900 pieds) : le trajet y est plus ardu, attaquant transversalement des chaînes parallèles sur une centaine de milles. « *A true leapfrog ! And without help if in trouble* », a-t-il averti, la patrouille n'étant en service qu'après le coucher du soleil. À en juger par les réactions, personne n'a choisi cette direction ; ils regagnent tous Las Vegas ou la *95* vers Tonopah. Je me dis : avec 140 °F dans la voiture, que se passerait-il en cas de panne ?

Crochet par Badwater en redescendant de Dantes View. Au pied des escarpements de lave noire, le site n'est rien de plus qu'une dérisoire mare de boue encerclée par les excroissances salines de la mer blanche. Une simple pancarte fichée dans la croûte alluvionnaire fait penser à une vignette de *Lucky Luke*.

Badwater

280 feet below sea level, 85 meters.

Au ras de cette immensité torturée la réverbération avivée du soleil est d'une intensité insupportable. « Le point le plus bas et le plus chaud du globe, fait valoir la brochure, avec une température record de 134 °F en 1913, dépassée une seule fois en 1936 dans un poste lybien : 136 °F. » Une activité organique (venue d'où ? comment ?) s'y maintient pourtant, tributaire de l'existence de ce minuscule point d'eau isolé au bord d'un océan en flammes. « Pas de vie possible au royaume des salamandres », prévient une légende, pas même pour ces rapaces tels ceux qui, à la fin du film *The Greeds*, d'Erich von Stroheim, agonisent ici même au seuil de l'enfer béant derrière eux. (Comment l'équipe de tournage a-t-elle pu opérer dans « *that horrible wilderness of which even beasts were afraid...* », ainsi décrit par un inter-titre du film ?)

Le boîtier du *Leica* était brûlant : il faisait 120 °F...

▼

— *What have you decided ?*
— *Los Angeles via the Owens Valley...*
— *Don't expect to be there tonight.*
— *I've got a tent... and water enough.*
— *Be very careful... Wait a while, it should be soon better.*

Certains ont commencé à partir. Je vais me fier à l'avis du *ranger*. Le temps d'avancer un peu le récit d'Erick...

« Je me suis séparé de mon Juif à Pôrto Velho et ç'a été le début de la cavale... De Bolivie au Pérou, puis l'Équateur, la Colombie, le Costa Rica – à vivre d'expédients, pénétrant dans des zones peu sûres (être un intellectuel français alors que Debray venait d'être emprisonné constituait un réel handicap), parfois escorté par les guérilleros, partageant la pitance avec les *colonas* du nord ou les *campesinos* du sud. Mais j'ai été admis parmi les Indiens chamarro d'Amazonie, on a organisé une cérémonie en mon honneur à Pissac au Pérou. Titicaca, Cuzco, Machu Picchu, cordillère andine, jungle équatorienne..., âpre folie que cette fuite éperdue ; mais pas un être qui ne m'ait confronté à moi-même, pas un repas, pas une fête de village que je n'aie considérés chaque fois comme un cadeau inespéré, pas une nuit qui ne se soit offerte comme une femme, pas un lendemain qui n'ait été différent... Je profitais des déplacements pour rédiger mes articles. J'ai finalement abouti à Mexico la veille de Noël, complètement épuisé, accueilli par Antochius, mon ami sculpteur. Même s'il n'était en rien comparable à tout ce que j'avais expérimenté jusque-là – en connaissances, en découvertes –, ce périple désordonné, et vécu seul, n'avait pas de sens. Je ne pouvais pas continuer ainsi... Je t'ai aussitôt écrit : il *fallait* que tu me rejoignes d'une manière ou d'une autre, peu importait quand, du moins en avoir l'espoir... J'étais bien loin de me douter que, donnant suite à ma missive de Rolândia, tu avais déjà quitté l'Allemagne... D'où ma surprise quand ta dépêche d'Anvers m'est enfin parvenue, après bien des détours, faut le dire ; et quelle surprise : tu voguais vers le Brésil ! Tu te figures ce que cela a pu signifier pour moi, Markus ? Ma situation était dramatique, mais tu venais, et cela suffisait. J'envoyai un télex au navire, sans la moindre idée où il te toucherait, mais tout s'arrangerait... Si tu avais réussi à franchir l'Atlantique, tu te débrouillerais bien quant au reste. Entre-temps je me disposerais à te recevoir convenablement.

« Et je t'ai attendu... Bordel que j'ai pu attendre, Markus ! Chaque après-midi j'allais au courrier au consulat, je laissai des messages quand je m'absentais. Janvier passe sans nouvelles, je m'inquiète un peu, mais enfin, parcourir ce continent n'est pas de tout repos, je venais d'en faire l'expérience. Mais quand même, pas un mot, pas un signe, rien... En février, coup de théâtre : une lettre de Hambourg, postée à Paris ! Non seulement tu t'étais rendu jusqu'au Brésil, ce qui n'était pas rien, mais *tu étais reparti !* Comme ça ! Et pourquoi donc ? Parce qu'une nana manquait à monsieur, parce que monsieur n'avait pas été reçu avec tous les honneurs, parce que monsieur répugnait à affronter les conditions d'une telle randonnée, etc. Un baratin ignoble... Dans une dernière tentative, j'ai impliqué une nouvelle fois Cornélia. Si tu ne pouvais te détacher d'elle (ce que je ne t'avais jamais réellement demandé), qu'est-ce qui empêchait de nous retrouver *tous les trois* ? « Après tout, je me disais, je ne peux pas tout remplacer », et je n'étais pas jaloux, alors tout était envisageable ! Tu saurais bien la convaincre et, autant te l'avouer, je savais qu'elle ne tiendrait pas le coup... Du moment que toi tu venais, que je t'avais...

« Voilà. »

La nostalgie – encore plus cruelle aujourd'hui d'être désormais sans recours (car elle ne correspond plus à une attente) – que, oui, seule la présence d'Erick à Recife aurait pu changer le cours des choses. Cette scène si souvent répétée : à l'accostage mes yeux fouillent l'attroupement sur le quai, j'ai le cœur qui cogne... Et je le reconnais, c'est bien lui qui agite le bras, là-bas, et je suis le premier à me ruer dans l'échelle de coupée, nous nous étreignons...

Alors rien de cette course insensée ne serait arrivé.

À cet instant de la confession d'Erick, sous le rappel lancinant de ma culpabilité étouffée depuis la nuit de Pôrto Alegre, crûment ravivée, se manifesta encore mieux la portée réelle de ma trahison : comment ne pas toujours avoir cru que c'était moi qui l'avais abandonné ? Et le prix qu'il avait fallu payer la faute, la dérive solitaire et les années perdues à traîner notre rêve essoufflé dans le sillage du mythe américain. C'était sans compter le retournement, imminent...

▼

Il est 16 h. Le soleil est plus bas, le Center s'est dépeuplé. C'est le moment. Excitation et appréhension. Au moins m'arracher du lit d'Horus et de ses ombres funestes...

▼

23 HEURES, MÊME JOUR. ROUTE D'OJAI, dans les montagnes au-dessus de Santa Barbara. (Le Pacifique à seulement une vingtaine de milles d'ici !)

On dégage un camion qui s'est renversé. On ne circule plus. Sur l'herbe du talus, le dos contre ma roue avant, j'ai sorti mes papiers. Bourdonnement des grillons, cigales grinçantes. Des bouffées d'humidité tiède s'exhalent des sillons des vignobles imbibés de lune. Des sauterelles éblouies bondissent au-dessus de mon cahier, sur lequel les gyrophares allument des éclats d'incendie. Nuées de phalènes dans les phares d'une ambulance. Les secouristes s'affairent en silence autour de la cabine et, dans le jeu entrecroisé des faisceaux, leurs lentes évolutions prennent la tournure d'un ballet mystérieux.

Parmi les lettres d'Erick que je n'ai jamais osé relire, celle-ci, mentionnée « *Reçue Paris, juin 67.* »

Mexico, mai 67,

Ta dernière lettre est un torchon, Markus ! Qui t'a donc parlé de rentrer un jour, sale con ?... Où as-tu lu que je voulais aller faire le manœuvre au Canada ?

Écoutez-moi bien, monsieur Markus – ce qui veut dire : lire attentivement ces lignes, les méditer et réagir avec l'échantillon de cervelle qui grelotte encore dans votre crâne – j'en ai assez de ces dialogues de sourds, de ces sempiternelles interprétations qui ressemblent à une bourrée auvergnate : un pas en avant, trois pas en arrière...

Tu es comme ce type qui désire absolument se baigner mais qui craint l'eau froide. Il hésite, fait des manières, et quand il s'y met, barbote deux ou trois brasses et se hâte de ressortir en déclarant : « C'était merveilleux..., mais c'est assez. »

Tu t'emberlificotes chaque fois dans des arguments spécieux pour éviter de faire le pas, et quand par miracle tu te décides, c'est moi qui me fais engueuler parce que je n'étais pas au rendez-vous avec des fleurs plein les bras !

Markus, j'étais fou de joie à l'annonce de ta venue, tu es mon seul ami et non pas un « éventuel compagnon », où t'es allé dénicher ça ? Jamais je n'ai eu le sentiment de te violenter, de te forcer à quoi que ce soit. Nous avions fait d'un commun accord le choix de partir ensemble, et j'ai toujours considéré nos intermèdes malheureux comme des arrêts-buffets, en quelque sorte...

Nos chemins se sont embrouillés depuis Titisee, et j'ai dû précipiter un départ que j'aurais préféré voir se réaliser dans d'autres circonstances, et avec toi. Inutile de revenir là-dessus. Cela dit, me remettre d'aplomb n'a pas été de tout repos. J'ai eu souvent faim, j'ai été malade, je ne savais plus ce qu'était un vrai lit, mais je me suis frotté à la fraternité des luttes, et j'ai la tête enflée à craquer d'images, de musiques, de visages...

Et aujourd'hui le Mexique... Où l'ivresse n'est pas sans violence, la tristesse sans ricanements. Un pays tourmenté qui gueule au ciel un perpétuel retour au passé, un peuple magnifique auquel il faut se mêler, qu'on déteste avec passion mais dont on s'éprend tout aussi ardemment, une terre que j'aimerais explorer avec toi.

Écris-moi vite, Residencia Antochius, cerrada de Vallarta, Depto 3, colonia San Raphaël, Mexico D.F 14.

Je t'embrasse, Erick.

P.-S.

Tu as peut-être raison de jouer la carte de la « réalisation littéraire » (!?), mais ne pense pas qu'après cela l'occasion d'un projet en commun se présentera facilement. Ou tu me rejoins, et nous restons ici aussi longtemps que NOUS le jugerons nécessaire (tout le temps pour écrire, s'il le faut...). J'ai un appartement et je gagne suffisamment pour enjoy myself *(un journal français publie mes articles). Quant à Cornélia, elle est la bienvenue (j'espère* qu'elle n'est pas *le problème !).*

Ou bien je rentre pour te retrouver à Paris, mais c'est pour tout reprendre à zéro. Et alors pas question de végéter en France (je n'y suis, de toute façon, toujours pas le bienvenu...). Plus question non plus de se lâcher d'un pouce, m'entends-tu ?, tant que nous n'aurons pas posé le pied ensemble *sur une passerelle — bateau, dirigeable ou tout ce que tu voudras. O.K. ?*

En arrière d'une photo de Bâle, tu as noté un jour : « Et c'est déjà l'envol... » (Celle où tu me soulèves du sol, tu vois ? À présent, c'est moi *qui supporte tout le poids...) Je rajoute et je souligne : « N'oublie pas... »*

Tu manques à ma vie, mon vieux Markus, viens donc... Mais dépêche-toi...

(J'aimerais que tu m'expliques en détail comment ce Robert Piquet — un escroc — a pris contact avec toi, et dans quelle mesure il s'est servi de mon nom.)

Il n'y aurait plus rien d'autre entre nous. Sourd à sa supplique, je répondis par des clichés qui briseraient ses dernières velléités de me convaincre. Alors s'ensuivrait le terrible mutisme... Deux décennies d'errance pour toucher le but, au moment même d'apprendre la vérité... (Mais ce serait trop pour ce soir.) D'énormes grues hissent la cabine sous leurs projecteurs. Je n'ai plus la force de conduire. Où dormir ?

Il m'a fallu trois heures aujourd'hui pour m'extirper des abîmes de Death Valley, sans rencontrer un seul véhicule, cramponné au volant, à ressentir dans mon corps chaque vibration du vilebrequin et toute minime hésitation de puissance, les yeux rivés aux voyants du tableau de bord, le moteur fumant et râlant dans les côtes, chaque col découvrant de nouvelles dépressions écrasées sous les mêmes coussins d'air torride. (Et cette sensation que le temps se rétrécissait : que ces crêtes qui flamboyaient à l'horizon, quand je les atteignais, n'étaient plus que des éboulis géologiques perdus dans le grand rien sans signification...) Avant l'embranchement de Keller se profila enfin la ligne dentelée du dernier couloir, et ce fut la rassurante descente vers la vallée de l'Owens et le monde civilisé. En bas, la nationale de Reno était très animée, et je fis halte dans une *rest area*. Après un quart d'heure endiablé sous les tourniquets d'arrosage, je m'élançai vers Mojave, 100 milles d'une route enfin libérée, grisé par la vitesse qui comblait ma hâte d'en finir, suivant avec soulagement l'amenuisement des sommets de la sierra, l'approche de la délivrance...

À Mojave, arrêt chez *McDonald's* (ce que peut valoir parfois le goût d'un *Coke* frais...). Les vastes parcs à moutons étaient vides, et le garçon de salle m'informa avec fierté qu'à chaque printemps c'étaient des équipes de bergers basques qui dirigeaient les troupeaux dans leur transhumance vers le nord du Nevada. Petit-fils de Basques lui-même, il était fier de m'apprendre que cela se pratiquait depuis l'arrivée de ses ancêtres dans la région, voilà plus d'un siècle. Des vents se levèrent brusquement, des tornades cernant les bâtiments des bergeries de nuages ocreux.

Mais je ne pouvais attendre, et je m'enfonçai dans les bourrasques de sable qui bouchaient la vue, criblant le pare-brise de touffes déracinées. Une ligne droite filait sous un ciel bas dans une aridité uniforme et grise, interminable. Finis l'azur étincelant et les falaises dorées ! La gorge sèche, la bouche empâtée, et harcelé par une lumière acide, je dus lutter pour résister à ces impitoyables somnolences qui, dans la lassitude du désert, peuvent s'avérer fatales.

Alors s'amorça la longue et ample glissade vers Los Angeles – masse brouillonne et sale bouillonnant sous son fog – que j'ai contournée par les collines de San Fernando tapissées d'orangers. (Bill, où es-tu, Bill ? Je ne trouve pas Temple City sur ma carte... Quand retournerons-nous à Zempoala ?) J'ai bifurqué sur la *126* vers Val Verde où l'on signalait un *state park*. Mais, de village en village, m'égarant entre les vignobles et les vergers, je ne pus repérer aucune indication de l'endroit, ni rien de semblable dans les hauteurs où je me hasardai en des embranchements secondaires et où la nuit me prit au dépourvu dans des lacets – jusqu'à cette impasse, la route d'Ojai bloquée par l'accident.

Le camion a été redressé, la police retire les barrières, la voie est libre.

141

27 JUIN, 7 HEURES DU MATIN, QUELQUE PART SUR LA *150-WEST.*

Passé la nuit sur ce bas-côté d'herbe desséchée en bordure du canyon. Abruptes collines de garrigue. Plus bas vers le débouché de la corniche, un lac ondule, suspendu dans le voile de chaleur. D'après la carte, la côte est plus près que je ne l'évaluais hier soir. Nuit très douce, les étoiles à la verticale de mes yeux. Quelques voitures sont passées. Puis une bande de motards pétaradant à pleins gaz dans la montée. Un véhicule de police, aussi, qui a ralenti et a continué. Après, le calme absolu jusqu'à l'aube, lorsque le passage d'une biche m'a réveillé.

Quand il a fait clair, je m'aperçus avec effroi qu'à quelques pas de moi, au-delà du mince rideau d'arbustes, le canyon dégringolait à pic. J'eus un frisson à la pensée que l'un des motards, ou n'importe quel noctambule éméché, aurait pu avoir la curiosité de s'arrêter. Et que, me surprenant si vulnérable ainsi enveloppé dans mon duvet, sans témoin, il aurait pu trouver l'occasion particulièrement favorable. Une simple poussée de la pointe du pied, et je déboulais dans le vide. Après s'être emparé de ce qui l'intéressait, et faisant basculer l'auto dans les gorges, il aurait pu repartir tranquillement.

Mourir sous les étoiles dans les collines de Santa Barbara... Qui se serait rendu compte de ma disparition ? Des mois se seraient écoulés. On aurait dit : il a rencontré un mystérieux inconnu à New York et n'a plus donné signe de vie depuis... Et des années plus tard, découvrant un cahier près de mon cadavre, on aurait bâti des hypothèses d'histoires à partir de ces notes.

Et je pensai à la fin du roman de Lowry, le Consul qui expire en se rêvant dans une prairie de violettes au Cachemire...

Le Pacifique est peut-être derrière ce virage...

▼

PLAGE DE MONTECITO, *LE PACIFIQUE ENFIN !* À huit heures en ce matin du 27 juin 1984, tout le continent traversé en diagonale ! (D'après le compteur, 4 062 milles depuis Montréal.)

Et quand le diable blond est mort, l'homme s'est enfui dans le sertão. Il court, l'homme, il trébuche et s'affale parmi les pierres, se relève ensanglanté pour courir encore, car il s'est précipité sur le diable quand le dieu noir est mort, assassiné par Rosa, et il s'est élancé vers le plateau quand le diable est mort, il a couru, l'homme, couru parce que, enfin délivré, il peut à nouveau espérer, il est comme fou, il est libre – la terre est à l'homme – et il croit, il souffre de croire, que le sertão sera la mer et la mer le sertão – car cela ni le dieu ni le diable n'ont pu le réaliser. Mais de souffrir de croire, le sertão un jour devient la mer, et soudain c'est le bout des terres, le bord de la falaise, et Rosa est là, et de l'enfer du sertão surgit sous leurs yeux la mer, elle est là, la mer, à leurs pieds, ils sont sauvés, ils se jettent dans les bras l'un de l'autre et se mettent à danser, « *Le sertão est devenu la mer...* », récite une voix, et la caméra tourne autour d'eux, et c'est comme un manège, ils tourbillonnent embrassés, emportés par les cordes de la *Bachiana*, chant de femme, *cantilena* et violoncelles, – et tout s'efface dans un éblouissement sonore, une pure lumière qui chante. Et au-delà de la mer infinie une autre terre heureuse...

Souvenir vif des films de Glauber Rocha... L'air du large apaise mes poumons embrasés. La plage est nue, et l'océan d'un outremer lumineux, prairies d'avril sous les pommiers en fleurs. D'une grande limpidité, l'espace a la quiétude méditerranéenne des grandes vacances de l'enfance. Respiration d'une paix profonde dans l'intime clapotis des vagues...

En arrière, une vapeur légère s'élève du fouillis de la végétation. Aucune âme en vue, mais les signes qu'on est enfin parvenu du côté clair de la vie : maisons nichées dans la verdure, terrasses sur pilotis, fenêtres ouvertes et patios abrités derrière des haies de bambous, tables au soleil où traînent des tasses et du pain, cris d'enfants qui se répondent sous l'azur... Des oiseaux de mer filent en frôlant la houle alanguie. Me baigner ? Enfin la Californie, je suis revenu chez moi... Mais cette appréhension... Un rocher émerge du sable, où, posée à son sommet, une étrange figure m'observe.

▼

PLUS TARD.

À l'extrémité de l'anse, l'attirance des fonds scintillants a été irrésistible, et j'ai plongé, saisi par leur fraîcheur mais enivré, hurlant de joie, étreignant les eaux, éclaboussant le soleil de paillettes glacées. Je viens de nager longuement, comme on médite, humant le large, enfin chez moi, protégé.

Pacifique enfin atteint, il va maintenant falloir s'attaquer à la chose la plus sérieuse, qui couve comme un feu sous la cendre et que le souffle marin ranime : le reflet d'Erick flottant dans les moiteurs du Sud, imprévisible, aussi incertain – mais plus réel – qu'un mirage.

▼

SANTA BARBARA, MIDI. *CASA LETICIA'S.*

Un geai picote dans mon assiette. Depuis quand ne me suis-je attablé devant un tel déjeuner ? Servi sur une nappe blanche, sous la pénombre d'une pergola de palmes entourée de cactus et de lauriers qui embaument. (Image fugace de la place du *palacio* à Veracruz, le dernier matin avec Bill, les songes du Philippin dans Carson McCullers...) Les avenues sont bordées d'orangers, et des jeunes magnolias y déploient leurs ombrelles vernies.

San Francisco n'est plus qu'à 340 milles. Trop tôt encore...

En finir, puisqu'il ne s'agit plus de cela. C'est maintenant que l'Amérique se joue. J'approche de la vérité, impatient mais la peur au ventre.

À quatre heures du matin de cette nuit new-yorkaise, accablé par les années et la présence d'Erick dont la véhémence m'intimidait encore, je me tenais coi : tout avait confirmé ma responsabilité dans notre échec. Comment aurais-je pu prévoir le retournement qui allait s'ensuivre ? (La révélation ne m'allégera pas, ne fera qu'ajouter l'absurde au malentendu.) Tout s'est effondré là.

« Du moment que je t'avais... », venait-il d'affirmer. Mais en quoi, moi – qu'il n'avait connu que le temps d'un été en Allemagne –, pouvais-je avoir une importance telle qu'il me suppliât ainsi, à l'autre bout du monde, de l'y rejoindre ? Comme si c'était une question de vie ou de mort !

Erick a relevé la tête, m'a fixé droit dans les yeux.

« Mais Markus, c'*était* une question de vie !... Tu ne piges pas, hein ? Toujours aussi bouché, ma parole... C'est que derrière l'apparence du pauvre Erick " trahi par son ami et seul dans un univers hostile " se cachait un être perverti, foutu, enfoncé jusqu'au cou dans les machinations et qui appelait à l'aide. Avec toi, et *grâce à toi* – ne me demande pas pourquoi – j'ai cru à Titisee que je pourrais m'en sortir. Tu n'es pas le coupable, Markus : je me servais de toi, et tu ne t'en es pas aperçu. Ou alors intuitivement... L'alternative était la suivante : ou bien on se lançait dans la folie rimbaldienne qui nous avait exaltés (ce qui aurait conduit au désastre, tu en conviendras...), et effectivement j'en sortais. (En fait, mon illusion, qui était devenue *notre* illusion, ç'avait été l'amour de cette vision commune : les gerbes luxuriantes de pays lointains où rien ne nous aurait résisté car nous aurions été ensemble pour étreindre la rugueuse poésie des jours – et un jour les écrire. C'était *ça*, les fondements du

145

serment de Reichenau...) Ou bien je me laissais entraîner à nouveau dans mes saloperies, et c'était alors sans plus aucune retenue, morale ou sentimentale...

« À Genève, des impératifs extérieurs avaient tranché en m'imposant un départ selon des exigences qui n'étaient plus les nôtres. À Mexico, il était possible de rattraper ça, mais c'était ma dernière chance. *Notre* dernière chance, Markus... Peut-être ne t'es-tu pas senti à la hauteur, et tu as eu tort : tu avais la force qui me manquait cruellement. Tu étais d'une autre sphère que nous, et tu l'ignorais... »

▼

Une blonde en tenue de jogging, très « magazine d'Hollywood », s'est carrément assise à ma table. Elle me salue d'un large sourire, considère un instant mes papiers étalés et commande une salade au nom espagnol, puis sans plus s'occuper de moi s'absorbe dans la lecture du *Bay Guardian*. J'avais oublié que c'est aussi cela, la Californie...

Erick s'est tu, guettant une réaction qui ne vint pas. La rumeur urbaine s'était atténuée, comme si la ville s'était mise à l'écoute, elle aussi. Quand il reprit la parole, sa voix ne brisa pas le silence, elle s'y raccorda seulement. Mais tous les mots, désormais, allaient défaire le gigantesque édifice que ma naïveté avait patiemment construit – à la manière de ces films de gratte-ciel qui s'affaissent lentement sur eux-mêmes. Ainsi s'éclaira le versant obscur de ces années – de cette nuit-là ? – que j'avais préféré ne pas voir malgré des indices sans équivoque...

« Ta venue m'aurait encouragé à lutter contre mon penchant, comme on parle d'intoxication. Quand au retour du Brésil tu t'es réinstallé à Paris, j'ai compris que je ne faisais plus partie de tes plans. Alors au diable l'héroïsme solitaire ! J'ai lâché les bonnes intentions qui m'avaient bouleversé sur la route de Constance. Je me suis de nouveau trempé dans ce qui me réussissait le mieux : magouiller. J'allais enfin la vivre, l'aventure, la vraie, pas les chimères auréolées de bleu de Titisee, non... Et bien plus rigolote que l'artisanat ou l'écriture ! (Attention : je ne renonçais pas au projet d'écrire ! " Vivre d'abord et écrire ensuite ", tu te rappelles ? Mais c'est le temps qui se débine...) J'ai débuté par du trafic en tous genres. Ça ne m'a pas été difficile dans ce pays où la corruption est un trait de culture ambiant, intriguant avec des individus absolument infréquentables, mêlant la politique à la perversion pour éviter d'être écrasé, pour faire de l'argent le plus vite possible, par jeu, pour m'imposer – pataugeant à l'aise dans le sordide et l'excès. Ma nationalité m'a facilité les choses, ma culture germanique et mon expérience à la *fazenda* n'ont pas été sans favoriser mes plans. Je revivais en direct l'excitation de " mes petites affaires allemandes " (définissons-les ainsi, veuxtu ?). J'y ai repris goût, sans aucun scrupule. Certes, la nécessité faisait loi, mais je me sentais comme un poisson qui retrouve la fange de la rivière après un séjour dans la clarté chlorée de l'aquarium. À Berlin j'avais rompu avec un engagement communiste qui n'avait plus de sens pour moi mais qui du moins possédait l'attrait de marcher avec l'histoire (n'oublie pas l'époque...). Décroché du courant, j'envoyai au diable devoir, loyauté et tout le tralala ! Je rattrapais enfin Rimbaud, je me vautrais dans l'infâme !

« La déchéance menaçait ; elle fondit bientôt sur moi : lorsque j'ai été contacté par un mec des services de renseignements *U.S.*, j'ai cédé. Oui, je sais, l'horreur... L'impression de se prostituer pour la riche rombière qui gouverne le domaine ! Comme quoi la politique mène à tout, même dans le lit du maquereau ! Mais je puis t'assurer d'une chose : nous les militants n'avons jamais aimé les fascistes ni les Américains, mais du moins les Ricains, on peut s'entendre avec... Avec eux je ne m'exposais pas à être expédié dans une Loubianka quelconque pour raison d'État. D'un autre côté, travailler pour l'Ouest serait bien plus profitable que mes filouteries d'amateur, plus gratifiant aussi qu'avec les sales gueules de la *D.D.R.* Si bien que quand les Américains m'ont envoyé au Yucatán pour m'occuper des Cubains en fuite, j'ai accepté sans broncher. Après tout, ceux-ci ne voulaient-ils pas la liberté ? " la libre disposition de leur force de travail " ?

On allait leur procurer ça. Pas étonnant que tous les gens dont tu m'as parlé t'aient troublé : Pedro était un filou habile mais corrompu, la greluche de Nanterre – j'ai oublié son nom – n'ignorait rien de mes trucs, et elle m'a même parfois filé un coup de main. En cachette bien sûr de sa bande d'intellectuels hippies à la noix, solidarité cocorico oblige ! »

▼

« That will be all, Sir ? »
Le garçon est mexicain, désinvolte mais très courtois. Le sorbet aux fruits exotiques de la fille me tente, j'en commande un. Remarquant mon accent, elle me sourit de nouveau et s'enquiert d'où je viens. Elle n'a aucune idée où se situe le Québec, se montre éberluée que j'aie parcouru toute cette distance en auto, évoque sa terreur des serpents, etc. Puis elle me demande de but en blanc si j'écris un roman. À ma réponse, elle soupire un « Dommage ! » charmant en français, puis interpelle une fillette mexicaine qui vend des fleurs sous l'arcade. (Les marchandes de roses qui jouaient à la balle avec moi sur les trottoirs de Fisherman's Wharf...) Elle lui achète deux bouquets de mimosa, m'en offre un et prend congé en me souhaitant « beaucoup de bonheur... »
L'avenue s'est remplie d'enfants et d'adolescents qui se dirigent vers la plage municipale.
Il faudrait partir.
Mais me débarrasser du plus pénible...

« Quant à Reine – tu as vu juste, elle était au courant – elle m'a épaulé, à sa façon. Mais pas très douée sur la politique... C'est d'ailleurs de Mujeres que, dès que mon efficacité a présenté un risque pour le réseau, on m'a affecté à une tâche plus facile, mais ce coup-là franchement démoralisante. Au Canada...

« Rappelle-toi le contexte : c'est la guerre au Viêt-nam et Nixon est au pouvoir. Avec lui la pression s'est relâchée un moment ; mais, pour raffermir son image patriotique, il a tenu à montrer à ses *boys* que déserter son pays en temps de guerre, même une guerre déjà foutue, c'était pas bien beau (le con !), on ne leur permettrait pas de s'en tirer comme ça. C'est ainsi que j'ai dû repérer les *draft evaders* et les identifier (j'opérais à Toronto, mais j'ai aussi passé quelques semaines à Montréal, traînant entre les campus de McGill et de Sir George Williams et dans les bars de la rue Crescent). J'avoue que lors de cette " mission " mes restes de conviction en ont pris un coup... J'ai pratiqué le jeu du " système " (sac commode dans lequel on fourrait tout ce qui nous apparaissait de droite) parce que c'était plus marrant – et plus payant ! –, c'est tout. Pas plus mercenaire en tout cas que ceux qui fabriquaient les bombes qu'on balançait sur Hanoï et qui regardaient le soir à la télé ce que ça donnait, hein ? D'ailleurs Jimmy Carter a décrété une absolution générale en 77...

« Quant à moi, comment leur en vouloir à ces mecs ! Moi qui aurais voulu être Debray crapahutant avec le " Che ", ou un compagnon du président Allende dans le palais de la Moneda, en costard et la mitraillette au poing ; ou Armstrong qui se permet de philosopher en posant le pied sur la lune ; et, pourquoi pas, le capitaine Cook découvrant la baie d'Anchorage ; ou encore Marco Polo qui s'agenouille devant le " Grand Sire des Tartares ", le grand khan Qubilai... On voudrait, on voudrait... et on ne fait que se traquer soi-même.

« Alors que mon contrat touchait à sa fin (à peu près à la même période – m'as-tu dit ?), toi tu débarquais au Québec et t'embourbais dans le militantisme marxiste ! Pour un peu... Si on s'était rencontrés, mon cynisme à ras de sol aurait certainement produit des étincelles avec ton idéalisme révolutionnaire. Vos lendemains radieux ne se sont pas levés, et ce sont des types comme moi qui distribuaient alors les rôles. Nous n'avons pas su changer la vie, après Reichenau, la nôtre du moins. Et vous, vous n'avez pas réussi à refaire le monde... C'est pour cette raison que, retournés à nos utopies privées, nous les savons périmées, car entre-temps nous avons acquis, outre le désabusement, la lucidité des conquérants lassés. Cohn-Bendit contre *Pierrot le fou*, les saloperies de la Révolution contre la révolte individuelle, et maintenant, pour niveler le tout, les chenilles de la démocratie *Made in USA !* (Même les Soviets y passeront, tu verras...) Alors on revient à Rimbaud, mais au gamin de la défaite, celui qu'on rapatrie d'Aden pour se faire amputer, et qui crève dans un hôpital de Marseille (entre nous, fallait être Arthur pour aller mourir dans un établissement à l'enseigne de *La Conception* !).

« Pourtant l'intention était pure à l'origine, pas trop moche en tout cas... Le voyage que je te proposais, c'était celui de l'œuvre façonnée par notre rage de vivre, transfigurée au contact des beautés du monde, un destin qui nous épargnerait de la triste domesticité : la trajectoire même de notre vie *ensemble*... Si une fois j'ai pu être sincère et entier, je peux te jurer, Markus, c'est à Reichenau...

« Mais quoi, Reichenau ! Un moment éclaté, une illumination ?»

La « mer souabe» de Constance, le seul rivage de notre épopée... Où avaient séjourné les Chevaliers teutoniques. Reichenau est dans le Zellersee et n'est peut-être même pas une île.

Erick ne bougeait plus, les yeux dans le vague. Pleurait-il ? Non, Erick ne pleurait pas... Je me demandai tout à coup comment il avait employé cette journée à New York, quel avait été le fil de ses pensées, à lui.

« *Et après ?*» ai-je voulu savoir.

Cette fois il faut partir.

San Francisco ce soir ? Un peu juste. Il faudrait pour cela emprunter les voies rapides de l'intérieur, et j'aimerais essayer le trajet par le littoral, jamais fait...

Et je dois m'acheter des lunettes de soleil (perdues à Ojai ?), ainsi qu'un sac de glace (ai supporté les déserts avec bien peu, finalement...).

▼

Même soir, State Park de Morro Bay, près de la lagune (n'ai couvert que 150 milles aujourd'hui).

Avant San Luis Obispo, une petite route s'insinue entre les collines du San Luis Range jusqu'à Los Osos et l'anse de Morro Bay. Morro Bay a tout du petit port de pêche breton

avec ses rues en pente, sa rade hérissée de mâts, les odeurs de
poisson et d'algues, ses vacanciers. À l'arrivée, l'on pénètre
dans les rouleaux de coton du *fog* côtier, sous un effet de nuit
boréale en plein jour : les arbres et les maisons s'estompent
comme dans une tempête de neige, et l'on doit avancer au pas.
Puis une clarté irréelle transparaît d'un coup, aiguë comme une
lame, le rideau se déchire, s'évapore dans les rayons de la fin
d'après-midi, et l'océan est là, vaste et doré – miroir imma-
culé !

Le camp a l'air d'un village de toile avec ses larges allées
bordées d'eucalyptus géants, ses lampadaires et l'animation
familiale qui règne partout, baignant dans la fumée odorante
des feux. Les *ABC NEWS* de 20 heures dans un *camper* voisin.
Une myriade d'insectes tournoie autour de ma lampe. Le jour
s'étiole derrière les dunes qui dominent le site, plantées de pins
parasols dans lesquels s'accrochent des écharpes de brume
marine. On perçoit le grondement du Pacifique sous le tapis de
feuilles tièdes.

C'est presque la fin... « *Et après, qu'es-tu devenu ?* » ai-je
dû répéter. Erick s'est levé, a fait quelques pas, s'adossant à la
baie vitrée.

« Après ? On a foutu Nixon à la porte, et ils m'ont assigné à
Berlin où les autorités d'occupation ont daigné mettre à profit
ma solide expérience. Depuis, je fais le pigeon voyageur entre
Washington et Kreuzberg. Retour au bercail, ou presque (je
vomis encore la France...). Voilà.

« Je n'entrerai pas dans les détails ni ne te ferai un tableau de mes
activités depuis, il est probable que tu ne trouverais pas ça très
reluisant. J'ai sapé les assises de l'ordre communiste avec la même
application que j'avais mise jadis à les consolider (du moins à
empêcher qu'elles ne pourrissent...). Par ailleurs, la vieille salope
dêmokratia est aussi moribonde que ce qu'elle s'acharne à
combattre. De quel côté se tourner ? Y a-t-il des côtés ?

« Sache cependant que, selon une loi de balancier propre aux
États qui recourent aux mercenaires, je suis aujourd'hui

151

considéré comme un indésirable aux États-Unis. Quelque chose se trame dans les sous-sols de la croulante Union Soviétique, qui rend caducs mes services, et ils m'ont prié de faire mes valises. Mais je me fous de l'Amérique, elle n'a jamais hanté mon imagination.

« Pourquoi ai-je souhaité te revoir ? Parce que mon existence est à la dérive, et que le temps menace... Je me suis souvenu de ce que nous avions voulu entreprendre, comme si le point de départ recelait encore le secret de ce que nous avons raté, n'ayant pas su décoller, en quelque sorte, peut-être dépourvus des forces que notre enthousiasme eût exigées...

« L'épisode des Amériques est clos pour moi. Je tenais à régler mes comptes avec elles.

« Et avec notre histoire... Cette nuit est ma cérémonie d'adieu. »

Une lueur se répandait au-dessus de Harlem. Au survol de ces années, l'évidence nous sautait à la figure : aurions-nous pu vivre celles-ci sans nous reconnaître dans les mouvements qui les agitèrent ? Le PCF et l'« Appel des 121 » de son côté, *De la Chine*, Marcuse, *La Cause du Peuple* pour moi et les camarades de Mai 68 –, tous enfants de la guerre d'Algérie et des Beatles, du Viêt-nam et de Woodstock, petits-fils du Goulag, nés avec le mur de Berlin, témoins des missiles de Cuba et du premier homme sur la lune, frères d'armes du Régis Debray qui rejoint Che Guevara dans les maquis de Bolivie...

Mais, pour lui comme pour moi, quelles qu'en eussent été les formes, l'engagement n'avait constitué qu'un détour par le réel qui avait laissé en suspens l'effervescence de ces quelques saisons de poudre qui, de Titisee à Mexico, avaient été si denses que nous ne nous en étions pas encore remis. Comme si l'absolu qui en avait été l'enjeu était demeuré en réserve de la vie, comme si, pendant que nous étions partis jouer au « petit soldat » dans les forêts du siècle, la tâche inachevée avait continué de nous attendre quelque part, en un temps indéterminé (le jour où nous serions réunis ?). Escomptant qu'après l'accomplissement de ses substituts (amours, militantismes, profession), nous retrouverions le projet initial intact, déplorant sa faillite et ressuscitant son désir. Constatant que du vœu ancien il ne restait plus que des scories, pétales fripés de la rose des vents, – ou les eaux de l'accouchement qu'on jette... Pour enfin, dans cette aube de New York dévastée comme un champ de bataille, conclure amèrement que cela n'aurait pu être autrement : le rêve gisait à l'intérieur du segment Allemagne-Amérique de nos deux destinées, faisant semblant l'un et l'autre d'oublier que la partie la plus vivante de notre compagnonnage n'avait pas duré plus d'une année !

« *Ah ! Mille veuvages...* » Comment peut-on faire une telle moisson d'événements en si peu de temps et perdre vingt ans à s'efforcer d'en égaler l'intensité ?

(Le délicat parfum du mimosa dans la tente.)

28 juin. 11 h 30, matin au camp de Morro Bay.

Ces bribes de nuit : je suis à Times Square avec deux filles. Je leur ai promis de les accompagner dans les *bookstores*, mais j'ai une lettre à poster d'abord. Manhattan a le fouillis et le grouillement d'un énorme dépôt d'ordures. Le tableau lumineux de Broadway annonce que le lancement de l'engin spatial, si important, a raté, et l'on aperçoit la navette, qui a dévié au-dessus de la ville. La foule s'amasse, anxieuse mais excitée de jauger où va s'abattre la fusée. Suis très embêté, car cela va détourner toute l'attention sur le spectacle, et je ne pourrai pas (occasion manquée) faire connaître les *porno-shops* aux filles.

Dormi une dizaine d'heures malgré le jour, écrasé d'une inexplicable lassitude.

Fumet de bacon et grésillement d'œufs qui cuisent. Le ciel est couvert et l'air paraît plus frais malgré les 80 °F du thermomètre, même si l'intense blancheur qui fait plisser les yeux rappelle que juste au-delà de la ligne des arbres c'est la chaleur des sierras. Mais les journées ne s'imposent plus comme des épreuves. Je me laisse aller, il n'y a plus de hâte (plus de but ?). Me suis mis à remettre de l'ordre dans la voiture, par un soudain (et impérieux) besoin que tout soit net...

Aujourd'hui la côte, et bientôt San Francisco où personne ne m'attend. Le camp se vide.

▼

21 h 30, même jour. Monterey — Chez *McDonald's*.

Entre Terre-Neuve et Tijuana, l'Amérique réelle se rassemble devant les comptoirs de *McDonald's* avec les mots d'un culte universel :

« One Big Mac, one small french fries, large coke, strudel ;
apple, yes...
— To go ?
— No, thanks...»

Échoué chez « *McDo* » parce que, comme souvent, c'est le
dernier endroit ouvert dans les villes, et parce que j'ai trop
tardé à chercher un terrain pour la nuit (il fait presque noir et,
à part les parcs officiels, pas un recoin de pays qui ne soit
habité) ; et qu'il est trop tard pour compter atteindre San
Francisco à une heure intéressante (le *fog* en glace les collines,
la nuit). Incapable de prendre une quelconque décision. Un
impondérable malaise embrouille une joie que j'espérais plus
pure.

Avant de partir, ce matin, j'ai flâné près du promontoire de
Morro Bay, à suivre le vol des cormorans, à photographier les
pélicans et à m'amuser des contorsions des loups de mer.
Déjeuné à Cayucos, à la *Bakery de Cambria*, une pâtisserie
basque. Fier et content de parler français, le patron m'a servi
sur sa terrasse, qu'une haie de cyprès protégeait des vents et où
quelques figuiers ombrageaient une mosaïque composée directement sur le sol. Son dessin comportait des signes semblables
à ceux qu'on peut voir sur les pierres runiques de Norvège.
« Ceci est la reproduction d'une stèle discoïdale de l'Euskadie,
m'expliqua-t-il comme je m'en étonnais. C'est l'arc de cercle
qui joint ce ciel-ci à ma terre là-bas, précisa-t-il en déployant
le bras depuis la feuillée jusqu'au voile éblouissant qui barrait
l'horizon. Cueillez autant de figues que vous le désirez... »
Mûres, moelleuses dans la bouche...
La route se fit ensuite plus sauvage, isolée, longeant méticuleusement les pointes et les falaises, souvent en corniche. De
brusques afflux d'embruns enveloppaient parfois le paysage,
mouillaient le pare-brise.
Au Hearst San Simeon State Historical Monument de San
Simeon, des grappes de touristes s'agglutinaient autour des
kiosques à souvenirs du royaume fabuleux. Ai résisté à l'envie
d'aller voir la *Neptune Pool*, la somptueuse piscine remarquée

sur une affiche, avec ses arches de mosaïque et ses colonnes de marbre. Me suis contenté d'imaginer que je plongeais dans l'onde turquoise, au surplomb de l'océan lointain... Ai contemplé à l'aide d'un télescope le château des merveilles perché sur l'éperon de *La Cuesta Encantada*, la colline enchantée, le temps d'évoquer le citoyen Kane crevant de solitude dans les splendeurs de son palais, cramponné aux neiges d'une boule de verre comme au mystère de son destin, prisonnier de l'enfance dont on l'avait dépossédé.

Traversé Big Sur avec une certaine curiosité, comme en cet été de 1970, alors que tous les auto-stoppeurs de l'Amérique *on the road* se pliaient au rituel de l'étape au « *paradis* » d'Henry Miller, qu'ils transformaient en cour des Miracles d'une faune ahurie. Et dont j'étais – en route moi-même pour le Mexique, sans trop encore savoir pourquoi... (Henry Miller invitant pendant vingt ans son ami Durrell à lui rendre visite... Où vit Durrell, aujourd'hui ?)

Dans les rues de la péninsule de Pacific Grove, à Carmel, des papillons jonchaient les caniveaux comme des feuilles mortes qu'on aurait oublié de ramasser. Le *monarch*, m'a-t-on expliqué, immigre en octobre du Mexique et se déplace par essaims de millions d'unités jusqu'en Oregon. Mais pour quelle raison ?

▼

L'avenue se divise juste derrière les vitres du restaurant, ainsi transformé en un îlot cerné par le faisceau des phares. Dans le ciel se maintient une fragile lueur, avivée par la radiation verdâtre des néons et contre laquelle se découpe la silhouette très nette des toits.

Il y a peu de monde dans la salle.

Éparpiller les dernières cendres, me dépouiller des derniers lambeaux...

▼

La nuit de New York s'achevait donc...

Épuisés, nous n'avions pas vu venir le jour. Il était là, dans le relief de plus en plus distinct des cimes du West Side. Erick se tenait la tête, les coudes sur les genoux. Il semblait réfléchir. Ou somnoler. Il se leva péniblement, et sa corpulence me frappa de nouveau. Il fit coulisser les vitres de la baie qui donnait sur une large terrasse, et un air marin s'engouffra avec le bruit de la ville, balayant la moiteur enfumée de l'appartement. C'était comme le souffle du large dans l'incertitude matinale. Un pétulant ramage d'oiseaux s'élevait au-dessus de Central Park. Frissonnant d'un regret bâtard, nous avions reparcouru les cartes de notre commune mémoire sans réussir à en percer l'opacité, incapables d'en déjouer les apparences. En connaissions-nous beaucoup qui eussent prouvé une telle fidélité à leur ressemblance, et en même temps manifesté une telle inconstance à en accomplir les promesses ? Après une telle nuit, nous aurions tout aussi bien pu nous sauter à la gorge que nous jeter dans les bras l'un de l'autre. Pendant des heures il m'avait regardé me débattre, et je prenais tout à coup conscience de l'ampleur de la méprise : j'avais traîné la faute comme un boulet, et c'était l'autre qui avait triché. Le dénouement de notre histoire se révélait brutalement : nous n'avions cessé de nous poursuivre sur des chemins qui ne pouvaient de toute façon plus se croiser. Tel le sort de ces parallèles qui..., etc.

« Qu'est-il advenu de toutes ces années que nous n'avons pas vécues ensemble ? »

Je ne sais plus lequel de nous deux posa la question. Toujours est-il que la tension se dissipa d'un coup : l'apaisement de la réconciliation avec l'autre, peut-être, avec l'âge sans doute ; et, quant à moi, la paix avec l'ombre portée qui s'était tant de fois dérobée – lui et moi à cet instant confondus. Et l'ultime illusion, que j'exprimai ainsi : son télégramme de New York aurait dû me parvenir onze ans plus tôt...

« Qu'est-ce que cela aurait changé, hein ? Tu n'avais plus besoin de moi... Et tu cavalais après moi en transportant dans ta sacoche, sans t'en douter, ce qui m'était le plus précieux : la fidélité à un absolu que je n'ai pas su conquérir, auquel j'avais, moi, renoncé. Si à Pôrto Alegre tu étais resté à terre, peut-être... Tu m'as cherché – dis-tu –, mais j'ai toujours été là. En toi, comme idéal... Le piédestal sur lequel tu m'avais hissé t'a permis de le réaliser ; c'est bien comme ça. Cela dit, il t'a également empêché de percevoir le désarroi qui me rongeait : je ne te fuyais pas, Markus, c'est de moi que je me méfiais. J'avais méprisé ta lâcheté, mais c'était la mienne que je m'efforçais de clouer au sol, refusant d'admettre que je souffrais de ce que Racine a qualifié d'un mot si modeste, si léger : " le dépit ". *C'est moi qui t'ai attendu, Markus...* »

Et moi sillonnant le continent, à la manière d'un animal qui, bondissant d'un bord à l'autre de l'espace dans lequel il s'est introduit, découvre que c'est une cage : des enchantements empoisonnés de Isla Mujeres aux trottoirs de bois de Dawson City, et la cabane de Jack London ; de l'Anse aux Meadows – dressant ma tente sur le site de Leif Eriksson – à l'aube arctique de Skagway, entre les glaciers sous la lune ; ou encore, depuis la tombe de Nelligan, tout en haut de la côte des neiges, le détour par celle de Faulkner, à Oxford, Mississippi, ou la visite de Saint-Boniface, jusqu'au monument à Louis Riel...

L'acharnement à planter des repères aux confins de cette terre... Tentatives qui n'étaient que de pauvres sursauts (simples réflexes du désir insatisfait), faux-fuyants d'une course qui avait perdu sa raison d'être, et qui me faisaient arpenter compulsivement le toujours même territoire en essayant de comprendre ce qui m'y poussait.

Et c'est chaque fois en larmes que je remontais dans mon terrier, ces étendues de froid tout en haut des cartes, à l'écart des courants du monde. Onze années d'exil dans l'antichambre de ma vie, sur la rive d'un futur qui ne venait toujours pas...

Mais c'était d'être en route vers Erick qui me faisait tenir, même si je préférais l'oublier. Et je peux dire que j'étais heureux, alors.

Car comment peut-on survivre, sans direction ? (Et cette résistance farouche à l'idée de rentrer au Québec, l'impossibilité d'en concevoir même le parcours...)

Tout cela est désormais derrière moi.

Sur le point d'en finir avec l'histoire d'Erick dans ma vie, d'en finir avec Erick, j'approche du seuil où, enfin délivré de l'attente rongeuse, ma vie va pouvoir commencer...

« Anything else, Sir ? We're closing, sorry... »
C'est le garçon de service. Les États-Unis triomphent ici dans leur élément naturel de plastique et de sourires factices. Par-ci par-là s'attardent quelques paumés effarés par la fluorescence trop crue des tubes, qui rend impudique la solitude. Au-delà des vitres, le même boulevard anonyme et vide. Qu'est devenu l'esprit de la bohème des *paisanos*, ces hippies d'avant l'heure qui avaient envahi ce quartier dans les années quarante ? Avec ses entrepôts désaffectés et ses caniveaux éclairés de vert, Cannery Row, la rue de la Conserverie, ressemble à la scène d'un opéra brechtien abandonnée aux épaves du siècle, dépeuplée de ses figures héroïques. Plus personne dans les décombres des fameuses ruelles.

Une impatience teintée d'angoisse m'agite. Que me réserve San Francisco ? Serais quand même tenté d'arriver cette nuit (seulement deux heures par l'autoroute) !

Non, non, pas encore...

Au-dessus de la cité nouvelle, redoutant les noirs rouleaux qui s'avançaient, il s'accrochait encore à l'horizon avant de s'enfoncer dans le froid des bas-fonds et le silence aveuglant de ces brouillards qui égarent l'espoir.

Mais où dormir ce soir ?

SALINAS, 6 H 45 DU MATIN. VENDREDI 29 JUIN 84.

Au *Four Seasons*. Restau semi-luxueux, de style scandi-nave, aux matières sobres et riches : banquettes de cuir, bois franc, stores de coton, individuels. Employés de bureaux pro-pres et bien mis, quelques travailleurs agricoles, plutôt des contremaîtres. Surgissant parmi eux sale et débraillé, les paupières gonflées, je me sens comme l'alpiniste redescendu des altitudes et qui, devant l'indifférence générale, demeure impuissant à en communiquer les ivresses. Le dernier jour de la semaine, pour ces gens...

Nuit difficile. Je m'étais aménagé un coin de pelouse dans les jardins qui surplombent Monterey, mais une patrouille de police m'a invité à déguerpir. Comptant trouver refuge dans les *ranges*, j'ai repris la *68* vers l'arrière-pays, roulant jusqu'à trois heures de la nuit avant de repérer un *Trailer park* logé sur le plat d'un sommet ; mais le portail était cadenassé. Il faisait trop frais pour coucher dehors. J'ai rangé la voiture contre la murette d'entrée et j'ai sommeillé, recroquevillé entre le volant et le levier de vitesse, grelottant dans ma couverture.

Après une ou deux heures de somnolences froides, je fus réveillé par un demi-jour blême qui effleurait les dômes voi-sins. Jugeant inutile de geler là plus longtemps, j'ai redémarré. Pente douce et larges courbes jusqu'à la « *long valley* », la plaine alluviale de la Salinas River, déroulée au pied de la dernière sierra. *Folk songs* à la radio, accents rauques et rythmes cassés, en écho aux ballades de Willy Guthrie et aux complaintes des *Okies* pendant leur exode, en cette même région, dans une aurore tout aussi anémique sur les cultures maraîchères, dans le souvenir des *hobos* débarquant aux portes du nouvel Eldorado sur le toit des convois de marchandises, ou des personnages de Steinbeck se débattant sous les *pâturages du ciel*, ou de ceux, dépossédés, qu'on voit dans les enquêtes photographiques d'Arthur Rothstein...

Ce furent bientôt les enclos de rodéo, puis les faubourgs délabrés de Salinas jusqu'au centre de la petite ville où j'errai à pied dans les rues endormies, attentif à déceler quelques signes distinctifs de l'époque légendaire, un point de vue familier : alignement des bâtisses historiques aux façades rectangulaires, l'hôtel intact mais apparemment désaffecté d'un roman célèbre, les créneaux mauresques de l'*Hotel Cominos*.

Un peu réchauffé par le soleil, j'essayai de me concentrer sur quelques prises photo, mais la sûreté de l'œil faisait nettement défaut. (Atterré par l'apparition inopinée de ma gueule dans la glace d'une vitrine : clodo amaigri, échevelé, la mine hagarde...) Au cinéma *Fox*, on jouait *La Perlita*. Rien d'ouvert avant sept heures dans la *main street* piétonnière. J'ai repris la voiture, et c'est en tournant autour des terrains vagues de la périphérie que j'ai échoué ici.

L'arôme chaud du café, et celui du sirop sur les *pancakes* fumants. Mes doigts se dégourdissent. Ambiance feutrée de la salle à manger où la vie semble s'être rassemblée, éphémère complicité dans les regards des rescapés... Dans le *Salinas Californian*, un reportage sur le volcan St. Helens dont les récentes secousses ravivent les craintes de l'éruption de 1980. Une photo montre les champs grouillant de journaliers à la cueillette des artichauts, pliés en deux sous le soleil. On annonce en grand l'*Artichoke Festival* à Castroville, « *The Artichoke Center of the World* ».

Mes cartes usées se déchirent toutes seules. J'ai sorti le plan de San Francisco, n'osant encore l'ouvrir, pas avant de...

Les pages humides de mon cahier, légèrement gondolées.

Proche du but, il ne me reste plus beaucoup de temps...

« *Oui, c'est moi qui t'ai attendu* », a-t-il répété...

L'aveu scandaleux et inutile...

Dans la pièce maintenant vidée de sa magie, nous nous taisions, épuisés, penchés au-dessus d'un gouffre dont nous venions en toute solidarité de sonder les profondeurs, un puits creusé avec nos ongles et nos dents, et nos coudes, dressé autour de nous, en nous, foré sous la durée de chacune de nos existences – observant, résignés, la chute de la pierre précieuse. Le *cenote* de Chichén Itzá, le puits sacré, est un puits sacrificiel...

Erick se rendit jusqu'au parapet de la terrasse et promena sur Manhattan des yeux papillotants de fatigue. Je le rejoignis, avide de m'inonder de soleil ; et lorsque je passai un bras autour de son épaule, le geste ne fut pas sans me rappeler celui qu'à vingt ans d'intervalle il avait eu à Reichenau tandis que nous revenions vers le ferry – fermant la boucle d'un périple où chacun, l'un sans l'autre, avait vécu la vie que *nous* avions souhaité partager.

« New York est une foutue ville, trop cruelle. Le phare du dernier empire pris d'assaut avant la catastrophe... C'est Cortés qui avait raison. Pas de quartier, pas de sentimentalisme... »

Puis il se tourna vers moi et lâcha enfin la réponse à une déjà vieille question :

« Je rentre à Berlin pour quelque temps, après c'est le retour en France... J'ignore ce que j'y ferai, notre Marianne nationale ne m'a jamais beaucoup aimé, et c'est bien réciproque. Mais enfin, on finit toujours par pactiser avec ses démons, n'est-ce, pas, Markus ?

« Et toi qui t'en vas en direction opposée !... Pour la deuxième fois, l'un rentre sans l'autre, nous sommes quittes, d'une certaine façon. »

Je le serrai contre moi. À mes côtés, Erick, le frère aimé de l'aventure, mon frère jumeau, n'était plus que l'ombre de lui-même, à son tour le reflet de Mk qui avait couru le monde dans son illusoire sillage ! Et face au double, il fallait que l'un des deux disparût.

Tout en bas, les avenues de l'Upper East Side s'éveillaient parmi l'écho des sirènes et les soubresauts du trafic. Au-delà

de Harlem brillaient les ponts de Queens, pareils aux fils de
l'épeire mouillés de rosée. Araignée du matin... On se serait
cru sur la plage avant d'un navire au moment des manœuvres.
Allions-nous enfin lever l'ancre ? Il n'existait plus de Constance à portée de nos délires. Et quels délires ? Comme si la
nuit qui venait de finir n'avait pas infligé un démenti suffisant
et définitif à nos velléités ! Sur les traces de fantômes, comme
si durant toutes ces heures il ne s'était pas agi de nous mais de
jeunes gens rencontrés autrefois, et à propos desquels nous
aurions échangé des commentaires, nous demandant enfin ce
qu'ils étaient devenus.

Sur le point de tirer le rideau, je me souvins que New York
n'était qu'un arrêt, et que l'avenir que je projetais en Amérique, que j'avais trop longtemps différé à ses portes, m'attendait encore en bas. Il suffisait de regagner la voiture à Times
Square et de franchir l'un des ponts de l'Hudson... Mais quelle
Amérique, désormais ? La ligne sinueuse, ténue mais continue,
qui menait de Constance à Mexico en passant par Genève,
Pôrto Alegre, Isla Mujeres – puis zigzaguant pendant dix ans
aux quatre coins de l'Amérique –, se brisait quelque part dans
les hauteurs de Manhattan.

Et aujourd'hui tu t'effaces, Erick, alors que je te rattrape.
La poursuite est terminée et la voie dégagée. Me revoilà nu
face à l'Amérique, l'Amérique d'avant toi, et, à partir d'aujourd'hui, d'*après* toi.

Selon la carte :
— soit entrer directement à San Francisco par la *Southern
Freeway* ou la *Bayshore Freeway* (plus rapides),
— soit voir Santa Cruz et ensuite emprunter la *Cabrillo
Highway* (du nom du découvreur de la Californie, en 1542, ai-
je lu ; cinquante ans après l'arrivée de Colomb) collée au
Pacifique jusqu'à San Francisco, et qui, par le boulevard des
plages, conduit tout droit à *Cliff House*...
Ne pas lâcher le fil...

▼

PLUS TARD, FIN DE MATINÉE. PARKING PRÈS DE LA MER, HALF MOON BAY.

Un panneau : *SAN FRANCISCO — Downtown, 29 miles.*

Marché longuement sur la digue de Santa Cruz. Azur liquide de la lumière dans le méridien solaire : cet instant de pure contemplation, pendant lequel l'éternité explose tel l'éclair d'un flash sur le visage mis à nu de la mémoire. À une heure de la cité radieuse, la monture harassée cherche à freiner l'approche, un vertige m'aspire, et je ne sais plus à quoi m'agripper (le danseur de corde ne peut reculer sous peine de tomber dans le vide). J'attends San Francisco comme on retarde, oppressé, l'instant d'une rencontre amoureuse espérée depuis des années. Car je me suis trop avancé et, au moment où toutes les raisons cèdent, je ne peux plus me dérober. J'ai si souvent traversé l'Amérique – en imaginant la vie que nous y mènerions –, et elle s'évanouit derrière moi...

À ce point d'équilibre où l'on quitte tout, au seuil de tout. « ... Danger de rester en route, danger de regarder en arrière – frisson et arrêt dangereux », prévient Zarathoustra.

J'ai suivi des yeux un chalutier qui sortait du port, pensant à Hugh qui, dans *Au-dessous du volcan*, considère l'*Œdipus Tyrannus*, le bateau de sa jeunesse : « *Il était délabré, très vieux et, heureusement, peut-être même sur le point de sombrer. Et cependant il y avait en lui quelque chose de jeune et de beau, comme une illusion qui jamais ne mourra mais restera toujours, la coque enfoncée, au ras de l'horizon...* »

Il faudrait ne jamais s'arrêter, à vivre dans une sorte de *road movie* perpétuel, ne jamais revenir – surtout ne jamais revenir. Nietzsche encore : comme « *la flèche du désir tendu vers l'autre rive* »...

164

Plus que vingt-neuf milles...

Après quatorze ans et quatorze jours. Et s'il n'y avait plus de raisons ?

En route !

San Francisco, 29 juin, 15 heures, *Youth Hostel Centrale*, dans Turk Street.

Un délire s'éveilla au plus secret de l'hébétude, et, tandis que le désir reprenait possession du monde, San Francisco est née à l'horizon qui avait été encore une fois désespéré. Sous un ciel d'un bleu incident, un fort sentiment d'intimité ranima imperceptiblement la promesse oubliée : la vie renaîtrait, plus ivre d'avoir été menacée par le doute et l'attente qui ronge. Enfin parvenu face aux vents du large, lavé des ombres de la termitière new-yorkaise, me voilà nu et seul sur le pas de ma nouvelle vie : l'étendue absorbée au fil de la route n'a jamais débouché sur tant de clarté !

Quatorze ans déjà.

Mais je suis revenu, je suis arrivé.

J'ai épinglé sur le mur mon plan de San Francisco tout déchiré, avec sa configuration familière et rassurante, et l'épellation de ses sites, semblable à l'énoncé de formules magiques : Colombus Avenue, Treasure Island, Ghirardelli Square, Telegraph Hill, Coït Tower ; les grands axes de son accès, qui l'enserrent comme une caresse : Geary Blvd (par où j'ai pénétré latéralement dans la ville), Divisadero, Embarcadero, Market ; l'interpellation du nom des rues que mes doigts reconnaissent, Ellis, Turk, Polk, Larkin, Grant, Sutter, Eddy ; puis les reliefs, les détours, les itinéraires secrets, le refermement de la côte vers l'intérieur, la ligne des ponts ; et là, le Golden Gate des jours heureux, l'embouchure de toutes les espérances...

Par la fenêtre se découpent les cimes urbaines, tendrement ouatées de nuages moutonnants. Bruissement de souvenirs affectueux – habitudes, visages, accents. C'est ici chez moi.

▼

20 HEURES.

Retour d'une approche exploratoire des méandres de ma mémoire, attentif aux indices, aux lueurs, à tout ce qui pouvait remonter en moi de souvenirs et d'élans enfouis. Mais c'était comme marcher dans le décor vide d'un lieu autrefois très personnel, à m'interroger sur ce que j'avais fait de toutes ces années, enfermé dans un angle de l'Amérique, où, loin du monde, j'ai attendu sur une voie de garage que le grand souffle des rapides me ramenât enfin, – à me demander ce que je faisais là aujourd'hui. Que s'est-il passé ?

Me suis permis un tour rapide des *bookstores* du côté de Market et de Grant. Boutiques sordides, sans la forte connivence qui m'attache à celles de New York. Imaginaire de clous et de cuir, dans la saleté et la méfiance.

Vague impression de flottement et de régression, ce soir. Sans doute la fatigue, la brutalité du contact. Si au moins j'avais une chambre claire, propre, une vue dégagée, dans un quartier agréable. Mais ici... Puis les questions concrètes. Où stationner la voiture, relever les adresses dans l'annuaire, noter les horaires de la poste, voir un garagiste, etc.

(Une soudaine et suave bouffée de tiédeur au passage d'une allée d'orangers.)

▼

San Francisco, le 29 juin 1984, Youth Hostel Centrale, *moitié auberge de jeunesse, moitié dortoir douteux...*

Chère vous,

Enfin à San Francisco ! Après deux semaines de route, j'ai répété l'arrivée qui devait nous mettre au monde, vous et moi, réapprivoisant doucement le domaine qui aurait dû nous appartenir (l'endroit où vivre avec vous, qui viendriez me rejoindre...), aussi envoûté *qu'alors par la féerie des poudroiements de la lumière sur la baie, avec cette sensation d'abandon qui s'empare vite de nous dans cette acropole blanche et rose nappée d'un bleu indéfinissable, velouté, lorsque, la tête dans des ciels d'opale, tout en haut des collines, on surplombe ses rues noires comme des canyons. Une fascination difficile à décrire. Un certain bonheur, donc, mais aussi quelle violence !* C'est dans l'air, le harcèlement des vents peut-être, une tension partout palpable, et le malaise que me laisse cette chambre triste, un arrière-goût de la misère à laquelle j'avais échappé de justesse en 1970. La séduction du* fait américain *(dont New York me comble ponctuellement) n'opère plus, j'imagine.*

Demain je m'attaque aux choses sérieuses : la poste (un mot de vous, peut-être ?), et établir des contacts pour un boulot. Je m'accorde un mois pour faire le point.

Avez-vous reçu mes cartes ?

Vous embrasse,

Mk

Il y avait dans mon carnet, se détachant de son bout de scotch desséché, ce billet de Sperrsitz *de la salle du* Gloria Lichtspiel, à *Heidelberg. Cela vous rappelle-t-il quelque chose ?*

▼

22 HEURES.

Le bas de la ville autour de Powell et de Market a perdu son allure prestigieuse, mais on y retrouve toujours cette atmosphère particulière faite d'échos new-yorkais sur fond d'animation parisienne, parmi les cris des marchands de journaux et les ferraillements des *cable cars* qui manœuvrent. En bas de Turk (maintenant un quartier d'immigrants), la rumeur est presque villageoise. Aurais aimé y traîner plus longuement, mais la fatigue est plus forte que mon désir, et j'ai la nuit de Salinas à récupérer.

Pendant que je rentrais par les rues qu'envahissait déjà le *fog*, une phrase s'est mise à me trotter dans la tête, forgée au rythme de mes pas, laissant surgir une évidence inédite mais longuement mûrie, quelque chose comme : *Il comprit qu'il était devenu Erick, comme ça, sans s'en rendre compte, au fil des ans, dans l'égrenage des capitales et des ports. La poursuite lui apparaissait désormais non plus comme le sens caché de la route qui le portait en avant, mais comme un paysage que l'on découvre derrière soi, surpris de constater qu'on l'a traversé.*

Et l'idée, déplacée dans les circonstances, de peut-être écrire sur tout ça un jour.

Ou encore : *Il avait atteint le but, pour s'apercevoir que l'Amérique n'avait été que l'échec du rêve d'Erick. Sans Erick, il était devenu celui-là même qu'il recherchait, la poursuite était terminée. Dès lors, l'Amérique...*

L'Ouest hésitait encore devant la vision appréhendée de l'Orient depuis si longtemps oublié.

San Francisco 30 juin, 7 heures du matin.

La nuit est noire devant la maison, qu'on devine plutôt. Est-ce une nuit de neige ? Un lampadaire diffuse un halo lunaire qui prête au cadre un aspect fantasmagorique. Devant le portail, un chien m'observe, on dirait qu'il a plusieurs têtes. Je me demande comment il fait lorsque chacune d'elles réagit différemment des autres. Des étincelles brillent dans ses yeux. Va-t-il bondir ? Je me faufile courbé entre des tubulures d'acier qui me protègent, mais si peu. On se croirait dans les entreponts ou les soutes d'un navire échoué, et je sens qu'*ils* sont là, j'en suis certain, mais comment le leur faire savoir ? Je ne veux pas que l'animal aboie, pas maintenant. Je m'accroupis la main tendue, pour qu'il me flaire. Je les ai vus, tout à l'heure, nous étions ensemble, nous riions, mais comment sauront-ils que je les cherche ? J'appréhende ce qui me guette. Ah, pourvu que le chien se taise ! Il se redresse, scrute mes moindres mouvements.

Je repars. Je dois traverser la ville, mais c'est compliqué, et je progresse difficilement, paralysé par les artères en étoile qui se présentent. Je les sonde une à une, mais soit elles me conduisent dans des culs-de-sac, soit m'écartent sur des périphériques éloignés, soit encore se heurtent à des ponts coupés. Je débouche sur une place où quelques ouvriers déboulonnent le piège. La statue s'écroule dans un grand fracas. Au-dessous, quand les sauveteurs ont dégagé les décombres, l'enfant est déjà fossilisé.

Au réveil je reconnus l'île. C'était une prison.

Faible ampoule au plafond, petit évier. Ça empeste le *D.D.T.* et c'est misérable. Étrangement silencieux, aussi. Trouver autre chose, ailleurs.

De l'enseigne verte du *Fairfax*, mon hôtel-pension en 1970, il ne subsiste que l'encadrement. L'immeuble est toujours là, juste en face, entre le *Kinney* (et le bar à strip-tease, à l'étage : *Kimbo's Topless*) et le *Senator Hotel*. C'est maintenant un foyer pour Noirs âgés et malades. « On ne prend plus de clients », m'a dit le portier, hostile. Au-dessus du *Kinney*, une étoile scintillait toujours de ses grosses lampes colorées. Elles sont toutes brisées.

En bas, un groupe de prostituées, *drags*, homosexuels vêtus de cuir sortent d'un bar sans fenêtres, finissent leur nuit. Les maquereaux ont de larges casquettes en étoffe de qualité et portent pantalon mode cintrés et bariolés. Leurs femmes trottinent en avant, craintives. Les parcomètres sont tordus ; certains, arrachés, gisent dans les détritus du caniveau. Des clochards se querellent, affalés devant le rideau de fer maculé de graffitis d'une boîte de nuit qu'on a murée. Les grilles du club de jazz ont été condamnées à l'aide de chaînes rouillées, et le restaurant voisin, où Tonio me faisait frire des œufs *« sunny side up »*, même après midi, a brûlé. Les façades des autres habitations sont lézardées, leurs balcons surchargés de ferraille et de pots de géraniums. Qu'est-ce qui a donc altéré cette limpidité lumineuse du ciel, si vive qu'elle tranchait la rue en deux, comme dans une *western town* en technicolor ?

Dans le couloir, la porte d'une chambre borgne est entrouverte sur un vieil homme craintif assis sur le bord de son lit, le regard absent. Il est demeuré toute la nuit devant la télévision. Quand je le croise (les autres se collent contre le mur), il lève les yeux avec inquiétude, ébloui par la poussière des plaines qui vole dans mon sillage et qui éclaire, en un contraste insoutenable, la pénombre de son réduit. Hier, à mon arrivée, encouragé par mon bonjour, il m'a demandé à voix basse d'où je venais, bouche bée à chaque évocation de mon récit. *« C'est étonnant comme les pas de femmes résonnent au cerveau des pauvres malheureux... »*

▼

14 heures, *room 839*.

Déménagé au *WMCA*, dans Eddy. Sans oublier mon plan...
Suis allé déjeuner au *St. Anthony Kitchen* de la *Salvation Army*, pour voir. L'institution charitable est toujours au 240, 40e Rue, parmi des pavillons aujourd'hui délabrés et aux fenêtres condamnées par des planches. On distribuait des tonnes de melons sur le trottoir. Il était encore obligatoire d'assister à l'office pour avoir droit au repas, et de répondre correctement aux questions sur la Bible afin de recevoir une barre de chocolat, jetée à travers la salle comme un os à un chien. Même « l'officier » qui célébrait paraissait être le même petit vieux, propret, galonné, cheveux grisonnants et lunettes d'intellectuel, planté derrière les œillets qui ornaient son pupitre. Au-dessus de lui une banderole prétendait en grosses lettres pailletées : « *THE PLACE OF THE NEW BEGINNINGS.* » La même assemblée muette de clodos, la plupart déguenillés, éméchés et mal rasés. Quelques Indiens, deux Chinoises, des adolescents prêts à pouffer de rire, un travesti à la chevelure teinte en blond, nouée par un ruban, un homme dans la cinquantaine portant une mallette avec ses initiales peintes en rouge, et qui lisait *The Pastoral Symphony* en cachette des « salauds de samaritains » (proféra quelqu'un dans un murmure). Et partout l'ombre de Milevna... « Remercier Dieu parce qu'il a créé l'univers si beau, les arbres, les fleurs, les montagnes... », etc. Etc. Quelle tristesse ! (Réaliser un jour un film sur la misère telle que je la vis si fort de l'intérieur parfois. Avec la détresse solitaire de ses chambres décrépites, et les relents de mort de ses irrémédiables nostalgies. La chanson de geste des muets...)
À cette époque, pendant leur petit jeu cruel, on pouvait lire dans le journal un entrefilet annonçant que soixante-six *GI's* avaient été tués et des centaines blessés lors du repli de la base de Huê au Viêt-nam du Sud, pilonnée par le Viêt-cong ; citant cet officier qui justifiait ainsi la destruction du bourg de Ben Tre (35 000 habitants) : « *It became necessary to destroy the*

town to save it. » (Mille tués.) Et la fierté du *quarter* sacrifié
à la multinationale de la *Salvation Army* pour la défense du
drapeau américain en terre asiatique. (Leur école ! d'« officiers » existe encore sur Geary.)

Dehors, après le repas – qu'on prend debout –, un gars
s'est effondré. Agenouillé, il s'efforçait de se rendre jusqu'au
mur.

Téléphoné à *Bay Video Area Coalition* et à *Video West*,
mais pas de réponse. Aller sur place, à Oakland.

▼

18 heures, au *WMCA*.

Le « village » de Haight-Ashbury, déjà en déclin au début
des années soixante-dix, n'est plus qu'un souvenir. Un
ensemble de « condominiums » a remplacé les maisons de bois
bleues et blanches, des allées goudronnées recouvrent les
ruelles, bacs de béton partout, entrées de garage surveillées par
des caméras.

Dans Divisadero, la villa qui abritait la commune des
I'Chud, épargnée, croule sous les gravats de son toit, dans
l'herbe haute d'un terrain souillé de bouteilles et de sacs à
ordures éventrés. Les *I'Chud* qui avaient résolu de changer le
monde à leur façon : « *Our way is to make the Conscious
Sacrifice of some of our personal freedom for the sake of
others and the acceptance of an Understanding Authority over
us. This means we are willing to have quiet in the house after
11:00 pm and " are crashed " at a reasonable hour.* »

Qu'est-il advenu de Jimmy, le Noir, le seul qui s'inspirait
sincèrement de l'esprit proclamé de la commune ? qui me
faisait écouter Judy Collins *(Send in the clown, Marat-Sade)*,
Bob Dylan, Richie Havens et d'autres ? le passionné de Henri
Michaux *(Miserable Miracle)* qui lisait Artaud et me jouait des
fugues de Bach sur un piano déglingué ? Son coin dans la
grande pièce commune comportait une étagère avec des

œuvres d'Antonin Artaud *(Revolt against poetry)*, de Kafka, Spinoza, Bertrand Russel, des bibles, les *Complete Letters* de Van Gogh, deux titre de Miller, *The Time of the Assassins* et *Big Sur and the Oranges of Hieronymus Bosch.* Il avait suspendu au-dessus de son matelas le long poème de Jack Kerouac intitulé *Rimbaud*, et qui s'ouvre par ces mots en français : *« Arthur ! On t'appela pas Jean !»* La drogue minait Jimmy, et il sombrait dans la déchéance physique, plus ou moins ignoré par les autres, incultes et vulgaires, enlisés dans la glu de leur *paradise now.* Lui-même une sorte de Rimbaud californien coupé de ses origines, il n'avait pas connu les trains de banlieue ni la guerre qui fauche, ni l'asile de Charleville au fond d'un parc. Il ne verrait jamais Aden ni la Cimmérie.

Cette fiche jaunie qu'il avait calligraphiée pour moi :

A terrible, cold, an atrocious abstinence...
I have chosen the domain of sorrow and shadow as others have chosen that of the glow and the accumulation of things.
I do not labour within the scope of any domain.
My only labor is in eternity itself.

(Artaud, *« Fragments of a Journal in Hell »*)

C'est lui qui un jour me fit faire le pèlerinage à la *City Lights Bookshop*, le quartier général des poètes de la *Beat Generation*, m'aidant à découvrir Burroughs, Ginsberg, Ferlinghetti, Mailer, Kerouac *(Book of Dreams).* Y retournant souvent avec lui pour bouquiner à satiété dans les fauteuils de la cave aux murs crépis à la chaux.

Jimmy m'emmenait aussi chez *Macy's*, dans Union Square, le grand magasin fréquemment perturbé par des manifestations de gais et lesbiennes, ou de membres du syndicat du vêtement, ou encore de cortèges de Hare Krishna. Au sous-sol de la librairie du *City of Paris*, on trouvait *Le Monde* et les œuvres de Jean Genet, et j'y avais acheté le *Voyage au bout de la nuit*, de Céline. (Sur une page arrachée du livre de poche, collée dans le carnet noir, ce bout de phrase souligné, page 55 : *« ... et seulement vêtue d'un kimono*

japonais noir et jaune qu'un ami de San Francisco lui avait
offert la veille de son départ. »)

Cet après-midi, les ruines du hangar de la commune, où
j'avais passé des nuits parmi les gravats et dans l'odeur
piquante de moisi et d'urine de chat, transi par le *fog* océanique, me faisaient penser aux vestiges d'un décor abandonné
par la troupe du *Bread and Puppet Theater.*

Les punaises effrontées sur le miroir de la salle de bain.
L'obsession de ma gueule, qui détonne ici à San Francisco,
l'homme de quarante ans que je suis devenu...

▼

22 HEURES, *WMCA.*

Suis monté au sommet des Twin Peaks, ces petits monts
qui dominent la ville et les baies. Un crépuscule strié d'effilochures roses languissait au-dessus des brumes mordorées qui
s'enflaient au-dessus du détroit. Puis, comme chaque soir,
celles-ci ont subrepticement submergé les collines d'une
fraîcheur d'algue qui, balayant le Golden Gate Park voisin,
enveloppa les dômes de parfums d'eucalyptus et d'essences
tropicales. Tout à coup l'air vif et iodé du large nous saisit et
nous enlève dans ses voiles, étreignant les caps d'un froid de
nuit en haute mer, lorsqu'on navigue dans l'inconnu. (Et au
lever du jour, quand l'haleine brûlante des sierras dissipe
l'opacité du monde, on découvre que San Francisco n'était que
le promontoire le plus avancé du rêve, la proue d'un navire
immobilisé dans l'illusion d'un mouvement perpétuel.)

Par la fenêtre, la coupole illuminée du Civic Center. Une
étoile, la même étoile, indique un avenir en suspens au-dessus
du Pacifique encore invisible. *So young but with care.*

Hululement des sirènes en bas dans Eddy, comme à New
York, avec des effets de plongées hurlantes. On imagine les
bolides se lançant du haut des pentes pour se précipiter dans

les eaux noires de la baie : la fosse d'un puits sacrificiel. Résonances autrefois associées au charme des métropoles d'Amérique, aujourd'hui sinistres comme des cités en état de siège. Mais c'est mon âme qui est assiégée. Dormir.

Dans les souterrains et les caves, on entend les cris étouffés des torturés. Quelques vieillards se hasardent parfois au coin des avenues où des rafales soulèvent des journaux, déplacent des piles de cartons. Ils ne se saluent plus, ne s'aperçoivent même plus. Pendant ce temps on a soufflé sur la ville des gaz parfumés de plage – algue et *Coppertone* –, et les habitants sortent émerveillés de chez eux, régénérés, inspirant à pleins poumons l'air marin qui les assaille, puis contemplent le soleil dilué, soupirant : « Hum, c'est bon la vie ! » Pendant ce temps, aux carrefours, des femmes munies de masques à oxygène ramassent les cadavres, suivies de ribambelles de chiens. Les signaux de circulation répètent obstinément leurs *WALK* verts et leurs *DON'T WALK* rouges afin d'égayer la solitude de verre et d'acier des rues dépeuplées.

La vie, c'est comme la beauté traquée par la peur qui rôde. (C'est toi qui avais raison, Jimmy.)

BERKELEY, 1ᴱᴿ JUILLET. AU *CAFFÉ MEDITERRANEUM*, 14 HEURES.

(Juke-box avec des disques de Grateful Dead, de Bob Dylan, des Rolling Stones, de Jim Morrison, de Papas and the Mamas : « *California dreamin'* », etc.)

Je sors de cette salle de cinéma où un après-midi de juillet 1970 j'avais assisté à la projection de courts métrages inédits de Buster Keaton. Dans la matinée, au siège des organisations militantes du campus de l'*U.C.B.*, j'avais participé à une réunion de trois heures avec les activistes de la *Week of International Protest Against the War in Indochina.* C'est Jackie, une militante, qui m'avait pris en stop dans Broadway. Dans le bureau de Kent, prof d'espagnol et responsable de la campagne *anti-draft*, une affiche accusait : « *The Silent Majority* », au-dessus d'une vue sur un cimetière militaire. À côté, la célèbre photo du massacre de Kent University, l'expression de désespoir de l'étudiante agenouillée près de l'un de ses camarades tué par la Garde Nationale. Entre les deux, une citation inscrite directement sur le mur : « *Those who make peaceful Revolution impossible, make violent Revolution inevitable.* » J.-F. Kennedy. Portraits de Ho Chi Minh et *posters* des *Black Panthers* alternaient avec des découpures obscènes de Nixon. Après s'être informés sur nos activités (tous les réseaux avaient retransmis des images des barricades de juin 69 à Grenoble), ils m'avaient entretenu de la politique du gouverneur Reagan, « réactionnaire dangereux qui s'appuyait sur douze millions d'habitants originaires des États du sud, soit 60 % d'une population au potentiel fasciste latent, afin de gravir les échelons vers la fonction suprême ». Ce qui ne semblait alors qu'une hypothèse les inquiétait. (Aujourd'hui Reagan affronte Mondale dans une course à la présidence au cours de laquelle,

prédisent les éditoriaux, Mondale sera écrasé. À moins que
Geraldine Ferraro ne le coiffe au poteau...) Ils m'avaient
raconté les circonstances dans lesquelles ils avaient bloqué les
trains de munitions pour le Viêt-nam – bien avant les *minorités
agissantes* de Cohn-Bendit ou de Rudy Dutschke –, véritables
pionniers de la révolte étudiante qui devait déferler sur les
capitales occidentales.

Mais cet après-midi les rails de la colère étaient rouillés et
le campus singulièrement désert. Du haut du campanile, toute
la Bay Area bouillonnait sous une épaisse chape de chaleur
grise, son pourtour à peine discernable. De l'autre côté montait
l'effluve des *trampas* invisibles et de leur implacable fournaise. Un prof français accompagné de sa petite fille faisait
visiter les jardins à un ami et lui décrivait les cours de
littérature dont il était chargé au French Department. (L'offre
qu'ils m'avaient faite d'un poste, lors d'une entrevue que
j'avais sollicitée, mais il fallait déposer une demande immédiate, et il y avait la thèse à finir sur Kafka, et les camarades
de Grenoble...)

Dans Telegraph Avenue curieusement rétrécie, rien ne
subsistait du folklore des années folles. C'est dans les vitrines
que s'exposent maintenant les articles des hippies autrefois
orfèvres, cordonniers, maroquiniers, etc., reconvertis en petits
commerçants d'artisanat de luxe.

Berkeley végète dans l'ennui d'une petite ville de province
boudée par les touristes...

Les rares slogans peints sur les murs, presque timides,
s'opposent à la course aux armements ou dénoncent la
détérioration de l'environnement. Dans une ruelle, une version
d'époque, oubliée, ordonne toujours : « *Change it or leave
it !* » (Les journaux citent justement Jerry Rubin, l'un des
animateurs de la vague hippie et théoricien de sa génération,
l'auteur de *Do it*, qui, à présent conseiller financier chez *John
Muir and Co* à Wall Street, aurait déclaré que « l'argent et le
pouvoir allaient captiver l'attention au cours de la décennie
80 ». « *Let's make capitalism work for everyone !* » aurait-il
lancé.

(Les locaux de la *Oakland Film and Video Association* étaient vides, comme abandonnés. Pourtant l'adresse est bien celle du bottin professionnel. Où sont-ils donc tous passés ?)

▼

17 H, RETOUR AU *WMCA*.

Retrouvé Hector près du stade de l'université, à Berkeley ! Absolument pas étonné de me revoir, heureux d'apprendre que je venais préparer mon installation à San Francisco. Devenu éducateur dans une communauté de Oakland, il était en promenade avec une bande de gamins, Noirs, Coréens, *Mexicanos*... Je les ai accompagnés chez *Edy's*, dans Shattuck Avenue, où ils allaient prendre une glace. Hector, l'Indien navajo qui logeait à la commune des *I'Chud* et consacrait tout son temps aux réunions militantes. Il ne rentrait que pour rédiger ses articles. (Il travaillait pour le *Navajo Tribe* et m'avait prêté *The New Indians*, de Stan Steiner.) Cette année-là les Navajos occupaient Alcatraz, l'île des Larmes, afin de provoquer une réflexion à l'échelle nationale sur l'extinction de leur identité et la perte de leur héritage ancestral. Dans la foulée de la crise morale qui secouait les *sixties*, le *Red Power* luttait pour la reconquête d'une Amérique débarrassée du racisme et de la misère, en solidarité avec tous les déshérités du « système ». La drogue n'intéressait pas Hector ; le plus souvent à l'écart des autres, il ne parlait jamais quand ceux-ci étaient présents.

« Nous aussi sommes revenus de ces années de feu où, bandeau au front et visage masqué, nous comptions rallier les masses à notre cause. Nous nous sommes pris en mains. Nous éduquons nos jeunes, élevons le niveau de santé de notre peuple, assurons notre propre développement. Nos réserves sont riches en ressources naturelles, et la lutte pour le droit de les exploiter se poursuit à présent avec des experts et des avo-cats formés dans nos propres rangs. Certes, la menace est encore très grande, et tout ce qui nous reste vraiment, c'est notre terre. Une prise de conscience s'amorce cependant en

Californie, on réaffirme des valeurs qui sont les nôtres depuis des temps immémoriaux, partout on commence à comprendre ce que nous entendions par la " terre nourricière "... Leur phase " écolo " peut nous servir, finalement.»

Nous avons évoqué le week-end passé dans le *hogan* de sa famille, en Arizona, cette hutte traditionnelle des tribus navajos, construite en adobe. Il m'y avait offert l'hospitalité et nous avions couché à même le sable. Et cette image forte, qui m'est restée, du lever du soleil sur le désert qui s'étendait comme une natte au-delà du seuil sans porte. C'est ainsi, m'avait-il appris, que les Indiens orientent toujours vers l'est l'ouverture de leurs habitations.

Les enfants s'impatientaient, nous n'avons pu converser longtemps, nous promettant de nous revoir bientôt.

▼

20 HEURES AU *COFFEE CANTATA*, DANS UNION STREET.

San Francisco, 1ᵉʳ juillet.

Très chère. Me revoilà au Coffee Cantata *où je m'évadais souvent pour vous écrire (remémorant pour vous les bords du Rhin à Mayence, ou les concerts* Schubert *dans la cour du château de Heidelberg), sous les palmiers de la terrasse qui surplombe la baie, et où je viens renouer avec le rituel d'alors, où la musique prête au panorama sur le* Golden Gate *la portée d'un destin exaltant.*

(Mais vous y étiez absente, ma sœur, vous qui, cet été-là, couriez les oasis d'Afrique du Nord, Le Passager du transatlantique *de Benjamin Péret sous le bras, tandis que je parcourais ces confins de l'Eden en éclaireur, ouvrant pour nous l'Amérique que nous nous étions promise cette nuit de juillet 1969 dans la prairie sous la lune qu'un homme était en train de fouler.)*

Et l'on peut apercevoir sous un ciel d'ambre les navires quitter le continent pour un Orient dépouillé de ses fastes. Ils disent qu'en Chine on meurt de faim, mais ont-ils vu ceux de St. Anthony Kitchen, *le regard éperdu ?*

En revenant de Berkeley, aujourd'hui, j'ai rejoué ma première arrivée à San Francisco, lorsque, après le bref tunnel qui franchit l'île de Yerba Buena – le premier nom de Frisco –, *on a l'impression d'aborder enfin le pays lointain au bout de toutes les terres. Depuis le sommet du pont, tout le front de l'Embarcadero apparaît d'un coup, effrangé d'un manteau cotonneux d'où émergent les dômes des collines, les tours et les toits cinglants de lumière, tandis que roulent sur les eaux du détroit de tumultueux brouillards pareils à de hautes vagues d'argent dans le soleil intermittent. Et par les longs corridors des voies d'accès l'on pénètre avec une volupté onctueuse dans le cocon de la ville, comme une irruption dans de nouveaux mondes, et l'on est repris par l'enchantement, et l'on croit que le bonheur est à notre portée, et que nous voilà entré dans les sphères étincelantes de la vraie vie, enfin...*

Alors les chevaux du désir se sont remis à courir, brisant les arêtes du doute, écartant les rideaux du temps, martelant l'écume ; leur galop fit retentir à nouveau (ô un instant seulement !) le vieil appel du large, et toutes les images enfouies au fond des malles resurgirent, éclat kaléidoscopique d'époques bouleversantes et de visages aimés. Mais cités fabuleuses, tropiques et océans, sources émeraude et déserts pyramidaux se fracassèrent contre mon impuissance, terrassé que je suis par la fatigue de rives ajoutées inlassablement aux rives.

Je venais de succomber à l'illusion, une fois encore, trait foudroyant me transperçant le corps, aussi vite évanoui que l'éclair reliant les berges du Neckar au Bay Bridge de San Francisco (toll).

... Ainsi donc, ma sœur, nous n'irons plus en Amérique. Le temps a perverti les courbes du soleil, engourdi notre élan en brouillant l'iti-néraire de nos espoirs. Comme l'effet de ce dernier mouvement de la Neuvième Symphonie *de* Mahler *qui gueulait dans la voiture : de véhémentes plages sonores, amples, pleines, et tout à coup les sons ténus de cordes, en attente, hésitants, suspension contemplative que je traversais à quatre-vingts milles à l'heure.* Sehr langsam und noch zurückhaltend. *(« Très lent et se retenant encore. »)*

Que vous dire d'autre, sinon que San Francisco est devenue une poubelle où tous les ratés du rêve américain s'agglutinent, accrochés au grillage qui les sépare du mirage, ghost town *de notre jeunesse.*

(Pas encore passé par la poste. Continuerai cette lettre plus tard. Vous embrasse.)

Demain, le Pacifique...

2 JUILLET, TERRASSE DE DÉGUSTATION AU COIN DE FISHERMAN'S
WHARF.

Après quelques coups de fil infructueux aux compagnies
de production vidéo, et sans réelle envie d'insister (j'ai le
temps, après tout), je me suis décidé. J'ai d'abord rôdé pendant
une heure dans le quartier de North Beach, m'attardant parmi
la faune de Columbus Avenue, puis marchant jusqu'à Pioneer
Park, au pied de la Coït Tower, flèche scintillante érigée à la
manière d'un trophée indien ; du haut de Telegraph Hill, la vue
offrait une composition de carte postale : trois lampadaires, des
bosquets de lauriers en premier plan, et la rue qui zigzaguait
vers les bas-fonds indistincts. Au-delà, la baie étalait son arc de
cercle tissé de l'or des ponts. C'était Rio de Janeiro un jour de
décembre... Entre les îles un paquebot de croisière se déplaçait
dans un flamboiement de poussière lumineuse. Angel Island, la
plus sauvage, se confondait avec les criques de Sausalito,
sculptées d'ocre rouge, et c'était Cap Frio, au retour du Brésil.
Vers l'ouest, dans une légère vapeur poudrée, on devinait la
percée du Pacifique ouvert sur tout l'espace du monde –
comme un défi lancé à la tâche qui m'attend.

Alors, contournant la Russian Hill par Lombard, le souffle
retenu, je suis descendu très prudemment vers le port, tournant
en rond, comme à la recherche de quelque chose que j'aurais
perdu, sans savoir quoi, avec l'angoisse de celui qui, proche du
secret, pressent qu'il doit l'affronter. Presque au but, je multi-
pliai les détours, mais plus je me rapprochais de ce point
aveugle, plus s'aggravait la pente sur laquelle il me semblait
glisser. Le poids des années était plus fort que mon refus et
m'emportait implacablement à la périphérie du tourbillon.

Alors, quatorze ans plus tard, au-delà d'un océan et 3 000
milles de route, et après quarante-huit heures d'une approche

concentrique, j'ai abouti à ce carrefour de Fisherman's Wharf, ce coin de trottoir où j'ai passé un mois de mes jours et de mes nuits à caresser un avenir auquel j'aspire toujours. Rien n'avait changé, ou plutôt, dans ce qui m'apparut comme un effet de surplace insupportable, tout était différent. Comme hypnotisé, j'ai fixé cette parcelle d'asphalte à l'angle de Jefferson et de Hyde, comme si elle recelait un mystère que j'aurais voulu percer.

Car c'est là que tout s'est joué, en 70.

Cet été-là, nous étions quelques Français à avoir conquis la place, vendant à un prix éhonté à des cow-boys émoustillés du Middle West les hebdos politico-pornos de la *free press* (le *Berkeley Barb*, le *Maverick*, le *Berkeley Tribe*, *Love*, etc.). Max le dur (qui attendait son copain Georges Moustaki, et qui était au courant de toutes les combines pour se débrouiller à San Francisco) faisait équipe avec Patrick (qui accumulait méthodiquement les dollars nécessaires pour une virée en Amérique latine). Tous deux avaient installé un stand de fortune sous les galeries d'en face. Christian, le Parisien tourmenté à la pensée de son mariage prochain, et tenté par les propositions de Patrick (de partir avec lui), opérait à la volée avec moi ; tous plus ou moins aventuriers en transit, faisant de San Francisco la plaque tournante de nos projets, écoulant notre camelote de huit heures du matin à minuit, debout sous un soleil accablant malgré les vents acérés.

Quand s'éteignaient les dernières vitrines, et que, chassés par le brouillard glacial, fuyaient les noctambules, Fisherman's Wharf devenait alors notre domaine (sous l'œil bienveillant des flics de la patrouille de nuit). Notre veille débutait au *Ott's Drive-In*, restaurant circulaire ouvert vingt-quatre heures sur vingt-quatre, où la serveuse avait des traits d'un grande mélancolie et la beauté tragique d'un personnage de Bergman. Après les comptes, Chris m'entretenait de son ami Marco, et je lui parlais d'Erick et des romans que nous voulions écrire. Nous discutions aussi de politique et de philosophie, échafaudant plans et théories, puis nous venions prendre notre tour de garde ici, car il était impérieux de conserver l'exclusivité du carrefour, particulièrement rentable. Couchant à cet effet sur place, enroulés dans des cartons d'emballage dans l'entrée en encoignure du magasin de jouets (ah ! la mécanique obsédante de ce canard, derrière la vitre, qui plongeait et replongeait toute la nuit son bec dans un gobelet d'alcool !) ; plus tard, nous réfugiant, recroquevillés, dans la *Coccinelle* que Christian avait achetée d'occasion ; parfois contraints d'essuyer des rixes avec des concurrents plus téméraires, indigènes (mais quand ils occupaient le terrain, les hippies n'avaient pas notre ténacité) ; entrecoupant nos somnolences de cafés au *drive-in* ou de parties de *foot* sous la halle avec les clochards ; fondant le Front de Libération Solaire, section des Aurores astrales, département de l'Aide aux Sinistrés de la Société Capitaliste, dont le slogan était « *Free the Sun !* ». Une femme en loques venait parfois dormir sur « notre site », ne nous adressait jamais la parole, et nous n'osions la déranger.

Magie des nuits de San Francisco, la ville-éperon enveloppée d'un halo phosphorescent et cernée par le mugissement des navires qui se répercutait longuement dans la baie, et jusqu'au sommet des collines ; ports de nuit, nuits du monde, – « *Et puis ce souvenir éclaté dans l'espace...* » –, les nuits blanches de Forêt-Noire...

Vers cinq heures, j'entraînais un Christian ensommeillé dans la bruine crachinante où se profilaient les mâts du *Balclutha* (le dernier *Cape Horn square-rigger*) et parfois, en arrière-plan, les contours du rocher d'Alcatraz, poussant jusqu'aux docks pour assister aux appareillages ou au retour des chalutiers, nous mêlant au bruyant spectacle de la criée au marché de poisson, dans une affluence d'odeurs fraîches et de cris qui avait de quoi nous rendre nos esprits. Pour revenir transis et frissonnants d'humidité au *Ott's* où nous commandions une soupe chaude, essayant de résoudre l'énigme des « *clams chowders* », bavardant avec les travailleurs du matin, mariniers et éboueurs, flics en fin de quart, ou avec tous ces êtres singuliers qui sortaient d'on ne sait où, écoutant avec eux sur les juke-box de table « *Close to you* », de Carpenter, ou « *O Happy Day* », de Glen Campbell. Le *Bay Guardian* à peine lu, le *fog* s'était levé, et, sans qu'on s'en aperçût, ce n'était plus la nuit ; une lueur naissait doucement de partout, l'aube s'allumait de nacre sur les cubes et les corniches d'Argos la blanche : et c'était comme à Titisee en remontant de Freiburg, ou comme à Rio, Orphée au lendemain du carnaval, ou un matin amoureux le long du Neckar, le même sentiment fébrile d'une liberté infinie, d'une possession absolue du temps, le même bonheur...

Le premier *cable car* bringuebalant déversait à Ghirardelli Square ses visiteurs frais rasés (tout à fait *des étrangers* sur notre territoire !). Notre copine, la jeune violoniste, plantait son chevalet en bas de Leavenworth, là-bas. Un membre des Témoins de Jéhovah se postait parfois près de nous pour tenter de placer la feuille de chou de sa secte, *Awake !* ou *The Watch Tower.* Dieu et le sexe côte à côte. Nos gains le scandalisaient, et il nous faisait pitié. Nous l'invitions parfois à dîner sur nos bénéfices, nous prenant nous-mêmes, non sans provocation, pour des prostitués qu'il s'agissait de convertir. Il acceptait et en profitait pour nous vendre sa salade ; mais nos arguments, renforcés par nos discussions nocturnes, le désolaient. Préférant, quant à nous, notre ami Fidel, un soi-disant révolutionnaire mexicain qui se baladait avec un couteau de carton entre les dents et qui apostrophait les passants ou tapait sur les hippies qu'il traitait de bons à rien. Et ce prêcheur noir qui communiquait avec Dieu à l'aide d'un téléphone rouge dont le cordon lesté de cailloux était attaché à un tourne-disque d'enfant qu'il remorquait derrière lui. Et vers le soir, les petites marchandes de fleurs...

À la fin du mois, bombardé de lettres pressantes, Christian rentrerait en France pour se marier, résigné ; Patrick embarquerait pour le Chili, et Max partirait faire de la moto avec « son pote Moustaki » dans les déserts du Nevada.

J'avais amassé une somme suffisante pour continuer le voyage interrompu, et le détour par le Mexique, imprévu, impensable, apparaissait alors comme une perspective réalisable. Sans que le dessein d'y chercher Erick fût encore tout à fait formé...

▼

Il n'y a plus de vendeurs aux angles du carrefour. Des boîtes distributrices nous ont remplacés. (Il n'existe aucune photo de moi, de nous, à San Francisco. À quoi ressemblions-nous, à quelques pas de là, dans notre simple état de bohème ?)

▼

17 h, de retour au *WMCA*.

J'ai passé le reste de l'après-midi à battre le pavé du quartier, hagard et incognito parmi la foule, en larmes, cherchant à comprendre ce qui s'était produit depuis Grenoble. Tout ce que je croyais en avant de moi (projets, amours, création...) pour un nouveau (le vrai) départ se trouve en réalité *en arrière*. Mais cette constatation était prévisible dès Montréal. Mon désarroi est d'une autre nature que l'apparente évidence de me dire : « C'est là que j'aurais dû vivre. » Car même cela n'est pas sûr. Mais alors quoi ? L'avenir qui n'est pas advenu : *il est quinze ans trop tard*. Ma vie est en balance, et, sur le versant qui se découvre, il n'y a plus d'Ouest.

Les touristes se bousculaient sur l'esplanade de bois, joyeux, et je n'étais pas des leurs, intrus égaré dans un jardin qui un jour nous appartint. Très las, désemparé, j'ai regardé les îles, les vedettes d'excursions. Le cap-hornier n'était plus là. Sur la jetée des familles chinoises étaient venues pêcher, et leurs silhouettes se découpaient contre l'intense radiation orangée de l'air qui verdissait les eaux. Tout était tranquille, quelques cognements de coques, un clapotis de vaguelettes, et le ricanement des mouettes – sarcastique.

Ainsi, petit camelot de Fisherman's Wharf, tes aubes seront réfléchies avec plus de vérité, et tu n'auras plus à t'essouffler sur la colline du Telegraph où hurle parfois dans la nuit un pauvre chien qu'on martyrise.

▼

« It's not the end of the earth but you can see it from here. »

MÊME JOUR, DÉBUT DE SOIRÉE. *CLIFF HOUSE*, TOUT AU BOUT DE GEARY BLVD.

Tous vaisseaux brûlés, le front contre la vitre face au Pacifique, j'ai atteint l'ultime limite : à l'opposé du rêve de l'Orient, l'Amérique finit ici, dans les brumes qui s'élèvent de l'océan, évaporée avec ceux qui s'imaginaient y façonner un « nouvel âge ». Descendant des hordes qui, parties d'Extrême-Orient, ont traversé les grandes plaines d'Asie, j'ai aboli la distance qui les séparait de l'avenir.

Grondement assourdi des rouleaux qui déferlent sur la plage, sur lesquels voltigent des *surfers* évoluant parmi les cormorans. À hauteur de mes yeux, des goélands en vol oscillent sur place, suspendus dans le vent chargé d'embruns.

Ô vertige ! L'horizon s'est refermé sur mon avance et, devant le silence des voix qui sature l'espace de blancheur, j'ai...

L'écume des songes, griffée d'arcs-en-ciel, se condense en larmes sur le visage.

La salle très surréaliste se présente d'abord comme un dépotoir de luxe à l'éclairage tamisé. Il y flâne, entre les miroitements de bière et l'angoisse de Gaspard, de jolies blondes insipides. Sur scène, Trucy l'Orgueilleuse murmure sa mélopée à la guimauve. Je flotte derrière l'écran de fragiles ruissellements d'eau. Sous les paupières oublieuses, des soleils stroboscopiques ressuscitent les figures mortes. La fille qui danse dans les nues, au-dessus de « *la mer allée avec le soleil* »...

(*Horam sole nolente nego*, commentait le cadran solaire du Golden Gate Park.)

Errances. Dédale hébété dans les circonvolutions de son désir. Vers quels mondes inouïs ou de quels retours impossibles (interdits ?) pourrait désormais se nourrir le mouvement ? Là-bas sous la mousseline liquide qui conjugue l'azur et l'outremer, l'Extrême-Occident se dresse, point de départ de l'épopée : du belvédère du lac de Constance à la terrasse du *Cliff House*, l'Orient se dérobe, destination d'origine aussi chimérique, vue d'ici, que pouvait l'être l'Amérique du fond des forêts allemandes. Est-ce par le retour qu'on meurt ? Et du roc en fleur, sous les pavots de la houle, laisser surgir l'irrémédiable nouvelle : Eurydice a tué Orphée. Le jour où je vous retrouverais... *« Lou si je meurs là-bas souvenir qu'on oublie – souviens-t'en quelquefois aux instants de folie. »*

Parfois le bruit percutant d'un choc : ce sont les oiseaux de mer qui viennent se casser le cou contre le ciel que réverbèrent les larges baies transparentes de l'observatoire. *Our Specialities Are Seafood Surf And Sunsets.*

L'effroi devant l'horizon dissous. Vouloir vivre ne fait plus rien bouger, aggrave même la situation, tel le poisson qui, se croyant toujours dans les profondeurs illimitées, est déjà pris dans la nasse. Il se débat, mais l'espace se referme sur lui, et le combat qu'il engage farouchement l'enserre toujours davantage dans les mailles du filet – que l'on hisse bientôt hors de l'eau.

Ici, sur le point de s'accomplir, la boucle se casse, le serpent ne réussira pas à rattraper sa queue. L'Amérique, le milieu et la fin. Le centre du cercle n'était pas l'issue du labyrinthe. Que faire quand on rencontre cette vérité ?

Il faudrait plonger dans le rideau de feu, comme on affronte le projecteur dirigé sur soi, et qui nous aveugle – sauter de l'autre côté de l'écran dans le fracas et la folie des coulisses, noyé par le rêve qui nous colle au lit contre le réveil redouté.

Il faudrait prendre la voile, et tout recommencer en remontant le temps. Mais toutes les directions ont été parcourues, et mes boussoles intérieures sont devenues folles.

Là-bas Cathay a sombré. Les eaux invisibles ont englouti le soleil. Je suis à l'autre extrémité de ma naissance, au plus loin du jour nouveau qui ne viendra plus. Plus d'or aux lisières des soirs : une éruption de cendre couronne mes illusions, débris calcinés de mes ailes coupées.

▼

SOIR, TARD.

Que faire à San Francisco, maintenant ?

7 heures du matin, *WMCA* le 3 juillet.

Des enfants descendent en luge une longue piste de neige.
La caméra est en avant, et l'on ressent la vitesse – qui s'accélère. Et c'est l'épouvante. Car personne n'ignore qu'en bas c'est le néant et que, lancés à toute allure, ils vont s'abîmer sans recours. D'autres glissent comme des corps déjà morts vers l'immense fosse. Vers la mort qui les attend, dans le gouffre lugubre de la mort où ils se précipitent.
La sensation, quand j'ai ouvert les yeux, d'être aspiré vers le fond.

▼

8 heures.

Le choc ! On a cambriolé ma voiture ! Je l'avais garée plus haut, en face de Jefferson Square. Glace d'une portière arrière défoncée, éclats de verre partout, chaos... Fouillé aussitôt à la recherche de la sacoche de documents. En vain. Grimpé ici quatre à quatre pour vérifier, mais non, ils l'ont bien prise (l'avais dissimulée sous le siège, pour ne pas me la faire voler au *WMCA* !). Aussi : le sac des accessoires photo, qui contenait les pellicules, dont celles exposées durant le voyage. Quant au reste... – qu'importe le reste ! (Bien peu d'intérêt pour eux. Ils n'ont pas emporté la tente, c'est toujours ça.)
Abasourdi. Colère et confusion. Comme si le sol s'ouvrait sous moi. Tout paraît si futile, tout à coup.
Dépouillé...
Foutre le camp. Je n'ai plus rien à faire dans ces bas-fonds. (Mais où ?)

▼

Plus tard matinée.

Cette lourdeur qui englue tout, une furieuse envie de m'enfouir dans un trou et de dormir très longtemps. J'énonce mentalement ce qui est perdu, chaque fois saisi de nausée, comme si chaque fois s'arrachait un nouveau morceau de moi. (Seul ce cahier, presque rempli, a été épargné, avec les quelques lettres que j'y avais insérées...)

Au moment de plier bagage (mais quels bagages ?), j'ai subitement pensé au courrier que je n'ai pas encore reçu (rien hier). J'ai appelé à la poste, la section du *General Delivery* sera en service entre 10 h et 11 h, demain, malgré leur foutu *Fourth of July*. Suis contraint de rester, au cas où elle m'aurait écrit. La dernière chance. Je ne tiendrai pas un jour de plus.

▼

19 heures.

Tout est prêt pour le départ.

Mon impuissance (et ma rage) face à une si brutale dépossession. Passé en catastrophe chez Hector, le seul que je connais ici, sans vraiment savoir ce que j'espérais de cette visite. Comme s'il était en mesure, *lui*, de me ramener mes photos, mes carnets, tout ce qui...

« Sois sans crainte, Markus, tu es sauvé, et tu ne le sais pas encore. Vois, après avoir côtoyé l'air et le feu, tu as finalement rejoint les eaux, même si te voilà au bord du précipice. Que ce faux-pas ne te fasse pas basculer. Tu es meurtri, c'est normal, mais – ne m'en veux pas de te le dire – ces choses t'alourdissaient, te retenaient. Concentre-toi maintenant sur la rive, tu en auras besoin comme d'un cordon, ne la lâche pas. *Pas avant d'être prêt...*

— Mais comment le saurai-je ?

— Repose-toi sous le saule... Alors, il ne faudra pas

hésiter. Le passage sera douloureux, le plus difficile est à venir. Mais tu es courageux. »

Je me taisais, insatisfait, surtout incrédule.

« J'éprouve ce que tu éprouves, continua-t-il. C'est parce que tes semblables convoitaient ces rivages qu'ils appelaient *providentiels*, et tirés de leur imagination, mais aussi de leur propre peur atavique, que mon peuple, étoffe autrefois tissée de textures variées, a été déchiré, et ses fragments éparpillés dans la tourmente. Nous n'étions plus rien, n'étions plus de nulle part, pareils aux orages qui s'abattent à l'improviste, effrayants mais sans durée, — frères des vents, insaisissables, exilés de nous-mêmes. Et tu vois... »

Je ne suis pas plus apaisé.

Il partait pour Astoria, quelque part en Oregon, et me proposa de l'y rejoindre quelques jours, si je voulais me changer les idées. Je le remerciai, mais sans enthousiasme. Il me donna quand même l'adresse.

En Oregon ?

FOURTH OF JULY, 7 HEURES.

Dans l'explosion qui a fracturé les ténèbres surgit la conscience d'une sorte de Babylone californienne où se ren-
contraient, dans un jaillissement lumineux, l'extrême violence
et la plus exigeante humanité – une confusion d'où renaître
semblait néanmoins possible. D'une ville qui, au réveil, avait
disparu...
J'ai arraché du mur le plan de San Francisco.
Délire d'eaux glacées aux marges du jour.

▼

10 HEURES, À LA POSTE, COIN MISSION ET 7ᴱ AVENUE.

Surprise au guichet : deux lettres pour moi, *in extremis*.
Pas en état de les lire maintenant.
Erré dans Market en attendant l'ouverture, parmi les
fanfares, les cavaliers, les majorettes – absent, abattu, avalé par
les foules de la parade. *Independence Day*. Les États-Unis
exhibent partout leurs étendards de certitude : bannières étoilées et drapeaux blancs de la *Californian Republic* alternent
fièrement avec les banderoles des associations du genre *Kentucky Lions* ainsi que celles des sociétés d'harmonie ou des
corps de majorettes. L'idole qu'ils chérissent s'est multipliée
par mille, et, d'un océan à l'autre, des millions de lèvres for-
meront le même son à l'apparition du dieu cravaté. Six cents
Américains y laisseront leur vie, aux sons du « *Star-Spangled
Banner* » et de « *America the Beautiful* » : « *O beautiful for
spacious skies...* »
Suis tombé sur un *ARMY SURPLUS* dans Castro Street (le
quartier gai, plein d'ex-hippies rasés, musclés, *diet self-*

conscious et portant boléro de cuir). En ai profité pour racheter une lampe à gaz et divers ustensiles de base. (Ont même emporté mes poêles de Remollon, noircies par les feux de bois de Provence et d'Amérique, qu'en feront-ils ?) Acheté aussi un vieux bouquin sur l'Oregon, *The Wake of the Prairie Schooner*, d'une certaine Irene D. Paden, édité en 1943, ainsi qu'un cahier neuf, à la couverture d'un affreux violet. Et un bloc de papier. (Ma réaction d'impatience au moment de remplacer mes cartes disparues. Y ai renoncé.)

Finir ma lettre de dimanche.

P.-S. 4 juillet, à la poste.

Dévalé les rues pour attraper à temps vos lettres (ils les avaient « égarées » !) et pour terminer celle-ci (vous en ai déjà envoyé une, datée de vendredi). Le trouble que suscitent en moi cette simple démarche et votre écriture sur ces enveloppes Par avion *de France, ici même, une fois encore...*

Comme vous le constaterez, mes premières impressions n'auguraient rien de bon. Et voilà que la catastrophe me tombe dessus : je me suis fait cambrioler ma voiture, ce qui ne serait rien sans la nature de ce qui m'a été enlevé (vous me connaissez : ces bouts de papiers, ces photos, signes et repères...) – et je le vis comme une agression, blessé comme un animal. Plus aucune raison de rester ici, sans trop savoir non plus où aller. Comme une rage, l'urgence de partir, c'est tout. Quelque chose meurt ici qui me renvoie au chaos alors que je croyais en sortir.

Vous ne parviendrez plus à me rejoindre, je m'enfuis, la colère repliée comme une feuille de journal qu'on jette, jamais le même jour que la date. The last chance. *Le cri n'est d'aucun recours contre les pétards, les sifflements des sirènes et leur allégresse de pacotille. San Francisco la trop belle, la salope, est une épreuve, et ça suffit.*

Vous embrasse.

« Tomorrow is the first day of the rest of your life *», avertit partout une affiche. Trancher de ses millions de vaisseaux les quelques-uns nécessaires pour se remettre à respirer...*

« I have dreamed so intensely of you, walked so much... » *vous écrivais-je en 70, citant Desnos. Je ne vous ai jamais quittée, chère, j'étais parti à ma recherche, à la recherche de l'inaccessible unique clarté. Mais qui êtes-vous, vous que je nomme à travers les reflets d'autres et mêmes visages ? Mon Ariane perdue, ma folie, l'oasis de nuit dans les naufrages... Quand j'en aurai fini (mais quoi, où — désormais ?), j'intitulerai mon journal de voyage* Myth'notes, *pour être dans le ton, un ton, n'importe lequel, et je vous l'enverrai. Et si je ne reviens pas, dites-leur que la mort était déjà dans mon enfance et que j'ai voulu vivre intensément.*

Mk.

▼

AU *JACK-IN-THE-BOX* DANS LOMBARD, 14 H.

Un dernier café. Besoin impérieux de solitudes sauvages, je pars.

Chercher le long de la frontière la possible ouverture.

Deuxième Cahier

Mercredi 4 juillet, 21 heures. Salt Point State Park (sur la route 1, *Shoreline Highway, North.*)

Incapable de me situer, ai dû vérifier ma position : entre le fort russe et Stewarts Point. Ne me suis éloigné que de cent milles de San Francisco. Il y a si longtemps, me semble-t-il...

De l'autre côté du Golden Gate Bridge, la Porte d'Or enfin franchie, j'ai tenu à faire une halte. Le stationnement était plein des autocars du *Fourth of July*, et la plate-forme bondée de monde. Les touristes posaient en grappes devant la célèbre perspective. Sous une voûte de cirro-stratus dérivant lentement en altitude, San Francisco se dissimulait sous une épaisse nébulosité qui l'enrobait d'une nappe sombre. Une fulgurance argentée en effleurait parfois le cap de son faisceau, l'embrasait un instant de cette aura qui n'appartient qu'à elle. La plainte des cornes de brume avait la monotonie obsédante d'un glas.

Un couple de jeunes Mexicains m'a abordé. Un peu timides, ils m'ont tendu leur *Instamatic* afin que je les prenne ensemble. Au moment du déclic ils durent sourire, mais ils étaient si minuscules dans le petit viseur, écrasés par l'immensité du ciel, que je ne m'en aperçus pas. Sans doute crurent-ils imprimée pour toujours l'image d'un avenir qu'ils doivent se représenter sans limites. Je faillis leur dire que moi je venais de buter sur la limite... Ils m'ont remercié en espagnol, avec un accent des îles presque familier. Je regagnais la voiture, lorsque, me ravisant, je leur ai confié mon *Leica*, sans un mot, et me suis adossé au parapet. Placé à contre-jour, je savais que le jeune homme ne ferait pas la correction de diaphragme, et que, sur cette dernière empreinte d'une ville où j'avais cru me fixer, je ne serais qu'une ombre contre un décor dissous. Pendant qu'il ajustait la bague des distances, je me suis retourné vers l'Héliopolis que j'allais définitivement quitter, et, d'un ultime regard générique et froid, lui dis mon adieu. « ¡ Sonria ! » C'est en redressant la tête que j'ai entendu le déclencheur. Tant pis. Entre l'arrivée en gare de Neustadt, même simulée, et la rupture avec San Francisco, deux diapositives ratées encadreront vingt années d'une conquête compromise. Qui s'achevait là : au-delà des épaules du Mexicain, tortueuse, une route sans raison m'attendait.

Ici je suis provisoirement à l'abri. Si ce n'avait été de renouer physiquement avec les grandes forces naturelles, de ressentir à nouveau l'émotion vive que soulevaient en moi les âpres et grandioses paysages marins de la Tamalpais Valley – j'aurais renoncé. Mais renoncé à quoi, comment ? Entre l'ouest évanoui et l'est impensable, je monte vers le nord comme une loutre traquée. Me soustraire au rayon mortel. Une fuite éperdue, sans but...

Ma tente dressée sur l'extrême bordure de l'occident (du monde ?) parmi les séquoias et la brise légère. Les Russes se sont aventurés jusque dans ces parages, issus de la Sibérie orientale (Bodega et Fort Ross en sont des vestiges). Serait-ce la voie ? Bourdonnement de l'océan proche. Le jour s'est éteint et une très ancienne terreur s'empare de moi.

(La couleur de ce cahier est franchement lugubre.)

5 JUILLET. 7 H DU MATIN.

La nuit a été d'une humidité salée, la clairière infiltrée d'effilochures floconneuses poussées par les vents du large. Dormir à la lune, enveloppé par la respiration de la forêt et la pulsation de l'océan... La cendre est encore assez tiède pour le café. En guise de petit déjeuner, soupe *« for one person »* et raviolis en boîte (n'ai pas mangé hier). Moiteur odorante qui tombe des eucalyptus, transparence rosée du matin.

Rêvé cette nuit : le feu que j'ai du mal à allumer dans une cabane. Je réussis enfin à le faire prendre, mais je dois partir, c'est comme un commandement, je n'ai pas le droit de me reposer ainsi. Course effrénée vers ce nord énigmatique de mes rêves vers lequel nuit après nuit je ne cesse de foncer, sans savoir pourquoi, et que jamais je n'atteins. J'ai depuis long-temps dépassé toutes les régions habitées, et c'est maintenant une piste de brousse dans un clair-obscur d'outre-monde froid et figé. Roulant sous la force d'une nécessité à laquelle je me soumets naturellement, je sais seulement qu'au-delà de ces steppes sans fin une chose mystérieuse et angoissante m'attend.

Solitude de chien, toujours cette lancinance dans le corps... San Francisco, la mère dévorante qui vous retient entre ses puissantes mâchoires, est une tenaille de laquelle il est impossible de s'extirper sans y laisser une partie de son âme. (Et de sa peau. Parmi ce qui m'a été volé : le carnet noir, toutes les photos liées à Erick, les lettres – sauf les rescapées dans le journal –, toutes mes cartes... Lambeaux de mémoire que je traînais comme un trésor, couches souterraines de l'Amérique... Comment contenir ce qui est touché, et qui menace ? Je me sens nu, encore écorché, très vulnérable.)

Comme la nostalgie d'un mouvement de caméra sur les portraits du roman familial, dans *Five Easy Pieces*...

21 H. Humboldt Redwoods State Park.

Le camp de Bohemian Grove est perché au sommet d'une pente, à l'orée d'un dôme forestier dénudé. En bas, l'Avenue des Géants est une somptueuse galerie voûtée, avec ses arches et ses dentelles gothiques, dressée de fûts pareils à des piliers de cathédrale, et qui sinue en un large cours le long duquel coule nonchalamment un ruisseau.

Je remonte la côte de ces confins inhabités comme une vigie aux lisières de l'empire, guettant la brèche sur le Pacifique. Où s'est noyé l'océan-espace qui toujours se déployait au bout de mes traversées ? À droite ondulent les crêtes de la chaîne côtière, où les froides turbulences océaniques se heurtent aux masses d'air torride débordant des *ranges*.

Le présent se perd dans le flou de l'étroite bande de terre qui s'étire devant moi – où la route qui me guide, dénudée et sauvage, serpente en corniche au flanc de falaises escarpées. Derrière les ciels irisés de mon pare-brise, elle me tire sur la frontière, à la fois impasse et chemin de garde, l'unique lieu de mon devenir. Il n'y a plus de destination visible : le nord est un grand trou noir dans lequel je m'enfonce, l'angoisse au ventre.

Roulé toute la journée à la frange du songe, ballotté dans l'alternance d'embruns engourdissants et de flots d'air chaud. Les hameaux, rares, sont accrochés aux falaises ou blottis dans les replis de vallons encaissés. Sans l'une des vitres arrière il faisait frais dans la voiture. À Mendocino, le garagiste n'avait pas le modèle équivalent. M'a dépanné en ajustant un morceau de carton. Mis au fait de mes problèmes de moteur à haut régime, il a vérifié, n'a rien remarqué d'anormal. Sur la pelouse d'un temple baptiste, en face de la gare désaffectée de Fort Bragg, cet avertissement floral : « *It did not rain when*

Noha built the Arch. » (D'où leur vient cet attachement à Noé ?) La route se perdit ensuite dans de vastes paysages désolés.

(Plus tard, sous un étrange ciel boréal, cuivré, j'ai voulu affronter nu les remous écumants, mais l'audace m'a infligé la cicatrice d'une brûlure glacée. Océan hostile, Pacifique guerrier...)

▼

Dans l'obscurcissement général on se rend tout à coup compte qu'une nouvelle source de clarté découpe des ombres au moment même où l'on croyait qu'allait s'éteindre toute lumière : la lune vient d'apparaître au-dessus des cimes. Un espoir léger renaît, et l'on est tenté de reprendre sur-le-champ la route dans l'autre sens. Mais la côte est le rempart inévitable de ma randonnée...

(Ce soir le mal est plus diffus, comme si le poulpe qui s'agite en moi s'était affaibli. Mais ces élancements, aigus : les pellicules de New York, de Gettysburg, celles de Monroe et de Death Valley – qui ne seront jamais développées ; surfaces et volumes, et jalons du temps, à jamais irréalisés ou anéantis par l'effraction d'une lumière illégitime... Il me restera les photos de San Francisco, encore dans l'appareil, amère consolation. Je m'interrogeai : quand cesserai-je de photographier les villes, les cimetières, les déserts ? Cette Amérique-là a déjà trop vécu dans les images, qui elles-mêmes se décolorent dans les tiroirs ! Combien de temps « tient » la *Kodachrome* ?)

6 JUILLET AU MATIN (HUMBOLT REDWOOD).

Rêve. Où l'on se retrouve, toute la famille et moi. C'est à
la fois à Paris et ailleurs. Je reviens de voyage. Ma grand-mère
vend des journaux au coin du boulevard Saint-Jacques. Au
fronton du portail nos noms sont inscrits en grosses lettres.
Celui de mon frère diffère du mien, et j'ignore pourquoi.
J'entre dans la cour : au fond, ma mère nage dans un petit
bassin ; elle me tend la main, je l'aide à s'asseoir sur le rebord.
Elle m'apprend que mon père est enterré dans le jardin, près de
ses frères. Elle va se changer. Quand je pénètre dans la maison,
ils sont tous là autour de la table et me souhaitent la bienvenue.
Je leur dis combien mon nom à l'entrée est une bonne idée,
ainsi que ce repas, la surprise qu'ils me font, etc. À voir qu'ils
existent encore si fort, j'éprouve un sentiment de solidarité
filiale inconnu jusque-là. Mais je dois repartir. J'ouvre une
porte, celle qui conduisait autrefois à ma chambre. C'est un
lieu indéterminé, et je l'aperçois, celle que je convoite depuis
si longtemps ; elle est folle, joue avec les hommes, danse avec
un Noir, s'éclipse avec lui. Je m'enfonce dans des corridors,
traverse des chambres vides qui n'en finissent pas.

Puis c'est une place, un village en Italie. Il y a une fête, et
elle est là de nouveau. Je n'en suis pas étonné, c'est ici chez
elle. Je lui présente le cadeau que je lui ai rapporté de
Montréal. Elle le déballe. Des parfums bon marché. Elle sourit,
je suis ému de l'avoir retrouvée, mais le malaise de ma gaffe
m'empêche de me fier à ce signe favorable. D'autres femmes
m'entourent. Désirs. Mais c'est elle que je veux, et de qui je
n'espère rien. Je lui rappelle les nuits de Rome, l'aventure
d'Ostia, elle se rapproche, et je pourrais croire encore qu'elle
va m'aimer, mais je sais que c'est un jeu de sa part. Un bouton
me démange sur le haut du bras, et je le gratte machinalement,
sans la quitter des yeux ; elle arbore le même sourire figé. Puis
mes yeux se détournent vers mon épaule. Une petite écorchure
se forme, dont j'essaye d'enlever un fragment, sans y parvenir.
Un trou s'élargit dans ma peau et, lorsque j'en presse les bords,
quelque chose émerge, puis se rétracte, frétillant comme une

très mince langue de reptile. Je voudrais m'enfuir, mais c'est en moi, et je ne peux plus bouger. Une bouffée de fièvre m'envahit, je redresse la tête. « Elle » a disparu. Affolement. Quand j'ose regarder de nouveau la plaie, une minuscule tête de vipère sort de ma chair.

▼

15 h 30. Jardin public d'Eureka (North California).

« There are billions and billions of life forms in the cosmos and the cat is king of them all », dit la légende de la carte postale jointe à ma lettre. (Pas la patience d'en relever tout. Ces quelques repères :)

... Avec raison, vous vous demandez ce que je cherche encore en Amérique, qui « n'a jamais été autre chose qu'une fuite », prétendez-vous sans ménagement. Mais comment le savoir sans le vivre ? Je suis seulement prêt à admettre avec vous que « l'expérience s'est plutôt transformée en obstination ». L'enlisement au Canada n'était pas prévu, voilà tout, et cette pétrification des forces vitales, j'aurais tout aussi bien pu la connaître à Grenoble qu'à Paris, mais avec, en outre, le regret de n'avoir pas osé faire activement face à l'interrogation. Que vous n'ayez pas été emportée dans les tourbillons de mon sillage, je ne puis rétrospectivement qu'en être heureux. Quant à un éventuel retour en France, je ne l'ai jamais réellement envisagé. Davantage encore que mon désarroi actuel, je le ressentirais comme l'aveu d'un échec. Je préfère encore ma déroute sur le bord de rivages ouverts. Vous voyez, encore une fois il n'y aura pas de finale à mon histoire...
(...)
... Mes « projets d'écriture » ? Mon métier satisfait en partie la même impulsion. Pour vous dire vrai, j'ai peur du repli farouche que l'écriture impose, de la terrible solitude de ce combat (Kafka, encore...). Quelque chose mûrit, je crois, mais il est encore trop tôt pour en juger sereinement (si une chose telle que la sérénité a jamais pu préluder à l'acte d'écrire...). (Mais quand même...)
(...)

... Je glisse dans d'aériennes forêts de séquoias et me baigne dans leurs criques émeraude. Et lorsque le soir le ciel se dégage, saturé de lumière, je m'arrête face à l'océan, attendant que, dans de grandes splendeurs illusoires, Horus se noie dans son propre embrasement. Alors, désormais sans lieu, je cherche une terre où me cacher.

(...)

... Encore rien trouvé, quoi qu'affirme le tampon sur l'enveloppe. Sinon, ci-joint, cette carte du cosmos où le chat est roi et veille sans doute sur moi.

San Francisco est loin, maintenant ; je me ressaisis, soyez sans inquiétude, ça va mieux.

Bises. Mk.

▼

21 H 15. En Oregon. Le long de la Chetco River, Siskiyou National Forest.

Le terrain est situé au début de la piste du Vulcan Peak, dans un endroit retiré. Un couple s'amuse avec son chat sur la berge de galets. En retrait, leur *Winnebago Warrior*. Fumées résineuses des feux. Ici je ne serai pas isolé (je suis devenu d'une prudence inquiète). Tout est humide dans la voiture, le carton ne tient pas ; mes notes de route sont illisibles sur le bloc.

Au poste de la Santa River Inspection Station, trois jeunes filles rescapées de l'ère hippie m'ont interpellé pour que je les prenne en photo avec leur appareil sous le panneau *WELCOME TO CALIFORNIA*. Tout excitées, elles m'avouèrent qu'il s'agissait là de leur première virée en Californie. Quand je leur ai demandé comment c'était « là-haut », messagères pressées de Thulé, elles m'ont répondu en riant que des merveilles m'y attendaient. C'est en refusant qu'elles me prennent à mon tour sous le *WELCOME TO OREGON* que je compris que je venais peut-être de fouler pour la dernière fois le sol de la Californie.

L'Oregon ? Les émigrants... J'avais oublié (ou fait semblant). Voir dans le livre d'Irene Paden. Serait-ce le pays que me dissimulaient les brouillards côtiers ? J'ai dû leur emprunter une carte, car à la fourche de Crescent City deux routes étaient annoncées vers le nord. L'une par la côte, l'autre par le col de Grants Pass vers Eugene et la vallée de la Willamette. Mais j'ai encore besoin de me tenir au littoral.

La lune, très ronde. Profiter des nuits claires sur la mer.

18 heures, le 7 juillet. Barview, au nord de Bay City. (J'ai passé le 45ᵉ parallèle.)

Cette fois, un camp directement sur la plage ! Niches sous les conifères au bas des dunes, séparées par des haies de bambous. Fraîcheur d'iode apportée par les rouleaux qui font trembler le sol. Des moustiques, malgré les vents piquants qui n'ont pas cessé de la journée (le carton de la portière s'est finalement envolé). Irais bien me tremper, mais je considère à distance l'écume impétueuse avec un effroi admiratif. Éclats de voix au loin. « *Daddy ! Daddy !...* » appelle une petite fille. Le tressaillement d'émotion, comme chaque fois...

L'air froid et l'ennui de la route sans but. Toujours pousser vers l'avant en ne laissant rien derrière soi... Je pensais : le temps n'a servi jusque-là qu'à bâtir l'échafaudage pour l'œuvre future, quelle qu'en fût la nature. L'exil a renversé la perspective : j'ai quitté les gens et n'ai plus rencontré personne. Tous témoins disparus, il ne subsiste que le souvenir impuissant. Seul à quarante ans, comme si cette course s'était déroulée sur une planète morte.

L'âge – comme la chaîne d'ancre d'une épave, sur laquelle s'est peu à peu greffée une activité organique qui a proliféré autour des maillons, et qu'il faudrait maintenant dégager ; et regrimper un à un les échelons – ou du moins leur trace approximative, car la vie dans son épaisseur gluante les a soudés en une traînée informe –, remonter jusqu'au bateau qui là-haut à la surface et à la lumière devait un jour prendre le large ; et constater la désertion de l'équipage, l'horizon noyé, et le port en ruine dans un monde détruit.

L'ancre qui ne s'est jamais levée, ne se lèvera plus...

Comment dès lors rattraper le temps, remettre de l'ordre ? En extrayant de la durée un objet qui en contiendrait la fuite, forme pure d'une irréductible unité. Écrire ? Mais qu'éprouve-t-on quand, épuisé par l'édification d'une somme, on en couve des yeux la tranche sur une étagère ? (Pourquoi à vingt ans avions-nous une telle soif d'écrire ? Pourquoi l'exigence elle-même suffisait-elle à laisser entrevoir *un sens* ? C'est que l'écriture constituait un chemin visible à travers les années à venir, l'essence même de la vie, toute tendue vers un mystère exaltant : une aspiration démesurée qui ne pouvait que nous grandir toujours plus. Mais aujourd'hui ?)
Trouver une façon de forger le chaînon manquant...

(Cette bribe de rêve, ce matin : je cherchais quelqu'un dans une maison, je montais aux étages, et je regardais dans d'autres pièces, où il faisait de plus en plus froid. En bas, j'ai dit, en guise de plaisanterie : « C'est drôle, plus on va vers l'Ouest, plus il fait froid. »)

À moins de cent milles de la Columbia, j'ai maintenant remonté presque toute la côte de l'Oregon. Ces jours à rouler vers nulle part ne peuvent se perpétuer. La montée vers le nord est une lente asphyxie, et l'heure des décisions nécessairement approche... Depuis San Francisco il suffisait de surveiller ses pas sur l'étroite lisière, de frôler les précipices sans fléchir sous les bourrasques ni relâcher l'attention dans les brumes, de résister aux éblouissements qui égarent. Malgré cela, la voie était simple et la tâche inconnue tenait lieu de choix indéfectible. Mais que faire une fois arrivé ? Il n'y a plus de lieu.
Des oiseaux de mer survolent les algues de la marée basse. L'océan s'est retiré sous l'ample pulsation cosmique qui le bouscule d'un bout à l'autre du globe. Par l'ouverture béante creusée par le reflux, il faudrait plonger dans la fosse et se

laisser entraîner par une lame de fond jusqu'aux rivages de l'Extrême-Orient.

(Le mythe, pourtant déjà agonisant, a décidément du mal à crever...)

8 juillet. Astoria, Fort Stevens, 15 h.

C'est ici la fin. Devant moi, en une gigantesque baie, la rivière Columbia, se jetant à angle droit dans le Pacifique, forme une barrière infranchissable. À l'extrémité de la bande de grève qui la sépare pour encore une dizaine de pieds de l'océan se termine l'Oregon : South Jetty. Lande désertée autour des vestiges du fort, battue par les vents et les flots, où je marche fébrilement dans la tourbe spongieuse, me rendant jusqu'à l'ultime pointe de sable. Ici aboutit la trajectoire de cette cavale qui depuis une semaine m'agrippe au littoral, ici la dernière direction se dissout : l'estuaire forme un anneau qui m'encercle et m'arrête, le temps n'a plus d'axe. Eaux attirantes (tout serait si simple...).

Sur la rive opposée, aussi lointains qu'une terre nouvelle, se profilent les coteaux et les montagnes de l'État de Washington. Au-delà, c'est le Canada, le septentrion et ses solitudes, la voie du renoncement définitif quand tout le reste aura échoué – le pays aztèque des neuf plaines.

Dans la vase jusqu'aux chevilles, je pose un regard incrédule à l'endroit où les terres cèdent à la mer, sous la clarté diaphane d'un ciel où s'absorbent sans volume lignes, délimitations, rives, frontières. Le Grand Rien... Alors, privé de tout désir et de tout ressort, saisi d'une lassitude extrême, il ne me reste plus qu'à retourner sur mes pas, et à gagner Astoria, bâtie sur le promontoire de l'une des péninsules intérieures.

▼

20 H, AU CAFÉ *FORT CLATSOP*, ASTORIA.

Le café est tapissé d'une imitation de *logs* et décoré de peintures murales ouvrant des paysage alpestres en trompe-l'œil. Triste éclairage au néon.

Cet après-midi Hector m'a accueilli sans manifester de surprise. Puis il m'a conduit à l'*Astoria Column*, en haut de la Coxcomb Hill, l'une des sept collines de la ville. Au pied du monument, une plaque faisait l'historique de la région, précisant comment un jour de mai 1792, Robert Gray, capitaine du *Columbia*, avait été le premier à pénétrer dans l'embouchure de la rivière après un périple par le cap Horn, depuis Boston. Puis, en 1805, lors de l'expédition officielle de la *U.S. Corps of Discovery*, chargée par le président Thomas Jefferson d'explorer au nom des États-Unis le nord-ouest de la Louisiane nouvellement acquise, les explorateurs Lewis et Clark furent les premiers à planter un pavillon américain sur le rivage du Pacifique. C'est en 1811 qu'une expédition de la *Pacific Fur Company* fondée par Jacob Astor entra dans l'estuaire sur le *Tonkin*, après un voyage de sept mois depuis New York, afin d'établir un poste de commerce de fourrures (Fort Astoria) qui marquera la première implantation euro-américaine en Oregon.

Hector me relata à ce propos le fait d'armes de ses frères Nootkas, de l'île de Vancouver qui, humiliés et abusés par l'arrogant capitaine du *Tonkin*, avaient massacré tout l'équipage. Mais un survivant mortellement blessé avait réussi à le faire exploser, faisant de nombreuses victimes parmi les siens.

La plaque concluait qu'après une intense période d'émigration, l'Oregon avait reçu le statut de Territoire en 1848, et avait été admis comme État dans l'Union en 1859.

Une fresque composée en spirale autour de la colonne situait Astoria parmi les épisodes de la Conquête de l'Ouest. (« *United States of Astoria...* », avait un instant rêvé Helmut.) En haut des cent soixante-six marches, une plate-forme dominait la ville, ses baies et ses rivières. Hector s'est accoudé au-dessus des reliefs de bronze de la table d'orientation et a longuement fixé la frange argentée qui scintillait au large. Et j'ai imaginé la migration millénaire des peuplades venues d'Asie par le pont de glace du détroit de Béring et se propageant en un lent cortège jusqu'à la Terre de Feu ; puis vingt ou trente mille ans plus tard, les premiers navigateurs venus du sud et longeant ces côtes dans l'autre sens. Contournant le continent, ces derniers pouvaient-ils envisager d'explorer d'ouest en est ces terres inconnues ? Seul Coronado s'y aventure au cours d'une expédition suicidaire vers l'insaisissable Eldorado.

Hector tendit le bras vers le sud :

— La Klashanina et la Youngs River viennent mêler leurs eaux à celles de la Youngs Bay.

Il pivota.

— Au milieu, celle que nous appelons la Grande Rivière de l'Ouest... Emportée par son élan depuis près de trois cents milles, vois comme elle sort de la grande bouche, comme elle se rue entre les dents des caps ! Puis elle se fond dans le Grand Tout de l'océan. Elle reviendra...

Il fit face au nord :

— Ce sont les rives du royaume de Wahkiakum, le pays des Yakimas, des Chinooks, des Cayuses. Lewis nomma la pointe « Cape Disappointment », car ce sont bien les rives de la déconvenue...

— Pays dangereux ?

— C'est le royaume des pères... Selon nos coutumes, un cerf en défend l'entrée. Au nord-est, Loo-Wit, la vieille gardienne de la vallée (rebaptisée mont St. Helens), enténèbre parfois de sa colère tout le bassin pendant des jours.

Puis il tourna lentement le bras vers l'amont de la Columbia, droit vers l'est.

— Et voici ta direction, Markus...

Je mesurai alors – dans une soudaine sensation de chute – combien tout en moi se débat contre l'idée même de devoir prendre la route dans ce sens. Comme si, au-delà du constat d'échec qu'elle impliquerait, la résignation à un tel recul était synonyme de trahison et de mort.

— Je ne peux pas, Hector, je ne peux pas...

— Quand la prairie est en flammes, l'antilope bondit du haut de la falaise. C'est pour toi l'heure du grand tournant. À ce point (il parcourut l'arc de la baie d'un geste ample), tu es seul face à l'unique décision.

— Mais les obstacles se dressent partout !

Il ignora ma remarque et poursuivit.

— Elle a pour nom *la rivière de la vérité*. Nos ancêtres sont enterrés dans l'île de Memaloose, plus haut dans le courant.

Nos yeux se croisèrent ; les siens avaient une gravité sereine.

— Markus, c'est ici que le destin de notre peuple s'est joué. Entre 1811 et 1860, en gros la durée de l'histoire de l'*Overland Road*, nous avons perdu notre terre, la seule terre possible, pour nous. Après cela, nous avons été traqués dans nos derniers retranchements, malgré d'héroïques combats... L'itinéraire de la Conquête qui nous accula à la défaite te ramènera au lieu de la réconciliation avec toi-même. L'étape sera pleine d'écueils, mais tu ne seras plus seul. Ne redoute pas l'épreuve.

— Je ne parviens jamais à embrasser le mirage, qui se déplace en même temps que moi, toujours à portée et toujours s'éloignant. C'est là-bas que je suis, et là-bas je n'existe pas. Là-bas je suis une illusion. Où suis-je ?

— Tu me fais penser à Celui-Qui-Chasse-L'Arc-en-ciel, dans nos légendes... Ou à ces jeunes Braves qui veulent tuer le tonnerre en tirant leurs flèches contre les nuages. Le vrai voyage commence ici, Markus. Par là...

Il pointa de nouveau l'est.

— Je ne comprends pas comment je... Non, c'est impossible...

— C'est la seule voie qui te reste. Tu as fait un trop long détour, il est parfois nécessaire de revenir sur ses pas si l'on veut continuer.

— Non, non, je ne peux pas...

— Il le faut, Markus. Puise en toi la confiance *d'aller*, la paix est proche...

(Mais ce n'est pas à la paix que j'aspire !)

J'ai décliné son invitation à me reposer quelques jours chez lui (il n'y a pas de *hogan*, en Oregon). Avant de nous séparer, il a tenu à me montrer, dans un jardin public, la statue de Sacagawea, la Shoshone, la « femme oiseau » qui servit d'interprète à Lewis et à Clark, l'épouse du « coureur des bois » Toussaint Charbonneau, né au Canada en 1767.

▼

Le soir tombe sur Astoria.

Je ne me décide pas à partir, tout le corps engourdi par une impuissance qui me torture. Lourdeur de mon refus... En un suprême et héroïque sursaut, il faudrait concentrer toutes ses forces, et, tous regrets et attentes éradiqués, se lever pour amorcer le mouvement qui peu à peu, pas à pas, orienterait le corps dans l'immense revirement : l'est, la dernière issue physique, *le retour* – ô l'amère constatation ! Mais un retour vers quoi ?

Des jeunes gens vêtus de cuir entourent un juke-box muet. Au comptoir, des vieux, casquette sur la tête et blouson de base-ball, m'observent posément. En face, près du « *first U.S. post office established west of the Rockies* » (dit le napperon de papier), on projette *Throne of Blood* au cinéma *LIBERTY*. L'affiche (une enceinte fortifiée, un visage hagard aux traits asiatiques, des cimes d'arbres noyées d'ombres grises) me rappelle quelque chose. Une histoire de forêt qui marche...

Embouteillages du soir, les rues plus sombres. Sans mes cartes, je ne vois pas où cela me mènera. Où est le centre, qui toujours se dérobe ? Et comment reconnaître la bonne direction, sans point fixe ?

Sur la *Road Map of Northwestern Oregon* collée sur le mur, le réseau routier apparaît embrouillé : complètement sur la gauche, l'océan, avec Astoria dans le coin ; au milieu, la grande tache jaune de Portland où le confluent de la Columbia et de la rivière Willamette forme une sorte d'entonnoir vers le sud. Le treillis serré d'agglomérations et d'artères qui habillent verticalement cette dernière peut laisser croire à un refuge, une solution de repos, mais cela évoque plutôt un filet : la « bienheureuse vallée » n'est qu'un cul-de-sac. À droite, c'est la surface compacte du massif des Cascades où quelques voies pendent comme des bouts de ficelle. Seul repère ferme dans cette confusion, ondulant tout en haut de la carte, le large trait bleu de la Columbia a l'air d'une veine gonflée, à la fois frontière et balafre, soulignée du rouge de la route qui la serre. Le couloir est étroit, mais ai-je le choix ?

L'immersion de nuit réussira-t-elle peut-être à anesthésier cette sourde résistance qui m'alourdit.

▼

RUSTIC INN CAMP, 2 H DU MATIN.

Pris au piège, bouleversé, le cœur palpitant. J'espère pouvoir écrire malgré les frissons qui me secouent, malgré la chaleur oppressante. Malgré les autres qui, je le sens, m'épient.

Où cela a-t-il commencé ? Au centre-ville d'Astoria, j'ai hésité devant le pont qui conduit à l'État de Washington, et mis le clignotant dans une impulsion de dernière seconde ; mais au moment de m'engager un camion m'a bloqué le passage. J'ai manqué le virage. Le trafic pressait, et j'ai renoncé à répéter la manœuvre. Cette tentative n'était en fait qu'une lâcheté, et la dérivation vers le nord un suicide. (Mais la suite n'a-t-elle pas été pire ?)

Lorsque j'ai quitté Astoria, le soleil se couchait dans le rétroviseur, une longue agonie du jour. Un œil rivé sur le miroir, je fonçais vers la nuit qui déjà accablait tout l'horizon – tournant le dos à la lumière au lieu d'aller à sa poursuite. Déjà parasitée, la réception radio s'est affaiblie, puis évanouie. Une trace de ciel se prolongea encore un peu vers l'arrière, mais le vert des champs s'est rapidement assombri, et ç'a été la fin. Tout s'est effacé dans la noirceur uniforme des choses.

Et si la nuit, cette fois, devait s'avérer irrévocable ? Encore une heure à vivre... Que feraient les gens pendant cette dernière heure ? Peur de ne pas *savoir* ma mort, de ne l'avoir jamais sue, peur des ténèbres qui engloutissaient la terre.

Je m'efforçai de ne pas lâcher de vue la Columbia, luisante et sûre, à la manière d'un bras immense qui me ramènerait insensiblement en son sein, m'accrochant à ce cordon comme dans le noir on s'agrippe au parapet le long d'un ravin. Les falaises de l'État de Washington se découpaient à peine contre d'épais nuages.

Plus tard, une éclaircie de lune découvrit une petite anse creusée dans la grève. Irrésistiblement attiré par la calme puissance des eaux, j'allai m'y baigner, me laissant flotter sur le dos, le corps frémissant. Du ciel irradiait une clarté laiteuse d'un ocre souillé où dansaient reflets rouges et fumerolles cendrées. J'ai dérivé jusqu'aux limites bouillonnantes, comme aspiré par l'inconnu du sombre bord avec ses gerbes d'étincelles et ses laves. Ma crainte se dissipait ; que pouvait-il désormais m'arriver ? Il aurait suffi de me laisser porter jusqu'à l'embouchure de la grande nuit océanique. Ô désir pervers, attraction aussi furtive qu'intense du mirage nocturne des eaux... J'ai résisté à l'abandon, luttant contre la force qui m'entraînait, mais un fleuve ne se remonte pas...

Une vasque naturelle me reçut, où, dos à la roche, je pus reprendre mon souffle. Dans le spectre mauve du firmament, une singulière configuration se dessinait vaguement ; étaient-ce des étoiles en constellation, l'effet des nébulosités volcaniques, ou les rayons d'Isis jouant dans les ruisseaux de la Voie lactée ? On aurait dit l'ombre mouvante d'un scarabée géant. Où était la barque solaire ?

Il fallut repartir, me soustraire à la tentation... En amont, contre un quai délabré, je crus percevoir quelqu'un qui montait dans une embarcation.

Les premières lumières de Portland annoncèrent un havre. Mais une déviation m'enferma dans le port parmi des docks hantés par les carcasses de grues titanesques. Traqué par les patrouilles, effrayé comme une blatte par le jet spasmodique des gyrophares, je me précipitai d'un carrefour à l'autre, trompé par les avenues qui se ressemblaient, entre les lueurs de soufre des façades partout rayées par les faisceaux des mêmes lampadaires à arc. Exaspéré, j'ai de nouveau cédé à l'attrait d'un pont, fasciné comme une phalène par les feux intermittents de l'autre rive. Mais le tablier était coupé en plein milieu, et j'ai juste eu le temps de freiner, stoppant au ras du vide, où grondaient les eaux de la Columbia. Ébranlé, je rebroussai chemin (ignorant le panneau d'Aurora dont les lettres de silice brillaient comme les appas de la séduction), me défiant de tous les détours, injonctions, sens interdits, et réussis à me libérer du dédale en empruntant une rocade.

Ce furent alors de longues banlieues, puis des zones boisées. Des avions à basse altitude croisaient la route, tous feux clignotant, monstres célestes venant débarquer leurs troupes. Enfin la rivière réapparut, roulant ses turbulences fangeuses. Me guidant sur elle, je m'enfonçai dans une nuit aussi insondable que ma détresse. Combien d'heures, de siècles s'écoulèrent pour que, seulement alerté par les hoquets du moteur, je ne perçusse pas que je filais dans le pur néant ? Si bien que je compris trop tard que j'avais été avalé par les gorges, entre des parois tellement resserrées que même la lune n'y laissait filtrer aucun rai. Me débattant dans une obscurité sans fond et assourdi par le vacarme des eaux, j'ai brusquement bifurqué dans un chemin, longeant un défilé jusqu'à ces bois d'ébène qui m'entourent à présent, pleins de détritus et de ferraille, où me guettent des figures...

Enveloppé par les exhalaisons fétides des marais qui encerclent le camp. L'enseigne faiblement éclairée se détache entre les arbres : *Rustic Inn*. Un halo livide prête aux noctambules ivres l'allure de fantômes. Rires d'hommes, hurlements de femmes. Des nuées d'insectes volants étouffent ma lampe déjà pâle. Tout autour, à la lueur de braseros, des gens veillent. Murmures et gloussements, parfois des gémissements.

À mon arrivée, je me suis présenté au guichet de REGIS-
TRATION, logé dans la baraque presque en ruine d'un magasin général à la porte moustiquaire éventrée. Lorsque j'entrai,
un chien famélique s'aplatit à mes pieds. L'intérieur, enfumé,
regorgeait d'un fatras de marchandises ; relents de bière, de
vomi, de boue... Sous l'unique ampoule, des personnages à la
mine patibulaire et le torse dégoulinant de sueur encadraient un
vieillard qui se tenait impassiblement assis dans un fauteuil, un
bâton fumigène à la main et une chevêche perchée sur son
épaule. « Non, il n'y a plus de place », vociféra la patronne au
visage ravagé par la maladie, les cheveux tortillés. Ou bien si
je consentais à camper dans l'allée, mais ce serait à mes
risques et périls. « C'est-à-dire ? » L'assemblée s'esclaffa.
« Qu'en penses-tu, Radam ? » éructa la mégère à l'un des
hommes coiffé d'une toque posée de travers sur le crâne.
Celui-ci éleva la main en hochant la tête. « C'est deux
dollars », trancha-t-elle. Les autres s'approchèrent, firent cercle
autour de moi. Ils avaient les bras tatoués. L'un d'eux, le ventre
proéminent et le front cerné d'un bandeau, feuilleta en la
plaquant sous mon nez une revue pornographique tout en
mimant du bassin un coït qu'il accompagna de halètements.
Son acolyte me tendit une bière en boîte, m'attrapa par les
épaules en essayant d'insérer la languette d'aluminium entre
mes lèvres. La pierre de sa bague m'érafla la joue. Je le
repoussai. « Interdit les Kodaks ici ! » me lança la furie en
pointant mon sac. J'ouvris la bouche pour poser une question
mais le gros m'ordonna d'un geste de sortir.

Dehors, sous l'auvent aux piliers branlants, des filles
m'offraient leurs seins maigres, dérisoires sous l'arc blafard de
l'enseigne. Dans la voiture, je réfléchis un instant avant de
démarrer. L'idée d'aller bivouaquer en forêt, n'importe où...
Mais les falaises ne laissaient aucun espoir de trouver un
espace, si réduit soit-il. Il était tard, et la nuit était si noire.
Surgies de nulle part, des créatures décharnées se ruèrent sur
la carrosserie, qu'elles se mirent à griffer avec rage ; je relevai
les glaces, mais elles y collèrent leurs lèvres en bavant. Une
fillette qu'une grimace hystérique défigurait fit balancer sous

mes yeux une énorme araignée. Des molosses bondirent, les crocs agressifs. Un adolescent au cou énorme, à moitié nu dans des haillons, glissa le bras par la portière sans vitre, tâtonna fébrilement la banquette et les bagages. Il extirpa des tomates, qu'il écrasa contre sa bouche en geignant. Les autres lui sautèrent dessus mais l'un des costauds les dispersa à coups de fouet.

Je tentai un demi-tour, mais la grille avait été refermée et les fiers-à-bras étaient postés devant elle avec leurs chiens, me narguant d'un rictus de brute. Je n'eus pas le courage de les affronter et me dirigeai, après avoir franchi une passerelle de bois où rôdaient des chats, vers l'emplacement de camping que l'on m'avait assigné.

Autour de la table de mon site, encombrée de bouteilles et de déchets de toute sorte, une famille s'empiffrait d'assiettées de spaghettis sanguinolents. Je dépliai la tente sur le terreplein, sous la vigilance des ombres qui tout alentour avaient assisté à mon intrusion. Le sol était dur, il était difficile d'y enfoncer les piquets. Quand la toile me parut suffisamment stable, je me mis en quête d'une table disponible. Les occupants de la « mienne » me firent signe en indiquant les buissons. J'en dénichai effectivement une, mais un couple y forniquait en ahanant.

▼

Difficile d'écrire sur ces planches bancales et maculées de gras ; des fourmis grimpent le long de mes jambes. Hululements nets, perçants, malgré le tumulte des rapides qui étend un tapis sourd sur le camp. La puanteur qui monte du gouffre est suffocante. L'atmosphère saturée d'humidité crée un halo autour du bec à gaz. De l'autre côté, des figures cimmériennes s'agitent devant les torchères, mais on ne les entend pas. À travers les branches dépouillées, une demi-lune sort parfois ses cornes des torrents de cendre, œil pirate d'un feu follet géant qui cligne, vérifie, se referme – *vivant*.

Que vienne le jour...

4 heures du matin. Dans la voiture.

Qu'est-ce que je fais là ? Où suis-je ?
Des écharpes de brouillard se déchirent moelleusement
contre les vitres, se condensent en gouttelettes et rigoles sur le
pare-brise. Je grelotte, la bouche empâtée, la tête lourde. Les
vêtements me collent à la peau ; enfiévré malgré un froid
pénétrant. Tout est enrobé d'un gris d'aube indécise. Haute
muraille à pic au-dessus d'une route. Bourdonnement grave et
lent des eaux qu'on devine en bas. C'est l'aire d'une *rest area*
à la sortie des gorges ; aucun autre véhicule.
Comment me suis-je rendu jusqu'ici ? Je ne me rappelle
pas. Une femme toussait, et ses quintes résonnaient dans tout
le camp, et c'était comme une obsession ; Loo-Wit trahie et
mourant de chagrin ? Un groupe a fêté tard autour des
flammes, clameurs, cris et rires, et rots, insultes, cris encore.
Ils se sont battus, une femme a longuement hurlé. Plus tard,
alors que le tapage s'était apaisé, j'ai été dérangé par un chien
qui grattait sous le tapis de sol en jappant. J'ai secoué le mât,
il a déguerpi ; mais il est revenu, et j'ai soulevé le rabat. Il s'est
couché alors à mes pieds. Après, je ne sais plus.
Où sont mes notes ? Où est mon bloc ?
Courbatures. Les débris de verre dans les plis du siège.
Cette étrange fatigue. Dans un rêve, j'étais fier d'exhiber mes
cicatrices auprès des autres. On était là pour une prise de vue.
Puis je leur disais : il doit être aussi passionnant de composer
de la musique de film que de réaliser un film, car on peut
réveiller le spectateur en frappant un coup de gong au moment
où il s'y attend le moins. Cela les amusait. J'avais en tête le
début du thème de *Il était une fois dans l'Ouest*. (?)

▼

6 heures. Toujours là.

Somnolences entrecoupées de soubresauts. Un peu de bleu transparaît par intermittence. Une blancheur point depuis les cimes irisées des forêts hautes, se déverse jusque dans le fond du val. Tout s'éclaircit doucement. Errances matinales du songe : ce navire de verre sur le pont duquel nous sommes tous réunis. Voguant vers le sud, mais ce n'est pas clair. Le cristal incisif du soleil sur la mer. Des semaines de vents amers ont érodé nos traits d'entailles cruelles. Jean-Marie m'informe que Marie-Paule me demande par radio. Je monte au P.C. d'Édouard, mais la communication est trop mauvaise. J'en profite pour aller voir le timonier, car personne ne sait très bien où nous sommes. Il me déroule les cartes de la région, mais je ne connais rien aux codes d'interprétation. Et puis, sur celle qui est censée servir pour mon quart, il y a le mot *Marrakech*. Cela m'intrigue. On devait être au large de la Palestine, mais pourquoi Marrakech ? L'homme hausse les épaules. « On verra bientôt Vénus... », me console-t-il. Je descends chercher mon *Leica*. C'est à ce moment-là qu'une embardée du navire le fait rouler ; la porte de la cabine claque, l'horizon bascule dans le hublot. Je remonte.

Quand j'accède à la passerelle de navigation, l'angle de la lumière s'est modifié, on vient de virer à quatre-vingt-dix degrés. Et puis c'est le choc, le bâtiment vacille. La coque a heurté le fond, s'enlise dans des marécages de roseaux et de troncs immergés, s'immobilise au cœur de la savane. Le ciel foisonne d'oiseaux exotiques, résonne de cris de singes. Devant et de chaque côté, par deux mille paires d'yeux tout un peuple nous observe en silence, planté sur tout le paysage. Je veux prendre des photos, mais le levier d'armement tourne à vide, et je ne peux ouvrir le boîtier en plein jour. Les autres ont l'air de se moquer de savoir où on est. Seul Jean-Marie est aussi fasciné que moi par la beauté du tableau qui oscille autour de nous. « Ils t'auraient tué, si tu avais essayé », me dit-il. Je lui demande : « Et au prochain voyage, où serons-nous ?» Le ramage des oiseaux s'amplifie, se fait braillard – et je me réveille dans le même stationnement, sous les chênes retentissant des échos de milliers de piaillements.

Je sors me dégourdir les jambes. Il fait doux. Les bois roucoulent de ruissellements de sources et d'eaux vives. Oui, j'ai bien dépassé les gorges. La Columbia est là, se déployant dans toute sa force. Une île se cramponne au milieu des remous, où dans la nudité de sa terre brûlée, un obélisque se dresse solitairement.

Sur l'*Historic Marker* en haut de la berge *(MEMALOOSE ISLAND : Indian Burial Ground)*, une notice explique qu'avant les inondations de 1894 l'île comprenait des habitations traditionnelles qui renfermaient les restes des Indiens, avec leurs arcs, flèches, couteaux et couvertures indispensables pour le séjour dans l'autre monde. La colonne de granit s'érige au-dessus de la sépulture de Victor Trevitt, l'un des pionniers de la première vague. L'une de ses dernières volontés stipulait qu'il tenait à être enterré avec les Indiens, qu'il considérait comme ses amis. « *In the resurrection I'll take my chances with the Indians.* » En langage chinook *Memalust* signifie « mourir ».

Fin du sextuor *Verklärte Nacht* à la radio, qui a retrouvé sa netteté. La nuit transfigurée... « *O sieh, wie klar das Weltall schimmert !* » (Oh, vois comme l'univers rayonne de pureté !) Sur la rive nord déjà ensoleillée s'arrondissent des collines d'une roche charbonneuse très escarpée, parmi lesquelles s'épanchent quelques champs d'herbe sèche. Plus aucune trace de verdure, quelques arbrisseaux calcinés par l'été. Un léger panache court au-dessus des sommets, s'évapore vers l'amont. Vers l'est, la voie est maintenant libre.

▼

Petit déjeuner à Hood River, terrasse du *Golden Steps*,
9 heures, le 9 juillet (pas sûr de la date...)

(Le cadavre d'un chien sur la chaussée, en arrière, quand
j'ai quitté le parking...)

Déjà imposante, la Columbia s'est progressivement élargie
et la perspective, aplanie. Les abruptes et sombres pentes
forestières des monts des Cascades ont fait place à des pâturages, puis à de petites localités essaimées au débouché des
routes de l'intérieur. À Cascade Locks, la légende raconte
comment, *many, many moons ago*, Loo-Wit tenta de sauver le
Bridge of the Gods des ravages de la guerre entre Klickitat
(mont Adams) et Wyeast (mont Hood). Elle périt dans le
combat, mais le Grand Esprit la récompensa en accédant à son
vœu de recouvrer jeunesse et beauté. Cependant, âgée d'esprit,
elle préféra la solitude et se retira plus à l'ouest, où on peut
l'admirer sous son apparence actuelle du mont St. Helens.

En face de moi, tout au fond du paysage, le cône parfait du
mont Hood s'élève dans l'intense vibration de l'azur. Il domine
un relief alpin d'éminences verdoyantes, de vallons mollement
évasés entre les cultures et les vergers, et sillonné de lacets
reliant des villages disposés comme des miniatures sur une
maquette : le sud m'ouvre ses splendeurs pastorales. Et si je
m'arrêtais enfin ? Mais non. Ces contrées représentent un
piège, et la tâche n'est pas achevée.

Rouler face au soleil, le matin, me désoriente : la lumière
n'est pas du bon côté. Et la progression à contre-courant est
laborieuse, comme si l'effort pour me délivrer de l'étreinte des
flancs noirs m'avait épuisé. Dans un sentiment de perte indéfini, j'avance sous le coup de la nécessité plutôt que par désir :
cette direction ne me paraît pas naturelle. Lorsque Marco Polo
rentre de Chine, c'est sur l'occident qu'il met le cap, tandis
qu'à travers toute l'Asie sans frontières les cohortes de la
Horde d'Or sont en marche vers les horizons atlantiques...

Mais moi je ne rentre nulle part. Aucune Venise filiale ne
m'attend au bout des lagunes du temps.

▼

Midi. The Dalles. (Ancien lieu-dit nommé par les Français, « Les Dalles des Morts ».)

L'événement inattendu !

L'inscription est gravée dans un rocher de granit mal dégrossi planté dans le triangle d'un square, à la fourche de deux larges avenues. De chaque côté, des maisons dispersées, la quiétude d'un petit bourg comme les autres. Mais il y a ce point obscur au cœur du soleil, plus éclatant que les astres révolus, ces quelques mots creusés de caractères en partie effacés :

End

of the old

Oregon

Trail

1843 – 1906

C'est donc ici qu'ils aboutissaient ! Moment de stupéfaction, une angoisse tout aussi aiguë et fulgurante qu'ardemment reçue, comme si, ici, devait se dévoiler ce qui confusément m'obsédait depuis Astoria. Où la pierre se révèle tout à coup, lumineusement, comme le mot-clé ; ainsi l'intonation d'une voix chère dans la foule, ou le contour d'un objet précieux qu'on croyait perdu : la sensation d'une ouverture — un vertige. J'ai dû m'asseoir sous le saule dont les branches retombent en ombrelle autour du monument. Que m'arrive-t-il ? Cette douleur, et cette lumière perceptible...

Il me semble entendre un bruit, qui grandit, ça fait comme une cavalcade. C'est là-bas, au commencement de la rue principale, où un chariot bâché débouche dans un soulèvement de poussière. « Ils arrivent ! Ils arrivent ! » s'écrie la population rassemblée, qui s'écarte. Quand ils mettent pied à terre, les cheveux couverts d'ocre, ils titubent de fatigue après la dangereuse étape des rapides, mais la plupart sont radieux. On aide les plus meurtris à descendre des fourgons. Certains s'effondrent sous le poids de la souffrance accumulée, pleurent le souvenir du grand-père ou de la petite sœur laissés en chemin, des familles s'embrassent. Ils sont comme les passagers d'un transatlantique, qui, juste débarqués, se sentent à la fois dépaysés et soulagés, hébétés mais heureux. Des habitants apportent de l'eau, l'homme s'asperge, puis renverse le seau au-dessus de sa tête. On le remplit. Sa femme boit dans ses paumes jointes l'eau qui pétille de soleil, puis l'abandonne aux enfants qui y trempent joyeusement la tête. Un nouveau chariot fait irruption au coin, suivi par d'autres. Bientôt la place est envahie de toiles jaunies par les intempéries, de chevaux, de bœufs, de gamins qui courent ; déjà des mules broutent le gazon des pelouses. Des personnes âgées s'installent sous les feuillages – la fierté de s'asseoir sur une terre qu'ils peuvent désormais appeler la leur –, d'autres se sont allongés, s'endormant aussitôt ; on s'occupe des blessés, on soigne les visages brûlés par les sables, les paupières rongées par l'acidité du désert. On échange des nouvelles, ou des conseils sur les moyens d'éviter les chutes, on consulte les cartes. « Nous allons à Aurora, déclare à quelques curieux celui qui se présente comme le capitaine du convoi. On dit que les terres y sont fertiles. — Mais il y a encore les gorges ! » rappelle l'un d'entre eux. « Y a-t-il un maréchal-ferrant aux Dalles ? » s'enquiert un caravanier. L'animation et le brouhaha font penser à un matin de foire dans un chef-lieu de comté.

Mais la vision s'estompe, voix et piétinements se confondent et se fondent aux conversations d'un petit groupe de touristes qui passent près de la stèle en y prêtant une attention distraite. « Avec sa superbe architecture gothique... », est en train de commenter le guide, le doigt pointé sur la façade de la St. Paul Landmark Church. Ils s'éloignent. (Gothique, a-t-il dit ?)

Un souffle léger fait bouger les ramilles du saule, rafraîchit en l'effleurant mon front en sueur. Alors dans un éblouissement, je comprends qu'un jour, en un temps immémorial, *j'ai moi aussi traversé cette terre vers l'océan.* Comment n'y avais-je pas pensé ? J'ai rejoint la Piste, j'ai retrouvé les traces de cette enfance lointaine qui projeta dans un futur encore plus lointain la silhouette de ces cavaliers et de ces chariots aux voiles gonflées que j'irais bien rattraper un jour. De ce point, je le pressens, maintenant – peut-être – je pourrais accepter de *revenir*. Puisque l'Eldorado a été atteint... Comme si se dénouaient brusquement les liens qui me ligotaient derrière le seuil. (Mais le seuil de quoi ?...) Comme la découverte de l'extrémité d'une corde au milieu du fouillis : tendre la main vers elle et se relier à quelque chose d'invisible mais de très important.

Je reviens sur les pas du mythe. C'est de ce côté que je dois aller, que je dois chercher. En remontant la piste... Ne ferais-je donc que commencer ?

▼

Umatilla, *Roadside Rest Area*, 18 heures (à la jonction de la *US Highway 730*).

Selon le *marker*, pays des guerres entre les Cayuses et les Walla Wallas, théâtre du massacre de la mission Whitman ; lors de la pendaison des cinq Cayuses, l'un d'eux s'écria du haut de la potence : « *Did not you missionaries teach us that Christ died to save his people ? So die we to save our people.* »

Ici la rivière m'abandonne...

Après les Dalles, la route s'est finalement dégagée des dernières buttes, ondulant, souple et facile, dans un paysage de plus en plus aride qui s'embrasait sous une âpre luminosité. Un ciel d'une transparence mate, métallisée, se réverbérait sur l'outremer des eaux, que des sautes de vent labouraient de sillons d'écume. Un arc-en-ciel tressautait dans le rétroviseur extérieur et le soleil était maintenant à ma droite, au-dessus d'une terre de plus en plus noire. L'air brûlant me giflait d'embruns chargés de la forte odeur retrouvée des sauges. Relâchement et bien-être se sont emparés de moi, comme si après les luxuriances trop parfumées de la Californie, comme si au-delà des brouillards du Pacifique – et après la tentation des vallées de l'Oregon – je renouais sur mon terrain naturel le fil d'Ariane rompu à San Francisco.

Et ici, devant moi, en une courbe majestueuse, la Columbia accomplit le plus ambitieux tournant de son cours depuis le plein nord de sa source canadienne. Et c'est là un problème : car même si je me considère encore comme fragile, il n'est pas question pour moi de la suivre jusque là-haut. Mais il y a la barrière des Rocheuses. Deux directions restent alors possibles : d'un côté la route de Walla et du Montana, vers le nord-est (impensable) ; de l'autre, l'*Interstate 84* qui s'oriente vers le centre des États-Unis selon un angle sud-est, ce qui atténuerait la rigueur de la marche vers l'est, comme on essaye de prendre de biais un vent de face trop fort. Par là c'est le vide, et j'ignore où cela peut me mener. Sur la carte que j'ai achetée aux Dalles aucun signe d'arrêt ne jalonne la ligne droite de l'autoroute, sinon le petit triangle d'un *state park* dans les Blue Mountains. Or, entamer une longue étape de désert à cette heure-ci est hasardeux, et le moteur éprouve à nouveau des ratés à grande vitesse.

Tant pis. C'est un saut dans l'inconnu, mais le désert de nuit est une demeure rassurante. Et depuis les Dalles, depuis la borne de pierre, je sais que je suis sur la bonne voie.

▼

Emigrant Springs, sur la *EAST-84*, entre Pendleton et La Grande.

Filant les amarres, je me suis finalement arraché de l'emprise de la Columbia qui depuis Astoria me guidait et me protégeait. Le moment de la rupture est passé presque inaperçu, tandis que je fuyais la servitude de la Grande Rivière en soulevant dans mon sillage des turbulences poudrées, cédant à la liberté recouvrée d'un espace totalement découvert, dans une lumière sans heure, immuable. En diagonale de la plaine, l'Amérique m'opposait la masse informe qui, depuis l'autre bout, trois semaines plus tôt, m'apparaissait comme un grand point d'interrogation ; et cette fois selon un axe dépouillé de ses repères habituels : le soleil se couche maintenant dans mon dos et les déserts n'ont plus le lustre miroitant de ceux qui, à l'aller, m'ouvraient l'Ouest. Pourtant, pendant l'élévation graduelle dans l'immensité nue, je reconnaissais la nature originelle de cette terre, le silence murmurant de ses vents, l'intimité de ses odeurs.

▼

Welcome to EMIGRANT SPRINGS STATE PARK,
a historic spot utilized by pioneer wagon trains
when traveling the Old Oregon Trail over 100 years ago.

Confirmant mon choix instinctif, le plan sommaire esquissé sous le texte du panneau correspond au tracé de la piste de l'Oregon des années 1840, tel qu'il est décrit dans mon « Paden ». Ici, au cœur des montagnes Bleues, après 2 200 milles à travers les Grandes Plaines et les Rocheuses, les futurs colons trouvaient de l'eau pure ainsi que les premières forêts depuis leur départ quatre mois plus tôt d'Independence (aujourd'hui Kansas City), au Missouri.

L'étendue qu'ils parcouraient des yeux s'étirait en une succession de vallonnements décroissant jusqu'au bassin de la Columbia. À partir d'ici, les bœufs pourraient relâcher la tension, le convoi rattraper le temps perdu. Les plus audacieux escaladaient la crête dénudée du Deadman's Pass : du nord au sud se dressait devant eux la chaîne des Cascades d'où émergeaient les pics du mont Hood et du mont Adams. Ultime obstacle, ces neiges insolites aux lisières du ciel, et qui flottaient dans le soir, c'était enfin le signe que la terre promise était à portée, juste de l'autre côté. Un pays qui serait le leur. Mais beaucoup mourraient avant d'atteindre la vallée de la Willamette, victimes de la Columbia avec ses rapides et ses chutes qui fracassent les radeaux.

In 1843, almost a thousand persons crossed the Blue Mountains in the first large emigrant wagon train. A monument was erected at this location and dedicated by President Warren G. Harding on July 3, 1923, to honor these early settlers.

Qui était Harding ?

Un chariot bâché est exposé à l'entrée du parc. Celui-ci a été aménagé en pente sous les pins, près de l'autoroute. Trafic incessant de camions. Familles, personnes âgées qui passent leur retraite en *camper* : à l'intérieur, le repas, les nouvelles à la télé.

Senteurs de résine et de raisins sauvages, de l'humus tiède et tendre du sol. Les geais effrontés sur les tables.

▼

Plus tard.

J'entends des rires d'enfants et des craquements de branches. J'imagine : nous sommes en 1843, l'année de la Grande Migration. Ils sont arrivés, ils se sont installés, et dans les sous-bois, des flambées de broussailles éclairent les fourgons à la peinture écaillée, aux roues maculées de boue. Fumées de viandes grillées. Un violon, une chorale de femmes. Des hommes réparent les harnais, pansent les genoux meurtris des mules. D'autres vont prendre leur quart de garde. La nuit résonne de cris et d'appels, colère des pères ou inquiétude des mères, mêlés aux meuglements du bétail et aux ordres des chefs de convoi.

Le capitaine est venu me rendre visite. « La montée était obstruée de taillis de ronces et de buissons impénétrables. Il nous a fallu trois jours pour nous tailler un couloir dans un entassement inextricable de troncs, de carcasses d'animaux et de tout un tas d'objets, de meubles, de coffres... Un boulot de titans... Tous les membres de notre compagnie sont harassés. Nous avons dû abandonner des chariots, les bêtes étaient trop éreintées. Ah, l'ascension a été rude ! Mais là-haut, j'avoue, cela m'a ému comme la première fois que j'ai vu l'océan. » Il m'a invité près de leur foyer, m'a présenté aux siens, s'est assis. Il a longuement fixé le brasier, puis sa femme a posé la main sur son bras. « Tu penses à Jack... », a-t-elle dit doucement. « Oui », a-t-il répondu sans détourner le regard. « Moi aussi... » Elle s'est penchée vers moi : « L'un de nos fils nous a quittés à l'embranchement de la Raft River... C'est là où bifurque le raccourci de la Californie... Il tenait à suivre sa bande... Ils avaient des projets là-bas... Est-ce qu'on le reverra jamais ?»

Le camp s'est endormi. Des ombres sont restées, absorbées par la fascination des braises, agitées de desseins grandioses. Des bouviers se sont couchés à même le sol, terrassés par la fatigue. Les rires ont fait place aux ronflements et aux gémissements amoureux. Un croissant de lune découpe le profil des veilleurs, comme sur ces illustrations qu'on voit dans les almanachs ou sur la couverture des *western stories*. Derrière une toile, une femme écrit à la lueur tremblotante d'une chandelle.

Nous voilà épargnés de ces neiges que nous avions craintes en poussant si fort notre allure dans les plaines. Demain les montagnes ne seront plus qu'un mauvais souvenir. Nous sommes comme les Argonautes après le passage des terribles rochers... Nous serons bientôt à Oregon City, encore quatre semaines, plus peut-être ? « One move, Ariette, one last move more to the far west », *m'encourage toujours Albert lorsqu'il m'arrive de céder au désarroi. Oui, nous voilà presque à la fin de notre odyssée, et mon cœur s'enfle d'espérance. Albert prétend que même si la Grande Rivière a la réputation d'être terrifiante, on la descend, et que ce sera quand même plus facile. Je ne suis pas sûre. Trouverons-nous enfin le repos ?*

La Grande, midi 30, garage *Toyota-GMC*. 10 juillet.

Arrêt pour faire remplacer la vitre arrière et voir ce qui ne va pas avec la voiture depuis New York. La salle d'accueil donne sur le gigantesque cirque naturel qui entoure le bourg. Fauteuils en simili-cuir, vieux magazines. Sur le mur, une carte simplifiée du Texas, avec des dessins de bœufs, de derricks et d'Indiens chassant le bison. En face, une affiche : *The Blue Mountains Round-Up, the La Grande area's first Rodeos*.

Deux ouvriers sont venus se servir un café, m'en ont offert un, se sont assis quelques instants avec moi. Encore une fois la plaque d'immatriculation suscita des interrogations : *« A state of Canada ? »* Je leur ai situé le Québec sur la carte épinglée au mur. Ça leur parut le bout du monde. Ils voulurent savoir ce que signifiait la devise. Non seulement la traduire (toujours la même réaction : *« You remember what ? »*), mais en expliquer le sens. Pourtant cela leur disait quelque chose, plein de noms sont français dans la région.

Ce matin, je me suis retourné avant le col : parti dès avant l'aube, le convoi des pionniers formait en travers de la plaine une frêle ligne blanche qui tremblait dans la distance. Eux se dirigeaient vers l'ouest et leur avenir (moi qui reviens du mien...), et l'étape serait impitoyable, qui les obligerait à cheminer sous un ciel écrasant. De ce mince filet d'humanité, combien parviendraient à bon port ? Comment s'organiserait leur vie, une fois arrivés ? Que fait-on le premier jour ? le premier soir ? le lendemain ? Que sont-ils devenus ?

J'ai laissé l'image se dissoudre dans la brume de chaleur, et j'ai amorcé la descente du versant oriental des montagnes Bleues, dans cette transparence azurée de l'air si caractéristique de l'Ouest, et que je n'avais connue depuis longtemps.

En bas de la côte, après le pont d'Hilgard Junction, un monument discret marquait en contrebas la dernière demeure d'un couple et de leur enfant enterrés dans le caisson de leur chariot. Tombe dissimulée à la vue des voyageurs, quelques boutons et des arceaux rongés de rouille, et l'oubli de leurs noms inscrits sur une planchette, dilués par la pluie et le soleil. Je me suis lavé nu dans l'onde vivifiante du gué, glaciale.

Plus tard à Baker.

Tout était fermé à La Grande ; me suis arrêté dans ce *Diner* au bord de la route. Typique et familial. Des sandwiches *western* de toute sorte. Tout à l'heure le garagiste est venu me voir.

— Les gars ne vous ont pas loupé...

— Pardon ? Non, en effet...

— Tenez, il avait glissé entre le siège et la portière. C'était le bloc que je cherchais ce matin. Il me montra les fils dégainés des bougies, leur cisaillement nettement visible.

— La résistance à la vitesse venait de ça. À haut régime, ça fait des arcs, le caoutchouc fond. Normal que sur la côte ça allait mieux, l'humidité favorisait le contact électrique. On va vous en remettre des neufs. Et on s'occupe de la vitre.

Il m'invita à m'asseoir.

— Mais dites-moi, qu'est-ce qui vous amène dans notre *belle ronde* ? me demanda-t-il en prononçant « belle ronde » en français.

— Je suis tombé aux Dalles sur la borne terminale de la piste de l'Oregon, et depuis j'essaye de reconnaître les lieux, l'itinéraire des pionniers. J'aimerais bien voir le tracé réel...

— Ah, le *Trail* ! s'exclama-t-il d'un ton enjoué. Je fais partie de la société du *Trail* en Oregon.

Il se présenta et s'assit près de moi.

— Mon arrière-grand-père forgeron est venu de l'Illinois, en *schooner*, un authentique *Conestoga*, plus solide. La vallée lui parut si belle qu'il n'est pas allé plus loin. Ses fils sont restés avec lui, tandis que sa femme a continué jusqu'à la colonie de Portland, où j'ai encore des cousins. Depuis long-temps des *voyageurs* canadiens fréquentaient les environs et ils avaient baptisé le plateau « la Grande Ronde », à cause de sa forme. Certains d'entre eux s'y sont établis, des gaillards rompus au *portage*, d'une débrouillardise peu commune, connus pour leur indiscipline mais fins cuisiniers malgré leur surnom de « *mangeurs de lard* » ! (Il rit.) Ils raffolaient des petites Indiennes, aussi... Avez-vous entendu parler des Astoriens ? C'est ici qu'un détachement parti de St. Louis a célébré le nouvel an de 1812. Je ne vous ennuie pas avec tout ça ?

— Non, non, au contraire...

— Par la suite, la région est devenue un important point de rendez-vous et de commerce avec les Nez-Percés (eux aussi nommés par les Français). Au plus gros de la migration, ils escortaient les petits convois familiaux jusqu'à la mission Whitman, près d'Umatilla, afin de les protéger des Snakes, leurs frères ennemis réputés plus combatifs. Puis on a extrait de l'or à Baker, plus bas sur votre route. Alors ils ont été repoussés plus loin, toujours la même histoire... Allez voir le tombeau du *Old Chief* Joseph, un peu plus haut, vous comprendrez des choses...

— Avez-vous toujours vécu ici ?

— Oui. J'ai un jardin qui est prolongé par la prairie, où ma femme est enterrée, c'est plein d'orchidées au printemps. J'ai élevé seul mes fils... Mais ils sont partis vivre en ville, et je me sens isolé dans le cercle de mes collines. Mon plus cher désir serait d'aller en France. Notre histoire, en fait celle de l'Ouest tout entier, est tellement associée aux Français – les récits, nos cartes, la toponymie même –, que j'ai toujours eu la curiosité d'aller les rencontrer dans leur pays.

— Et au Québec, y avez-vous pensé ? Ce sont les mêmes...

— En fait, le plus loin que je me sois aventuré, c'est à Cheyenne, pour la parade, s'excuse-t-il presque...

Un mécanicien vint lui faire signer une fiche.

— L'auto est prête, me dit-il, ça ira mieux comme ça. C'est qu'il vous reste encore une sacrée trotte à faire ! À propos du *Trail*, surveillez les ornières en descendant sur Baker, et dans les prairies, les bandes vertes dans le roux des herbes. Dans les déserts, la sauge est trois fois plus haute... Allez, bonne chance !

Je partis en songeant au moment où la bisaïeule laisse son mari et s'éloigne, alors qu'ils savent qu'ils ne se reverront plus. *« Tu feras ta vie là-bas et je serai bribe de ta mémoire, de ton passé, loin dans les années mortes... »* L'amour-parcours qu'on vit comme une journée de route vers l'horizon.

FAREWELL BEND STATE PARK, 16 H.

En retrait du virage, presque invisible, il y a la rivière Snake, et si ce n'avait été du panneau historique qui a attiré au dernier moment mon attention, je ne m'en serais pas aperçu. C'est ici Farewell Bend, la *courbe de l'adieu*, alors que la Snake opère un tournant à angle droit vers les montagnes. Là, m'a expliqué un *ranger,* tous les découvreurs, marchands et aventuriers de l'exploration de l'Ouest étaient passés (dont les « Astoriens » de Wilson Price Hunt, la veille de Noël 1811). À première vue, elle n'est pas profonde, offre une surface tranquille, luisante et grise, et semble aisée à vaincre. Mais la force du courant, l'eau glacée, le piège des poches traîtresses la rendent redoutable. Pendant des années les trappeurs français l'ont appelée « la maudite rivière enragée ».

Pour les Argonautes de la Grande Migration, qui s'en séparaient ici après l'avoir suivie pendant 350 milles depuis Fort Hall, elle présentait un dernier obstacle de taille. C'est que malgré l'expérience acquise depuis le départ, les accidents étaient particulièrement nombreux à cet endroit, et les drames quotidiens.

Et il est facile de se représenter les chariots arrêtés là-bas sous les arbres, l'animation, les embarras, les familles réunies, celles que le malheur déchire et que la solidarité soutient, les bagages que l'on récupère et replace, les enfants que l'on essuie, et console – et parfois adopte, Ariette prenant quelque notes dans son journal, une section de la colonne qui attaque déjà les premières pentes... Une fois sur la crête, ils vont découvrir la barrière des *Big Blues* tirant un grand trait gris-bleu dans le lointain.

Bless the Lord, oh my soul, *nous sommes tous saufs. Une partie de nos provisions est mouillée, et le sucre s'est dissous, mais nous pouvons nous estimer contents. Le « spectacle » est toujours décourageant, bruyant et longtemps perturbant. Mais je peux maintenant braver les rivières les plus menaçantes sans la moindre crainte depuis que j'ai vu comment les femmes indiennes vous enveloppent dans des peaux d'élan, et, à deux ou trois, vous remorquent en nageant la corde entre les dents. Est-ce qu'Albert aimerait être transporté de si agréable façon ?*

Le franchissement des cours d'eau est – on nous l'avait dit – parmi les péripéties les plus dangereuses et les plus éprouvantes de ce voyage. Il y a peu, encore, à Three Island, nous avons vu une fillette de quatre ans se faire éjecter du siège de la voiture tandis que sa mère lançait les bœufs dans le raidillon du gué. Une roue est passée sur le corps de la petite. Et comment peut se consoler l'homme de la perte de son épouse et de ses enfants entraînés dans le courant, et de tout ce qui allait les transporter vers une nouvelle vie ? Je comprends la détresse qui pousse certains à des actes désespérés. Le pasteur nous a dit ce matin dans son sermon que le pays que nous traversons en direction de la Terre promise est partout empli de farouches serpents volants. Et que nos misères présentes n'étaient qu'une épreuve morale et spirituelle avant d'entrer dans le Paradis terrestre. Je l'espère.

▼

Plus de ratés du moteur en cinquième, ça me rassure. À la sortie de Baker, des ornières étaient parfaitement repérables le long des buttes.

Le calme intérieur. La Grande Piste à laquelle j'entrelace le fil de mes pas est une durée en suspens qui me fait oublier un peu que je roule vers l'est.

En face, c'est l'Idaho, et le *Mountain Standard Time*.
L'hypothèse d'aller camper ce soir dans les montagnes, et de
faire un détour par Idaho City demain matin.

BOISE, *IDAHO STATE HOSPITAL*, 9 H 30, 11 JUILLET.

Salle des urgences. J'attends des nouvelles de Willy Kramer. L'incident est survenu ce matin, alors que j'arrivais à Idaho City pour visiter « *The Eldorado of the North, the Roaring Metropolis* » vantée sur les panneaux publicitaires. L'homme se tenait de l'autre côté de la route, appuyé sur une canne, et il avait l'air mal en point. J'ai stoppé et fait demi-tour. Il ressemblait à un cow-boy, avec son chapeau à la John Wayne, son corps dégingandé sous un long manteau noir (par ce temps !), et sa valise mal ficelée. Mais de près, avec sa chemise sans cravate, les cheveux hirsutes et une barbe grise creusant un visage déjà émacié, il avait plutôt l'allure d'un clochard. Il se montra reconnaissant que je me sois arrêté, mais il eut du mal à monter. Quand il écarta le tissu de son pantalon décousu, je compris : sa jambe, d'une vilaine teinte, était enflée du double de son volume normal.

— Que vous est-il arrivé ?

Il marmonna qu'il s'était blessé en travaillant.

— Depuis quand êtes-vous dans cet état ?

— J'habite plus haut... Ça fait trois heures que je suis là, j'ai essayé de marcher, mais...

— Pas de médecin ici ?

— Il ne monte qu'une fois par quinzaine. Et je n'aime pas déranger...

— Personne ne pouvait vous emmener ?

— Les gens ne tiennent pas à s'embarrasser... C'est un Indien du village qui m'a pris jusqu'ici. Il allait à la pêche. Ça a empiré depuis hier... (Il appuya le pouce sur la chair à nu, ce qui dégagea une odeur nauséabonde.)

— Pourquoi pas plus tôt ?

Il ne répondit pas, concentré sur le ruban d'asphalte, les deux mains plaquées de part et d'autre de sa cuisse. Je conduisais vite, avalant les virages à la corde. Le bloc de papier et mes notes tombèrent du tableau de bord.

— Vous êtes journaliste ? me demanda mon passager.

— Non, je prends des notes de route, comme ça...

— Mon nom est Billy Kramer, dit-il en me tendant la main, mais appelez-moi Willy.

Ses ancêtres étaient des Allemands qui avaient émigré aux États-Unis et pris part à la ruée de 1862 dans le bassin de la Boise. Quand les mines fermèrent en 1942 ses parents déménagèrent en Oklahoma, où il fit ses études. « Je hais l'Oklahoma, ce n'est qu'un vaste cimetière d'Indiens... » À vingt ans, il souhaita reprendre le métier de l'ancêtre, prospecteur. Il retourna à Idaho City, piocha et mit au jour un gisement. Il enregistra quelques concessions, mais gagna deux fois rien. Il accepta alors de travailler pour les services de prospection géologique de l'État, le bien-nommé « *Gem State* ». « Maintenant je vivote, mais ils me foutent la paix, alors... C'est la municipalité, le problème. Le Conseil a proposé de revaloriser l'*abandoned settlement* à des fins touristiques, et il est question de m'expulser de ma maison. Qu'est-ce que je vais faire ? Rentrer en Oklahoma ? J'ai encore une sœur là-bas...

— D'où était votre famille, en Allemagne ?

— Hirschlberg... J'ignore où c'est, à vrai dire... Seulement que c'est maintenant une ville polonaise. Y aller une fois dans ma vie, ce serait mon rêve, mais... »

Il se tut. Déjà Boise était en vue au ras de la plaine. Il pressentait qu'on allait le garder, m'avoua-t-il tandis que nous entrions dans la ville, et cette éventualité l'épouvantait.

À l'hôpital, je l'ai soutenu jusqu'à la porte. Il a refusé que je l'accompagne à l'intérieur, m'a serré la main. J'aurais aimé prendre une ou deux photos de lui, mais, à part mes boîtiers vides, l'idée m'en apparut déplacée dans les circonstances. Je renonçai à ma visite d'Idaho City.

Peu après sur l'autoroute, hanté par la silhouette de Willy de dos boitant avec sa valise à moitié ouverte, j'ai pris la première sortie et suis revenu ici.

Où j'attends.

— L'unité d'urgence s'occupe de lui, me dit l'infirmière de service.

Je m'informe s'il est encore possible de lui faire savoir que je suis là. « Êtes-vous un parent de Billy ? » s'enquiert-elle, sans lever le nez de son registre.

— Willy, son nom est Willy. Non, je passais, et...

Je me ravise, oui, je suis un cousin d'Allemagne. Avec l'accent, elle ne fera pas la différence. Elle me gratifie d'une fausse mimique de politesse et me prie de patienter.

Autour de moi quelques pensionnaires végètent sur des chaises. Le parquet reluit jusqu'au fond d'un couloir. Dans un coin, deux Indiens ont les yeux rivés sur un téléviseur logé sous le plafond. On y diffuse des extraits du western programmé en fin de matinée. Un cavalier qui galope dans un paysage urbain en noir et blanc... L'image tressaute.

— S'il vous plaît, monsieur, M. Kramer a la permission de vous recevoir. Si vous voulez bien me suivre...

▼

HÔPITAL, MIDI. RETOUR D'IDAHO CITY.

Ils sont en train de l'opérer.

À la télé, je reconnais Gene Rowlands dans les bras de Kirk Douglas, l'indompté cow-boy.

« You wanted too much, Jack.

— I didn't want enough, I didn't want a house, I didn't want those pots and paints, I did'nt want anything but you. Because I'm a loner, torn deep to my very guts. A loner is a born-crippled... »

Un assistant vient de me prévenir que Willy a peu de chance de s'en tirer, du moins sans qu'on doive sacrifier sa jambe, la gangrène a pris.

— Amputation ?

Il a hoché la tête.

Ce matin, anticipant sans doute l'irrémédiable, ils ont consenti à ce que je le voie. Des appareils ronronnaient dans la salle où s'affairait le personnel. Livide, il avait les paupières mi-closes et il me demanda d'une voix affaiblie si je pouvais remonter à Idaho City pour aller lui chercher un cahier et un livre que je trouverais dans la commode de sa chambre. Cela semblait de la plus haute importance pour lui. « Ils vous donneront l'adresse au café. La clé est sous le couvercle de la citerne, en arrière... »

En route, je me demandai pourquoi il n'avait justement pas pensé à se munir de ces effets en prévision d'une hospitalisation.

La bourgade est une *ghost town* encore habitée, avec trottoirs de bois sous des appentis, deux avenues qui se croisent, bordées de bâtiments condamnés mais intacts : la poste, la prison avec son vasistas et ses barreaux, la « loge » des francs-maçons, l'entrepôt de diligences, le musée – où derrière un grillage s'entassent des planches tombales délavées et fendues, rue de terre battue. Au *J.B. Emery and Schlosser store*, magasin général encore en activité, l'épicier m'indiqua la rue de la maison de Willy, au pied de la *Boot Hill*.

Sur sa porte une plaque de tôle émaillée vantait avec une ironie involontaire la création du « jean's » : « *Something new and already an immense success. Overalls Patent Riveted, Levi Strauss and Co's, San Francisco, Cal.* » La commode était un vrai fourre-tout : une carte de l'ancienne Silésie, divers instantanés de famille pris en Oklahoma, liasses de lettres portant le tampon de Jelenia Góra et adressées à *Herr J.M. Kramer*, vieilles cartes postales de capitales d'Europe, un passeport périmé, le tout mêlé à du linge en désordre. Le cahier, apparemment un journal personnel, rédigé en anglais, et le livre à couverture grenat, usée, et au titre polonais, étaient dans une sacoche.

Malgré l'urgence, j'ai fait un rapide détour par le cimetière (une pancarte clouée sur un tronc derrière la maison : *BOISE*

COUNTY — PIONEER CEMETERY). Les tombes étaient dispersées dans un terrain accidenté sous les pins : sépultures de mineurs et de pionniers, envahies de fougères et aux encadrements vermoulus, aux montants effondrés ; simples pierres enfoncées dans la terre, croix celtiques recouvertes de mousse, croix de bois moisissant dans l'humus ; noms slaves, irlandais, français, allemands. Plus haut sur le sentier, les dalles de granit poli des « fils » d'Idaho City, « héros » des deux grandes guerres, ainsi que celles des *GI's* tombés au Viêt-nam. Et tout à coup, sous un bouleau, cette stèle de marbre dans une flaque de soleil :

Johann Michael Kramer
Born in Germany Oct. 12, 1826.
Died in Ida. City, Sept. 14, 1911, Age 85.

Entre l'homme de cette tombe et Willy mourant, un segment majeur de l'histoire des États-Unis.

— Vous écrivez à sa famille ? Ou bien peut-être désirez-vous lui laisser un mot ?

C'est l'infirmière qui se demande ce que je fais encore là.

— J'attends, j'aimerais savoir...

— Je crains que cela ne soit inutile, monsieur, fait-elle, compatissante. L'opération sera longue et il est peu probable que vous soyez autorisé à le voir avant plusieurs jours.

Que faire de ses affaires ? J'aurais préféré les lui remettre moi-même. Les Indiens ne sont plus là. Dans l'atmosphère confinée, et d'une fraîcheur artificielle, les haut-parleurs bourdonnent de messages parasités. Par la fenêtre, la Boise River suit un cours paisible sous une voûte d'arbres haut élancés. Sur l'écran du téléviseur, un fondu enchaîné transforme le cavalier en diesel. Carton-titre : *Lonely are the braves.* Le film est interrompu par un flash d'informations en direct du congrès démocrate où Geraldine Ferraro est ovationnée parmi les ballons et la fête, et la victoire de Fritz Mondale acclamée dans un délire. Cotes de la bourse, météo. Publicité. Puis le film reprend. Dehors, la terrible lumière, l'étouffement. Attendre encore, et laisser la sacoche. Penser à acheter des fruits. Et la monotonie des plaines, qu'il va bien falloir affronter.

▼

Bonneville Point, 15 h.

> « *From this old Indian trail later known as the Old Oregon Trail, Capt. B.L.E. Bonneville's party on first sighting the river in Mai 1833 exclaimed –* " *Les bois, les bois, voyes les bois !* " *meaning* " *The woods, the woods, see the woods !* " *Capt. Bonneville, therefore, named the stream Riviere Boise – also indirectly the mountains and the city.* »

Cette eau de la Boise qui allait les soulager des solitudes brûlantes... L'inscription brille sur une plaque de bronze encastrée dans la murette. Au-delà de l'abri du mémorial, perché sur une petite éminence, c'est la plaine sur les quatre horizons, écrasée sous une chaleur implacable. Et partout à l'entour, ce silence étrange qui est celui de la steppe quand elle se déroule ainsi à l'infini. Une fixité définitive, absolue. Indélébile, la piste se perd d'un bout à l'autre de l'étendue qui ondoie comme la houle. J'ai marché jusqu'ici, foulant enfin de mes pas les traces mêmes de l'*Oregon Trail* ! Le bruit que cela faisait dans l'immensité vide du ciel...

En bas du talus, une pierre grossièrement taillée émerge des touffes de sauge, et on peut y lire en caractères cursifs : « *Th. Johnson. Wayne. Co. Ind. Died July. 2. 1850.* »

Quelque chose bouge, est-ce le vent ? — à peine un frôlement. De-ci de-là, une spirale de poussière s'élève, se dissipe. L'herbe desséchée a de brusques frissons de vagues, puis se fige. On tourne la tête, surpris. La terre est vivante...

241

Et d'un seul coup dans la nudité et la paix du monde, c'est exactement ce moment-là : un jour de juillet 1843, la même intensité limpide du ciel, d'un bleu si saturé qu'on dirait que le soleil s'est à jamais immobilisé. Et dans l'éternité de cet instant qui, sur le point de se défaire, ne cesse de se prolonger, immuable comme un trou noir dans la durée des temps, le sol s'est mis à vibrer. L'émotion me cloue sur place, et mes yeux papillotent sous l'air chaud : c'est comme si au loin une caravane s'approchait... Sur quatre colonnes, les chariots aux toiles claires sont pareils aux vaisseaux d'une paisible armada sur une mer étale. Je m'accroupis, la tête entre les mains, le cœur battant comme lorsqu'on s'apprête à retrouver une sœur, une maison d'enfance, un quai de gare. Le tressaillement qui me transperce est insupportable. Il y a en ces espaces quelque chose qui m'agite, et me sauve en même temps, et je ne sais pas quoi. Chercher ceux que j'ai connus ? Où sont-ils ? Déjà arrivés ? Pas encore partis ? Attendre le retour...

Le plein jour s'emplit maintenant d'une rumeur qui se précise, crissement d'essieux, braiment de mules, cailloux qui roulent ; le sol trépide des pas de milliers de bovins – et tout cela soulève des nuages derrière les reliefs. La première voiture aborde la côte, les hommes l'épaule à la roue, les bœufs le cou tendu, leurs sabots dérapant dans la pierraille, les femmes le corps penché en avant et le fouet à la main, tirant sur les rênes pour maintenir la tension. Ahans et grognements accompagnent le moment où les mains relâchent le rayon pour se raccrocher au suivant, les hommes déplaçant ensuite l'entrave et s'arc-boutant des genoux pour retenir la roue. Le chariot bringuebale telle une chaloupe, prêt à se renverser, mais ils pressent de tout leur poids contre le coffre, les traits crispés. Le fouet voltige. Un gamin surveille leur progression, trottine pieds écartés, un bloc de pierre entre les mains, attentif à l'instant où il devra lâcher son fardeau sous le bandage d'acier. Le geste, s'il est précis, sera déterminant. Au signal la roue est stoppée, puis calée à l'aide d'un pieu. Tous respirent un peu puis se remettent à l'ouvrage. Le fouet claque. Dans un sursaut, le fourgon décolle, et il faut freiner les animaux, se cramponner à plusieurs aux harnais, talons en avant. Enfin hissé sur le plat, l'attelage marque le pas. Les hommes essoufflés s'essuient le front avec leurs manches, s'épongent la poitrine avec des mouchoirs à carreaux. Des filets ocre leur dégoulinent dans le cou, ils grimacent et rient en même temps. Ils soupirent de ce répit, car des centaines de milles les attendent encore, et des centaines de côtes semblables à gravir. Déjà, d'en bas, d'autres se préparent...

Ariette a recouvré ses forces. C'est bien ainsi, car on nous a avertis que les dernières montagnes étaient les plus périlleuses, que plus d'un ne les surmontait pas ; et, qu'à raison de quinze à dix-huit milles par jour, l'épreuve est interminable, qui toujours se répète – on n'a jamais l'impression d'avancer mais de se traîner comme des tortues dans un paysage qui n'évolue qu'imperceptiblement.

Pourtant, même si parfois, comme les autres, le courage me vient à manquer, il m'arrive de regretter que tout cela doive finir un jour...

De chaque côté, les *schooners* s'alignent sur le sommet de la butte, les caravaniers se détendent en échangeant des blagues avec les femmes restées aux rênes. Des enfants courent autour des chevaux, débusquent les « chiens de prairie », se pourchassent sur les monticules. Enfin le cortège reformé s'ébranle en un mouvement balancé, voiles enflées par un léger vent de face.

(Willy est mort ce matin.)

▼

Three Island Crossing, cinquante milles plus à l'est.

Dans les hautes herbes qui la dérobaient au regard, j'ai buté sur une grande dalle disloquée :

243

To all pioneers who passed
over Three Island Crossing and helped to win the west.
Erected 1931
by troop one boy scouts
America.
Roslyn, New York
scoutmaster K.B...

Incrusté en son centre, un médaillon de plâtre figurait le site, avec les bras de la rivière Snake et les différents points de franchissement. La partie supérieure gisait à quelques mètres de là, fendue en deux. Ainsi, même les monuments érigés afin d'immortaliser le souvenir de la Grande Traversée se sont effrités, érodés par l'assaut des saisons, carcasses brisées de l'Histoire. Seules subsistent les bornes officielles de ciment qui, à travers les États-Unis d'aujourd'hui, ponctuent de leur blême pointillé l'héroïsme de l'entreprise – et l'ampleur du désastre.

Ce long voyage vers l'avenir, pourquoi ? Même ceux qui touchèrent au but ont tous disparu : pas un seul survivant.

L'aire de pique-nique se situe exactement à cheval sur ce qui fut la piste, là où le trèfle ne pousse plus. L'accès est étroit, au ras de la corniche. Vues d'ici, les falaises de la rive sud sont saisissantes, abruptes et noires, et l'on se demande comment tant de milliers de personnes, avec leurs chariots et leurs troupeaux, ont pu réussir à venir à bout de cette faille colossale. Selon une tablette d'information, Three Island Crossing a été, avec la Platte River, l'obstacle physique le plus redouté par les émigrants, et, de fait, le plus meurtrier. Pourtant la Snake est en bas un canal d'émeraude qui donne une irrésistible envie d'y plonger...

▼

21 heures. Camping de Register Rock, Idaho, entre la *Highway 86* et la Snake.

Un ruisseau coule sous un abondant tapis de verdure. Au milieu du pré qui s'évase en cuvette se dresse le *landmark*, haut bloc basaltique en forme de ballon, totalement inattendu dans un tel environnement. Presque anonyme et caché de la route par une rangée de peupliers, il est surmonté d'un toit d'aggloméré et encerclé d'un muret. Son volume est protégé par un grillage qui empêche de le toucher. Des noms et des initiales sont gravés en tous sens dans la texture rugueuse, certains nettement, d'autres en partie effacés par l'érosion, ou soulignés d'une fine couche de moisissure. Des dates (1850 est la plus récente), des commentaires. Je remarque le nom *Thomas Johnson* tracé de lettres irrégulières. Entre cette signature et l'épitaphe de cet après-midi, il ne lui reste que quelques jours à vivre – tout le sens de la vie résumé dans ce bref intervalle : s'affirmer vivant et vouloir se perpétuer en taillant son nom dans le roc, d'une part, et ce même nom que la mort burinera sous peu à sa façon, d'autre part. J'aurais aimé sentir sous mes doigts les renflements et les déliés de ces émouvants sillons, connaître la destinée de chacun des signataires.

Entre les haies qui entourent la prairie, des convulsions volcaniques saillent en de singulières excroissances déchiquetées. Vers l'ouest d'ultimes rayons enflamment les altitudes moutonnées. La journée a été étouffante, et l'exubérant clapotis de l'eau fait de ce cadre bocager une oasis inespérée et bienfaisante. À la lisière du terrain, une paroi surplombe à pic la Snake, qu'une déclivité en lacet permet de rejoindre.

Quelques tables de rondins en retrait. Il n'y a que moi sur le site. Froufrou des couleuvres dérangées par mon irruption.

Non, Willy n'a pas tenu le coup.

L'infirmière s'est absentée, et je ne me résolvais pas à m'en aller, absorbé par la suite du film, l'acharnement de l'homme avec sa monture sous la pluie, son intrusion dans une société qui n'était plus la sienne, puis la collision avec le camion, les phares de l'ambulance, l'animal qu'on abat, le dernier souffle du cow-boy qui s'était trompé d'époque. « *Loners are born-crippled...* » Et cette pluie qui ne cessait de tomber sur l'asphalte d'une nuit qui ne finirait plus. *THE END*.

L'infirmière est revenue et m'a conduit jusqu'à un bureau. Là, c'est le chirurgien qui m'a annoncé la nouvelle. Ils avaient tout tenté, mais le mal était trop avancé, l'amputation ne pouvait suffire. « Trois ou quatre heures plus tôt, et on l'aurait peut-être sauvé... Êtes-vous l'un de ses proches ? — Pas exactement... » Je lui ai remis la sacoche de Willy. Il a feuilleté le cahier, examiné le titre du livre. « Je crois qu'il n'avait pas de famille, gardez-les... » Je suis parti aussitôt.

L'aboutissement d'une ambition née sur les rives de la Bobr, quand un prolétaire souhaitant une existence meilleure pour ses enfants avait décidé de quitter les mines des Sudètes pour le Nouveau Monde. Lui aussi, Willy, c'était l'Amérique... De quels soleils s'auréolaient les pâturages de Silésie que ses yeux n'avaient jamais contemplés, non plus que le village de son lointain aïeul – qui n'étaient plus en terre allemande ? Sera-t-il inhumé à *Boot Hill*, au pied du même arbre ? À deux pas de sa maison que visiteront les touristes, sans savoir. Et le précieux cahier, aux feuilles intimes envolées entre les mains d'un étranger, comme pages dans le vent... (N'ai pas osé l'ouvrir.)

Et cette photo que je regrette de ne pas avoir prise.

Monter la tente... et foncer dans la rivière.

▼

22 heures.

Chaleur moelleuse et enveloppante, saturée de parfums. Nagé entre les murailles du canyon que le couchant colorait d'un vermeil de feu, ébouriffé par l'haleine des plaines, assailli

246

par le froissement d'ailes des hirondelles et les couinements
des chauves-souris qui sillonnaient l'espace. L'indéfinissable
sensation de se baigner ici, précisément à l'endroit qu'un jour
les émigrants ont animé de leurs cris et de leurs ébats, dans la
tiédeur d'un soir semblable, dans le même apaisement du corps
après les brûlures de la journée. Et brusquement, de silen-
cieuses apparitions sur la crête... L'alerte, le massacre qui commence, incompréhensible, la confusion parmi les hurlements,
l'angoisse qui étreint le corps, le sang qui aveugle, la fin non
seulement du rêve – le voyage brutalement interrompu –, mais
de la vie elle-même, la mort prématurée.

Mais je vais dans l'autre direction...

Un tumulte léger s'élève sous le roucoulement du ruisseau,
s'amplifie et se répand ; je connais ce bruit, maintenant
familier. Bientôt les premiers chariots se placent, des ombres
glissent sur la toile de ma tente, des feux s'allument et
crépitent au milieu d'un tohu-bohu presque joyeux. J'entends
ceux qui se précipitent vers le rocher, qui grattent la surface ;
ils s'exclament en reconnaissant un nom, pointent une date,
palpent les courbes. « Hé, Lodiza, viens voir ! Thomas est
passé il y a trois semaines ! Il a inscrit son nom ! » On
déchiffre les messages, on en ajoute.

*Les voix des femmes se répondent dans l'air chargé de
poussière. Des éclairs de chaleur font jaillir de grandes bour-
souflures verticales, et ça fait comme des cathédrales célestes.
Sous un ciel de plomb, les nuées de sauterelles présagent
l'orage, et si ces préludes à la pluie apportent une certaine
détente, la crainte des tornades et de leurs effets dévastateurs
reprend vite le dessus. Le souper et le sommeil en seraient
compromis alors que la fatigue accumulée et l'approche des
Bleues rendent plus nécessaire que jamais d'économiser nos
forces. Nous avons été coupés des Johnson et des vivres que
nous leur avions confiés (car il nous a fallu faire de la place
pour le petit orphelin du Kentucky que nous avons recueilli ce*

matin. Nous venions de nous mettre en marche, quand nous l'avons aperçu qui pleurait et se lamentait près des corps de ses parents emportés par le choléra.)

Demain l'étape sera encore plus difficile. Ariette supportera-t-elle les quelques semaines qui nous restent ? Elle passe de longues heures dans un état vaporeux, n'est plus d'aucune aide aux rênes et s'éclipse plus souvent pour faire des sommes, malgré la fournaise sous la bâche et la nausée que lui causent les cahots du chemin. Les enfants qui ne comprennent pas toujours le besoin de leur mère perturbent souvent ses siestes, et elle est devenue agressive.

Depuis la mort de notre petit Peter, elle a sombré dans une apathie qui m'inquiète. Il est vrai que moi-même je contiens péniblement mes larmes quand je pense à la Sweetwater, où sa tombe paraissait si menue à l'orée du bois de broussailles, un infime fléchissement du terrain où repose désormais son tout jeune corps. J'aurais voulu la marquer d'une croix, ou par une fleur, quelque chose, mais c'était impossible, les Indiens détectent les sépultures et déterrent les cadavres pour les dépouiller. J'ai le sentiment insoutenable de l'avoir abandonné, laissant se creuser entre lui et nous tout l'abîme de l'oubli. Mais les caravanes qui nous suivent sur ce ruban de terre sont une façon de maintenir le lien, maillons d'une chaîne humaine qui se prolonge dans l'infini des temps.

Cet après-midi des marchands qui revenaient de la vallée de la Willamette nous ont appris qu'en aval (comme si nous étions un fleuve, plutôt un ruisselet, me semble-t-il) un guet-apens dans les gorges de la Snake avait coûté la vie à huit hommes et une femme. Ce sont les suivants qui découvrirent les blessés gisant sous les cerceaux dénudés. Les victimes furent ensevelies, et les rescapés pris en charge. D'autres se joignirent à eux et ils se regroupèrent en une force de deux cents chariots et de sept cents personnes afin de poursuivre le voyage avec quelque assurance. La région est habituellement sûre, confirmèrent-ils, spécifiant que jamais à leur connaissance les Shoshones n'avaient provoqué d'incidents. Ils nous ont cependant conseillé d'être vigilants, car les tribus des Hautes Plaines, déçues par de récentes initiatives de Washing-

ton, auraient manifesté l'intention d'endiguer le flot grandis-
sant des Blancs sur leurs territoires.

▼

Parfois dans la nuit, l'oreille collée à la terre, j'écoute le
martèlement des sabots, le grondement des roues, j'entends les
chevaux qui hennissent, les coups de feu, et les gémissements,
et c'est comme si mon corps éclatait, meurtri par les tourments
de l'exil et le déroutement de ma course. Dans le souvenir des
convois, je ne sais plus qui je suis ni où je vais, sinon que je
dérive à contre-courant de leur marche vers la félicité, déchiré
entre les contrées du rêve révolu et la nostalgie de l'origine,
égaré dans une époque muette – ou déjà dissipée –, parce que
la route sera longue jusqu'à la douce vallée ; et les années de
ma jeunesse encore à vivre là-bas, alors qu'ombre parmi les
ombres j'erre dans le dédale du présent, dans cette sorte de *no*
man's land entre ma vie *d'alors* et celle d'aujourd'hui. Les
pierres m'écorchent la peau du ventre, j'ai les épaules qui brû-
lent, j'enfonce mes ongles dans le sable, et, le front écrasé
contre le sol, je sens bourdonner un sang si vieux qu'il se
souvient même du néant d'avant ma conception. Secoué par les
sanglots de la mémoire, parce que l'avenir *a déjà eu lieu* :
ceux-là mêmes auxquels j'attache mes pas, en route pour la
conquête de l'immortalité, gisent en la terre qu'ils s'étaient
promise, ou sous ce chemin que je parcours encore, un jour,
des siècles, des millénaires plus tard.

Qu'y aurait-il donc au terme de ce voyage qui pût me
préserver, *moi*, de la mort ? Le défi ne consiste pas à subir sans
dommage le jour (bien que, l'insolation, les vautours, les tempêtes de sable, l'épuisement...), mais à atteindre l'étape, même
fictive, qui établit sur les cartes de ma conscience l'avance vers
les rives bienheureuses...

▼

Les flammes font ressortir l'arc du *corral*. Les femmes
s'activent aux chaudrons, plantent les piquets pour les tourne-

broches, entreprennent la traite des vaches. Le *wagon boss* fait le tour des familles, s'informe de l'état des plus souffrants, redonne courage aux plus affligés. Dans une gerbe de rires et d'aboiements, des jeunes gens sont allés se jeter dans la Snake, transportant des brassées de vêtements sales. Ce soir, ils pourront s'approvisionner en eau sans être obligés d'envoyer des intrépides se casser le cou le long de la paroi, comme la veille à American Falls. Des fumets de grillade flottent dans le camp, du saumon attrapé le matin. Les enfants se réunissent sous les carènes, complotent des jeux, ou s'absorbent dans les récits de Parkman ou de Cooper.

Puis les équipes s'assemblent. En organisant les tâches de la nuit, ils doivent prendre en considération le fait que le convoi se divisera demain à la fourche de la Raft. Ceux qui visent Sacramento et la Californie lèveront le camp avant l'aube afin de différer le plus possible les affres du Nevada et de ses étuves, et disposeront donc leurs véhicules de manière à manœuvrer les premiers.

D'âpres discussions s'engagent, car la proximité de l'embranchement exacerbe les passions qui couvaient depuis quelques jours, et les dissensions s'aggravent. Sensibles à l'influence des plus téméraires, de « gentils fermiers » – qui jusque-là étaient déterminés à faire face à l'austérité des forêts de l'Oregon – sont tentés par l'aventure. Et ce soir des drames éclatent. Les plus honnêtes se justifient auprès de leur épouse, jurent qu'ils la rejoindront après avoir ramassé assez d'argent. Certaines sont au désespoir, s'agrippent à leur mari.

Un charron encore adolescent cherche à émouvoir le père d'une jeune fille qui veut l'accompagner. « Lisa m'aime, monsieur, elle dépérira si vous la séparez de moi. — Ne dis pas de bêtises, Jack... »

Des amis se font des adieux anticipés, des convertis transbordent déjà leurs effets dans les chars à bœufs des « aventuriers ». Un homme est en train de décharger sa charrue : ayant subitement décidé qu'il emmenait toute sa famille à San Francisco, il se débarrasse tout simplement de l'outil qui devait défricher les terres de leur nouvelle vie. Des *Forty-niners* s'appliquent à peindre leur mot de ralliement sur la planche arrière de leur caisson : « *Pikes Peak or Bust !* » ou « *Root, Little Hog, or Die.* »

Çà et là les conversations vont bon train. Certains décrivent leur misérable condition sur la « frontière » et soulignent l'occasion qui leur est ainsi offerte d'échapper à leur sort, « parce que là-bas on peut se refaire une vie », plaident-ils. Un instituteur s'attire des sarcasmes lorsqu'il affirme qu'en se rendant en Oregon il a l'impression de faire partie d'un grand mouvement historique. « Et que feras-tu là-bas ? l'interpelle, railleur, un rouquin. Des leçons aux Sauvages ? — On dit que la terre y est généreuse et les ressources abondantes, se défend le jeune homme. Nous développerons un pays, nous bâtirons des villes et nous baptiserons la capitale Aurora. Peut-être que grâce à nous les États-Unis s'étendront jusqu'au Pacifique... Le gouvernement nous appuie, l'Oregon, c'est l'avenir de la nation, proclame-t-on là-bas. Tandis que la Californie... — Mais la Californie sera bien plus tôt américaine que tes champs de vaches, tu verras ! »

En attendant, tous en conviennent, il vaudrait mieux se préparer pour la nuit. Même si jusqu'ici les Shoshones se sont montrés coopératifs, les Snakes représentent une tout autre menace, et le *wagon master* insiste sur la nécessité d'une vigilance accrue. Ils doubleront les piquets de garde.

Quelques vétérans du *Trail* terminent une partie de cartes ponctuée d'exclamations grivoises et de jurons. Beaucoup ronflent déjà sous les chariots. Une courte prière est récitée à la mémoire de Peter. Sa mère réclame qu'on la ramène au lieu de la tombe. Des femmes essayent de la consoler. Une voix chante « *O Bury me not on the lone prairie...* »

Plus tard, assise sur une pile de linge et coincée entre des malles, Ariette s'est remise à son journal, ajoutant des pages aux milliers de pages accumulées, traces dans les traces, phrases qui aspirent à ciseler un peu d'éternité dans le sillage des caravanes...

L'orage a été violent, mais bref. S'il a alarmé les mères et épouvanté les enfants, ses trombes ont attiédi l'air, allégé l'atmosphère, et c'est avec beaucoup d'entrain que nous avons achevé d'installer le camp. Et puis il y a eu le passage du courrier de Fort Vancouver, qui nous excite toujours. Le paradis existe bien en dehors de notre imagination, puisqu'on peut en revenir. Pourtant chaque jour nous en fait douter, tant sont inhumaines les conditions de cette lente et obstinée pérégrination. Et le terrible choléra : des personnes vont bien le matin et elles meurent l'après-midi. Au début, lorsqu'il était encore temps, beaucoup rentraient précipitamment chez eux, mais la mort les talonnait aussi bien en arrière qu'en avant.

Et mon petit Peter seul cette nuit... Je sais qu'il faut continuer, tenir. « Fais-le pour les autres enfants, pour le petit du Kentucky », me conjure Albert. Mais s'ils m'avaient laissée au moins une nuit avec lui, ce serait plus facile, je crois. Je ne me juge guère plus digne que ceux qui abandonnent leurs malades sur le bord du chemin au lieu de veiller près d'eux pour adoucir leur agonie. Ou que ceux qui creusent la fosse sous les yeux du moribond, ne cachant même pas leur impatience de repartir... Et toutes ces tombes partout ! J'en ai compté vingt et une aujourd'hui. Cela nous rend sombres de voir tant d'émigrants enterrés dans les Plaines. Par moments, j'interroge les planches du coffre en me demandant quand elles serviront de cercueil pour l'un d'entre nous.

Les poneys piétinent, ils sont inquiets. La nuit sera difficile, les « Californiens » vont faire la foire et se soûler... Les bagarres qu'ils provoquent chaque soir me terrifient (il y a déjà eu des tués), les histoires qu'ils racontent me font rougir de honte ; et ces libertés qu'ils se permettent avec les femmes. On chuchote que beaucoup sont des voleurs et des criminels en fuite. Enfin, qu'ils décampent au plus vite ! Cela va purger la compagnie de sa racaille !

J'ai peur ce soir. Dans le défilé d'Indian Rock Pass, nous avons remarqué les plumes de duvet disséminées dans les arbustes. Personne n'a fait de commentaires.

Nous avons perdu Toby. Comment empêcher le chien d'un bambin décédé de retourner jusqu'à la dépouille de son petit maître ?

Adieu, mon petit Peter...

▼

Nuit sereine. Les voix du passé se sont tues. Glissement sourd de la Snake au fond du canyon. Parfois un camion passe en trombe sur la route, et tout s'éteint de nouveau. Un souffle chaud venu du Nevada dilate la tente, telle une poitrine qui respire. Les jappements habituels se font écho dans la plaine. Un récit navajo honore le coyote comme le maître de la Prairie : c'est lui, en effet, qui a volé le feu aux dieux et l'a apporté aux humains en le transportant dans ses oreilles. (La race humaine a bien été forgée, selon les Aztèques, avec les ossements que Xolotl, le dieu-chien, avait rapportés des enfers...)

Ma tête est agitée de la rumeur des temps, comme la terre qui exsude les effluves condensés par le jour. Par le triangle de l'ouverture, la constellation d'Andromède (ou bien ne serait-ce pas celle du Minotaure de la mythologie ?) dévoile ses arabesques, la voûte étoilée palpite du pouls des espèces disparues.

12 juillet, *Raft River Rest Area*, matinée.

Au réveil, le site était dépeuplé, et calme, juste le murmure d'un ruissellement d'eau. Qui vient jamais camper en ces coins écartés ? Avec son emballage de fil de fer, le rocher avait l'air d'un gros paquet déposé là par un géant. Sur sa face ensoleillée j'ai déchiffré et noté d'autres noms, sans trouver ceux d'Albert ni d'Ariette. Des faucons tournoyaient très haut au-dessus des falaises. Alors j'ai fait comme si, en ce matin de juillet 1850, je n'avais pas entendu le départ des « Californiens ». Et, sans prendre le temps de déjeuner, j'ai défait le camp.

L'*Interstate 86* enjambe ici le lit à sec de la Raft. Parallèlement à celle-ci, la *California Road* s'échappe vers le sud-ouest dans une étendue morne et grise, caillasse et maigres touffes à perte de vue.

Ici leurs destins se séparaient, et je peux encore les voir : le courant principal oblique vers les pentes du nord, lentement, au rythme des futurs sillons, confiant dans son but et délesté de sa « racaille ». Celle-ci s'égaille de son côté le long de la Raft en une bande turbulente qui entonne « *O, don't you cry, Susanna ! O, don't you cry for me ! I'm going to Californy with a wash bowl on my knee...* », ses membres insouciants des périls qui les guettent : sables mouvants, marécages d'alcali et arbrisseaux empoisonnés, aridité impitoyable des sierras.

Tourné vers ceux qu'il traitait hier de « rebelles », le père de Lisa semble hésiter, puis, très digne et soucieux de ne pas retarder le cortège, décoche un coup de fouet ; l'attelage se met en branle et les chariots se cabrent dans un fracas qui déferle. La mère, assise près de lui, agite un mouchoir vers la plaine où l'escouade des braves s'amenuise déjà. C'est ainsi qu'à la tête de la colonne des « Oregoniens » – qui s'étire – l'on voit longuement frémir ce soupir de papillon. Enfin la voiture de queue disparaît derrière la colline, et un silence minéral s'étend à nouveau sur le présent.

Comment concevoir que le rêve fût, après avoir ainsi exposé leur vie et vaincu tant d'obstacles, et sur une telle distance, de couler ses jours dans le cercle d'une vie domestique ? « *Good beef, good beef !* » vantait John Wayne à Montgomery Clift dans *Red River*. Cela peut-il être le but d'une existence ? L'Oregon m'a toujours fait penser à des pâturages normands ou à des tourbières irlandaises, pleines de vaches et de moutons, une vie retirée, *refermée*. Et pourtant...

(Que disais-je à Bill, sur la nostalgie des équipages perdus ?)

Alors, oui, il resterait la direction des « jardins de l'Éden »... San Francisco est à l'extrémité de cet axe, exactement. Là-bas, où ne se distinguent plus maintenant que quelques volutes de poussière...

▼

Des motards se sont arrêtés, déchiffrent attentivement le *marker* avec moi, jettent un coup d'œil déçu sur la balafre de la Raft asséchée. Ils ont la barbe grisonnante, et nous échangeons spontanément quelques paroles, évoquant brièvement, à travers souvenirs et dates, la vague hippie des années soixante qui drainait la jeunesse vers le Pacifique. Ils habitent maintenant là-bas. Lorsqu'ils renfourchent leurs motos, l'un d'eux me lance : « Vous venez avec nous ?

— Non, non, je ne suis plus de ces équipées... »

Quelque chose se déplace dans le ciel, à la verticale de la route, comme de fines paillettes qui volettent et se multiplient. Après un moment on découvre qu'il s'agit d'une colonie d'oies, déployée dans un remous d'ailes brouillon et saccadé. Puis sous l'effet d'une exigence impérieuse mais parfaitement réglée, l'ensemble s'ordonne peu à peu selon un large V aux lignes d'abord inégales et lâches, mais qui s'affermissent bientôt en une flèche de plus en plus assurée – la trajectoire d'un pur élan. Elles sont dans l'azur éblouissant un peu du merveilleux de ces confins mystérieux qu'on ne connaîtra jamais mais qu'on espère gagner un jour. Comme si, de là-haut, parce que déjà visibles pour elles, se mettaient à naître ces rivages légendaires qu'on croyait inabordables.

J'en reviens.

Et pour la première fois je ressens la chute : je ne fais plus partie de l'expédition des Argonautes, exclu du fabuleux vaisseau qui a longtemps constitué mon foyer – et que je dominais royalement –, dorénavant étranger à mon propre mouvement. Puis, sans que mon regard intensément fixé sur elles ait pu le percevoir, elles se sont volatilisées dans la transparence lumineuse, ne laissant plus miroiter que de fugaces étincelles, qui s'évaporent à leur tour dans les altitudes marines.

De très anciennes bouffées d'exaltation remontent en moi, et je prends tout à coup conscience, avant de repartir, que ma direction est définitivement à l'opposé de cet envol vers les splendeurs du sud. Et la délivrance est comme une douleur qui, interrompant votre course vers l'inaccessible – brisant vos espoirs –, vous soulage en même temps de toute la tension de l'impossible mission. Le *vrai* voyage (disait Hector ?), celui dont Erick et moi avions fortement ressenti l'appel du bout de l'île à Reichenau, vient peut-être de commencer. Vers l'Orient... Mais avant, il me faut reprendre possession des forces que je projetais sur l'horizon. Dernier descendant des écumeurs de l'utopie, fourvoyé dans les labyrinthes glacés de la fiction, oui, *je reviens bien sur mes pas.*

Soir du 13 juillet, Greys River, près d'Alpine Junction.

Le val est très encaissé, flanqué de forêts sombres. Les vapeurs froides d'un torrent s'épanchent dans les sous-bois, se mêlant au panache bleuâtre des feux. Je partage le site avec deux ou trois familles et un couple âgé. Le mari botté de cuissardes et planté dans le gué lance et relance son hameçon. Un ours rôde aux alentours du camp, il faudra placer les provisions en hauteur.

Encore assez de jour pour lire un peu.

Aujourd'hui l'atmosphère a été à la bonne humeur, peut-être à cause d'une naissance pendant l'arrêt de midi. La mère et le bébé se portent bien. Après ce qui est arrivé hier, ou avant-hier, je ne sais plus, c'est avec beaucoup d'anxiété que nous avons abordé le défilé. Mais nous avons croisé des messagers qui en sortaient, et cela nous a rassurés. L'un d'eux était un commerçant d'Oregon City escortant des mulets chargés de ballots de fourrures. Curieuse sensation que ces gentlemen venus d'en avant de nous, et de retour, comme si du futur nous étaient envoyées des nouvelles de nous ! Je voulais savoir s'il était vrai que la vallée était si verte que même sous le soleil de midi il était agréable d'y travailler, s'il était vrai qu'un mont immense comme l'univers, beau et majestueux comme le Fuji-yama, étincelait de neige (même en plein mois de juillet) au-dessus de vallons fertiles. S'il était vrai que... L'homme devait s'attendre à ces questions, sans doute souvent répétées, car il a souri, il a répondu, oui madame, tout cela est exact, gardez courage... Ses paroles ont mis un baume sur notre tristesse. Ainsi ne resterons-nous peut-être pas ces nomades indéfiniment suspendus entre ciel et terre. Nous sommes bien en chemin, le long d'une vraie route, et non dans une errance qui n'en finirait pas d'être notre destin : oui, ce chemin aboutit quelque part, oui, là-bas on peut tout recommencer. Et, grâce aux bons soins de la Providence, l'assurance que ce pays est bien réel nous rappelle pourquoi nous marchons. Encore en vie, nous pouvons nous estimer favorisés. L'homme a soulevé son chapeau en demandant si nous avions des lettres. Nous avons griffonné quelques missives, pauvres gouttes jetées dans l'océan de la distance. Puis il a repris le trot, et nous l'avons vu s'attarder par-ci par-là le long de la colonne qui sinuait comme un serpent. La famille du nouveau-né l'a retenu plus longuement. C'est ce soir que les choses se sont gâtées...

Cet autre camp, ici, un jour, aujourd'hui... Comme si dans ce lieu, à ce moment où, en montagne, la journée s'écourte, dans cette même fraîcheur qui monte du torrent – rien n'était différent d'alors, cent quarante ans plus tôt. Cet homme qui repose sa canne, là-bas, qui s'avance vers moi...

Le vieux Leo, l'un des hommes du convoi, vient me faire part de son inquiétude : un chariot manque à l'appel, ils sont nerveux. Le plus grand des fils Paden était malade ce matin, la rougeole... Et puis, parmi eux, une autre femme, Esther, se désespère et dépérit...

Il me décrit comment ils ont subi leur premier assaut avant-hier dans les ravins de la Bear River. L'avant-garde s'était trop détachée, et les Indiens, en surnombre, en avaient profité pour attaquer. Ils eurent à déplorer trois pertes ainsi que le vol de seize chevaux. Des hommes sans monture en ont été réduits à scier leur carriole pour se fabriquer un sac à dos de fortune. Ils se sont abrités dans des grottes et ont repris de nuit leur marche. Mais dans l'obscurité, la traversée répétée des rapides transforma les gorges en véritable enfer. Certains se sont noyés, et ce soir encore le moral est bas.

Depuis Fort Laramie, Esther se tient le plus souvent à l'écart, plongée dans une torpeur qui n'est pas sans alarmer les autres. Tom, son époux, parviendra-t-il à la rejoindre, avec leur jeune fils, Edward ? Leur fille, Isabella, s'ennuie de son père, ne mange presque plus, maigrit dramatiquement. Tom, qui devait encore quelques jours de service à l'armée pour avoir droit à sa prime, aurait dû les rattraper après deux ou trois semaines, et ça fait déjà presque deux mois qu'elles sont en route. Ses compagnons (une famille du Kentucky et quelques Irlandais) sont très gentils avec elles, les ont adoptées toutes les deux ; et ils les exhortent à tenir bon jusqu'en Oregon.

Leo me conduit jusqu'à Esther, et elle me pose des questions sur cette contrée où elles se rendent, incapable d'envisager ce qu'elle y fera sans Tom. Où iront-elles ? Oregon City, Barlow, Salem ? Ils n'ont même pas songé à se donner un point de rendez-vous puisque Tom devait être bientôt près d'elles. A-t-il eu un empêchement ? un accident ? Peut-être que... Mais non. Elle voudrait au moins l'attendre, mais c'est dangereux, lui ont dit les plus expérimentés, et tellement d'imprévus sont susceptibles de justifier un retard, qu'elle ne se décourage pas. « Il y a tellement de raisons de mourir dans cette vallée de larmes ! leur a-t-elle rétorqué. Vous auriez dû me laisser à Laramie, là-bas je ne risquais rien... » Ils n'ont pas insisté.

Elle me demande si elle peut me confier une lettre pour Tom.

Le chariot des Paden vient d'arriver, sans le fils. Esther s'est retirée brusquement.

▼

Plus tard.

La journée a été longue. M'enfonçant dans l'épaisseur du continent, je dois résister heure après heure au courant contraire de légions harassées, de vieillards à bout de force, à cette poussée qui tend à m'emporter, charriant débris de ma vie et bribes d'une illusion à laquelle je n'ai pas encore renoncé ; à me demander ce que je répète au fil de ce retour sans destination, déroulant géographiquement le mythe à l'envers de la multitude ambulante, écoutant ces hommes et ces femmes comme on fouille des archives, ou des images, témoin d'une procession d'ombres au ralenti sur l'écran d'une histoire qui n'est pas la mienne, pleurant ce temps qui n'a pas été, monde disparu dont les empreintes presque effacées ne font que trahir la finitude. Solidaire de l'effort insensé, je tâche de lire sur les visages cette espérance qui les fera tenir jusqu'au bout de l'épreuve. Car plus je progresse moi-même le long de la piste, plus s'allonge le chemin de ceux que je croise. Et je sais ce que demain leur réserve, et après ; je sais ce que j'ai perdu, orphelin dont les parents ont péri en route.

L'Ouest ne s'est pas résolu à se dissoudre qu'il me faut poursuivre sur la voie qui remonte aux sources inconnues de ma mémoire. J'erre encore, tout en suivant scrupuleusement les bornes de la traversée ; avec la volonté de m'arracher à l'attraction du gouffre, comme on arrache de soi une vieille peau. En attendant, l'Est ne propose rien, n'étale rien. Il faut le conquérir à rebours du temps ; l'Est, c'est le secret des coulisses invisibles quand on s'est brûlé dans le vide hallucinant des artifices de feu. L'apparition du Commandeur dans une explosion de soufre...

(*S'orienter*, « trouver la voie de l'Orient » ?)

FARSON, SUR LA SANDY CREEK, 14 JUILLET (?), 10 HEURES.

Je suis allé réveiller Esther avant le branle-bas, ainsi qu'elle m'en avait prié. Elle a paru effrayée, puis s'est rappelée. J'ai patienté dehors tandis qu'elle s'habillait. Le camp dormait encore. Lorsqu'elle me remit la lettre, je l'ai tranquillisée ; oui, j'en prendrais soin, oui je chercherais. Elle me regarda partir, la main longuement levée.

Jamais je ne la reverrai, et elle vivra là-bas une vie où le souvenir de cet instant se sera estompé, visages de rencontre vite oubliés...

J'ai roulé dans l'aube étroite et blême du canyon, le cœur transi, l'estomac noué. Au débouché des gorges, trois fourgons étaient dressés au-dessus de six fosses, en commémoration d'un massacre de mormons par une bande de Paiutes. Avec une citation en guise de dédicace : « *O friends ! it is so hard to leave you in this wilderness !* » Et il y aurait tant de souffrances pour les survivants qu'ils ne surmonteraient jamais tout à fait le choc de la mort éclatée, blessure jamais guérie qui rendrait amer le paradis à ceux-là mêmes qui avaient charge d'en réaliser les promesses.

▼

11 HEURES, SOUTH PASS, WYOMING.

Le South Pass, enfin !
L'ascension jusque-là.
Eux, ils venaient de passer la ligne de faîte, quittant officiellement les « States », et pénétraient maintenant dans l'Oregon Country. Ils marquaient le pas pour reprendre leur

261

souffle, et se retournaient. De ce point, les derniers liens étaient tranchés avec le passé, à mille milles de là. Le regret de quelque chose qu'on perd au moment où l'on va poser la première pierre de la future maison... « *I have crossed the Rubicon, and am now on the waters that flow to the Pacific ! It seems as if I had left the old world behind, and that a new one is dawning upon me* », s'émut Charles Stanton en 1846 dans son journal. « *So we are now on the other side of the world* », lui fit écho Lucy Ruthledge Cooke six ans plus tard. À présent, les centaines d'émigrants ouvraient grand les yeux sur les Oregon Buttes qui se profilaient sur leur gauche, ainsi que sur les cimes qui barraient le ciel. Jamais ne les avaient-ils imaginées si hautes ! Mais si l'obstacle suscitait des appréhensions, la certitude d'être enfin sur le versant de leur avenir ranimait l'enthousiasme. Les chariots s'élançaient en cahotant dans un vacarme de craquements, de casseroles entrechoquées, d'essieux grinçants, les freins crissaient sur les jantes. De place en place – parmi les mugissements du bétail – fusaient des « *hurrahs* », se répétait le cri qu'ils refrénaient depuis longtemps : « *Hail, Oregon !* »

Des rafales de vent balayent le col. L'endroit est aujourd'hui aussi désolé et sauvage qu'il y a plus d'un siècle ; mais plus aucune présence humaine ne se manifeste pour témoigner de la grande migration. Les ombres des nuages galopent sur les dômes comme une armée en déroute. Un monument rend hommage aux premières femmes à avoir franchi ces montagnes, Eliza Spalding, et Narcissa Whitman, laquelle sera assassinée avec son mari dans leur mission de la Columbia. À quelques pas, une borne de pierre porte simplement l'inscription :

OLD OREGON TRAIL
1843-57

Il me semble encore entendre la rumeur des voix et le tumulte martelant d'une cohorte en marche, symphonie d'un monde nouveau... En de petites poussées successives qui, combinées dans un ensemble, ajoutent un segment à l'Histoire, les pionniers étaient l'embryon en progrès d'une nation à venir, humanité mouvante à travers des étendues qu'ils avaient décrété vacantes. Mais, sans le voir ou préférant l'ignorer, leur percée inquiète déchirait le tissu de sociétés ancestrales qui s'étaient nourries de cette terre.

Un semi-remorque rempli d'automobiles neuves surgit dans un fracas de ferraille, aborde la descente à toute allure, serré de près par un car des *Greyhound* aux vitres teintées. Dans le silence retombé, le panneau *Continental Divide* branle par secousses, lugubre. Il commence à pleuvoir.

▼

Midi. Au café *Hitching Rack*, Lander.

Dans les lacets du flanc oriental, des bourrasques de grêle assombrirent toute perspective. En bas, au pied de l'arche d'un arc-en-ciel, un tertre s'éclaira de rosée : la tombe du petit Peter, où j'ai déposé une fleur.

J'ai moi aussi franchi le col, je suis maintenant de « l'autre » côté. L'Ouest, c'était le chant de cette quête qui jamais ne devait s'achever – mon propre devenir en action –, ç'a été ce dernier voyage, déjà passé, sur le point de se terminer... (Mais l'Ouest, c'était aussi les *U.S.A.* : la pente facile vers le clinquant inoxydable du mirage de leur séduction, la volatilité d'un bonheur de cinéma.)

J'approche de l'origine obscure de mon obsession, je suis quelque part dans le ventre de l'Amérique.

Vais-je enfin entrer dans le temps réel de ma vie ?

LENDEMAIN SOIR, ENTRE CHIMNEY ROCK ET LA NORTH PLATTE, NEBRASKA (14 ou 15 juillet).

Derrière les saules, une compagnie nombreuse s'est rassemblée dans un tapage joyeux. Tous sont intrigués par les yuccas. Des gamins reviennent hors d'haleine de leur escalade de l'aiguille rocheuse, se font disputer par leur mère, rapportent des vipères ou des figues de Barbarie ; on soigne leurs genoux écorchés.

Une fois l'émoi calmé, on prête l'oreille à leur exploit, on s'extasie à nouveau sur la merveille qui domine la vallée de sa solitaire grandeur, sa pointe encore plus effilée, son ampleur encore plus spectaculaire dans la molle clarté du crépuscule. Jamais n'avaient-ils vu chose pareille dans leur vie ! Ils l'ont tellement guettée depuis des semaines, tellement couvée des yeux depuis qu'elle est apparue dans le lointain, crevant la morne horizontalité de leurs jours, ils ont tellement souffert de l'agonisante approche qu'ils n'en reviennent pas d'être là, à portée du monument naturel. « Après tout, commentent les plus intrépides, ce n'était pas si haut que ça ! » Même les mormons, qui se déplacent de nuit sur la rive opposée, ralentissent le pas pour la contempler. Pour tous, c'est le premier jalon marquant sur leur parcours ; par lui ils savent qu'ils ont accompli le tiers du trajet.

Un violon entame un air de gigue, une guimbarde se met à vibrer, des cuillères claquent, et à peine les planches ont-elles été alignées que déjà des talons les piétinent en cadence.

... Alors parfois, lorsque le sol s'y prête, nous dansons, et quand nous entendons l'accordéon, c'est presque comme chez nous, dans les collines du Tennessee ou de la vieille Virginie, et pendant une heure ou deux nous oublions que nous ne

sommes qu'un esquif ballotté dans les grands espaces d'un océan hostile. (Compté douze tombes aujourd'hui. Nous avons appris à reconnaître à d'imperceptibles indices l'emplacement des fosses camouflées – parfois sous nos pas même – et nous les dépassons en esquissant un discret signe de croix. Quand ce ne sont pas les loups qui les vident, et les restes qui s'éparpillent au vent...)

Nous savons bien qu'après Fort Laramie ce sera le début des Rocheuses, et que tout retour sera alors impensable. Mais nous chantons, et nous tourbillonnons, le quadrille nous grise et nous étourdit. Et quand tout s'arrête, et que le hurlement des coyotes nous fait sursauter, alors notre cœur se serre, et nous pleurons d'avoir cédé un instant à l'illusion alors que le plus pénible est encore à craindre... Non, nous n'avons pas vraiment le cœur à la fête... (Petit Peter a de la fièvre ce soir, ça m'inquiète.)

▼

J'ai longé tout le jour le cours de la North Platte River, croisant des colonnes plus espacées que d'ordinaire. Malgré la montée continue on aurait dit cependant qu'une ardeur nouvelle les stimulait. Et dans le parallélisme de nos mouvements opposés, je prépare l'adieu à cet univers englouti corps et biens dans l'histoire – que je fais revivre le temps d'un passage, d'une visite...

Aux abords du Fort Laramie, des files de chariots étaient immobilisées sur le côté. Des familles entières s'étaient regroupées çà et là, campant avec un laisser-aller qui ne serait plus permis par la suite. Après s'être sentis comme des naufragés dans les vastes solitudes, où si peu de repères indiquaient à des yeux inaccoutumés qu'ils progressaient réellement, les fortifications les rassuraient puisque des êtres de leur espèce avaient réussi à s'ancrer dans ces contrées arides. C'était le moment de faire le point, de vendre des animaux exténués, d'effectuer les réparations, de se délester des meubles ou objets jugés trop pesants pour la montagne. Pour certains, l'ultime occasion de faire demi-tour...

Les capitaines s'affairaient au ravitaillement, listes en main. Le magasin général et le *Trading Post* étaient envahis. À quelques pas, un train de mules impassibles sous le fardeau attendait le signal du départ. Des *tepees* d'Indiens oglalas et brulés délimitaient le terrain du côté de la Laramie River, avec ses talus boisés où, sur des perches, séchaient des peaux de bisons. Partout des membres de différentes tribus proposaient leurs produits et leurs talents : des *squaws* allaient laver le linge à la rivière. La première lessive, et le dernier bain pour les femmes avant d'affronter les sommets...

Circulant au milieu de cette animation, des soldats, des trappeurs, des aventuriers de tous genres – dont les « Indiens blancs », ces Canadiens vêtus à la manière des Indiens –, se côtoyaient en échangeant des biens ou des conseils, se liaient d'amitié, concluaient des pactes ; les plus chevronnés débattaient avec véhémence et force cris les pourparlers en cours à Horse Creek, trente milles plus bas, où dix mille Indiens étaient réunis avec des représentants du gouvernement des États-Unis.

À observer cette foule aux allures de foire, on eût pu croire ce pays pacifié dans une effervescente activité respectueuse des particularités, des fortunes diverses, des modes de vie. Un moment de grâce dans l'adversité, ces quelques jours de répit au fort, comme dans une oasis, et qui les confortait dans leur détermination.

Mais aujourd'hui, parmi les ruines du National Historic Site, les touristes étaient tous « américains », venus admirer le symbole de la conquête *yankee* sur un continent dont ils ont la conviction qu'il leur revenait par une sorte de prédestination individuelle, eux-mêmes les descendants directs du « peuple élu » tel que l'avaient défini les discours des Pèlerins. Même les plus récents arrivants, issus d'immigrations ultérieures (japonaise, portoricaine, coréenne, latino-américaine, etc.), semblaient participer de cette connivence des vainqueurs, récolter du moins les fruits d'un triomphe entièrement anglo-saxon.

Alors cette voix qui pleure – esseulée parmi les deux cent cinquante millions de personnes qui habitent à présent ce continent, sur les côtes duquel s'abîment des ribambelles de noctambules – ne m'en paraît que plus dérisoirement tragique : c'est au déclin et à l'anéantissement d'un monde qu'elle prend part.

Comme l'Amérique est vide !

Lendemain après-midi, Platte River (16 juillet ?).

Légèreté inhabituelle au lever. Plénitude de la mer comme un berceau souple et accueillant. « *Oh ! " Mama Sage "*. *It seems endless, the sagebrush, the rolling sage...* » la Prairie ondule des deux côtés de la rivière plate, si bien nommée. Je multiplie les haltes selon les caprices de son cours. Visible à des milles à la ronde par la végétation qu'elle fournit, la Platte est tantôt une large coulée traîtresse au-dessus de fonds instables, tantôt un simple filet limoneux entre des bancs d'alluvions. Les pieds dans le courant, je mets de l'ordre dans mes notes, j'ouvre mes livres, j'examine les illustrations et les cartes aux tracés incertains. Je lis des épisodes de l'histoire de l'*Overland Road*, ainsi qu'ils désignaient l'ensemble des pistes vers l'ouest.

Les convois se font plus rares, moins longs – dépôts laissés par la marée, entraînés dans les rigoles de son reflux.

Cette Amérique-là s'est réfugiée dans les images des albums, dans les pages recopiées le soir sous la tente, dans la solennité pompeuse des mots gravés sur les *markers*, sous les signatures des documents d'archives...

Au loin une troupe déguenillée – hommes et femmes chargés d'enfants, « pieds nus sur la terre sacrée », et traînant sur leurs travois des vieillards malades, suivis de chiens faméliques et de quelques poneys – chemine en désordre, ligne brisée qui tremble à travers le coussin de chaleur, Cherokees ou Choctaws chassés de leurs territoires. Comme si l'exil n'en finissait pas de dérouler sa déchirure, dans ce moment de vérité où terres réelles et terres ancestrales cessent de se distinguer dans un sol devenu *commun*. (« Je me demande si la terre a quelque chose à dire », s'était interrogé un chef cayuse en déplorant son illégitime appropriation par les nouveaux arrivants.)

▼

Carte. Alcove Spring, painting by Dan Jacobson.

? juillet 84. (À vous, cette image d'un lieu très ancien où nous avons dû passer ensemble, dans une autre vie... Ce matin j'y étais seul, à pleurer sur la tombe de Sarah Keyes, morte près de la source, en route, à l'âge de 70 ans.)

Il faut encore aller. Le rideau est sur le point de tomber, et ce sera alors l'inconnu...
Je flotte en des époques indéterminées, à la fois mythiques et actuelles – matière première de mon errance... Vous êtes toujours en moi, un peu translucide, certes, mais en filigrane de mon avance tourmentée (ou plutôt, estimeriez-vous : de mon exigeante obstination). Et je ne cesse de vous faire mentalement le récit de péripéties d'un autre temps tandis que je les vis, méditant sur la manière dont je vous en ferai part, par écrit ou autrement, ou en quel lieu je vous en ferai confidence quelque jour. Peut-être aussi ne sera-ce jamais dit... C'est ça l'absence : cette parole continue qui se dilapide dans l'inouï.
Mk.

▼

Coronado s'enlise dans le *Jordana de la Muerte*, échoué au milieu de rien, n'ayant abouti nulle part. Il ne reviendra pas.

J'ai dépassé Cíbola.

Lendemain soir.

Ce matin je n'ai pu me dérober à l'évidence : la plaque sur l'obélisque de granit comportait bien le nom de Tom, enterré là par ses camarades. Aucune mention concernant le petit Edward. J'ai écrit quelques mots sur l'enveloppe d'Esther et l'ai remise à une famille partie la veille de Westport. « J'ignore où vous pourrez la rejoindre... » Ils avaient l'intention de s'établir à Eugen, ils se renseigneraient dans les localités voisines. Peut-être recevra-t-elle le message un jour, peut-être pas. Elle vieillira dans l'attente de Tom qui, toujours en route, n'est pas encore arrivé, du mari et du fils dont personne depuis six mois, depuis six ans, depuis vingt ans, n'a été en mesure de lui donner des nouvelles. Et puis on peut imaginer qu'un jour, quand l'oubli aura imposé sa prescription et rendu indifférente la chair (usure d'une photo trop souvent regardée...), un homme frappera enfin à sa porte. Une jeune fille lui ouvrira. Il s'identifiera poliment et demandera Esther.

— *Qui est-ce, Isabella ? s'enquiert la mère depuis la cuisine.*

— *Un monsieur... C'est pour toi...*

Esther apparaît, s'essuie machinalement les mains, le visage grave. L'homme la salue et lui tend la lettre que vingt-six ans plus tôt elle a rédigée pour Tom. Comme hypnotisée par le rectangle jauni, elle pâlit, lève des doigts tremblants et s'en empare doucement. Le geste fait jaillir en elle une image fugitive mais nette, ce jour lointain, cet étranger à qui elle avait confié son espoir... Elle hésite, effleure du doigt les quelques mots et la signature. À l'instant même elle comprend pour la première fois qu'elle est enfin arrivée en Oregon. Et que cela n'a plus aucun sens. L'avenir auquel elle avait aspiré auprès de Tom – Tom toujours en route, pas encore arrivé – a sombré quelque part en chemin cette année-là.

Dans l'après-midi, après bien des détours parmi les traverses des champs, j'ai réussi à repérer la *Lone Grave*, la tombe de Susan Hail, isolée sur une petite éminence au milieu des cultures du bassin de la Platte. Âgée de trente-quatre ans, elle était décédée subitement après avoir bu l'eau empoisonnée d'une source. Son mari avait alors marqué l'endroit où il l'avait ensevelie et était retourné à St. Jo afin de se procurer une pierre tombale. Il en avait fait soigneusement ciseler l'épitaphe, puis, n'ayant plus assez d'argent pour se payer un quelconque véhicule, il avait transporté le précieux chargement dans une brouette, refaisant à pied tout le trajet de la Platte. Puis, ayant immortalisé le lieu du dernier repos de sa femme, il s'effaça de l'histoire du *Trail*. Ou s'y fondit.

C'est là que j'ai quitté l'*Oregon Trail*, laissant derrière moi les pionniers s'engager vers l'Ouest, où je n'irai pas, n'irai plus... « *Wagons west !* » : au loin, très loin, des *schooners* appareillaient encore d'Independence, dans leurs voiles immaculées, leurs équipages frais et enthousiastes, – nouvelle vague s'apprêtant à se frayer un chemin le long du long cimetière de la piste...

▼

2 h 20. *Truck area*, sur l'autoroute. *(No facilities.)*

Stridence de milliers de grenouilles dans les marais environnants. Aux nouvelles de nuit, la convention démocrate à Atlanta, la démission de Mauroy, en France. Des gens dorment dans les voitures malgré le ronronnement bruyant des remorques réfrigérées des poids lourds. *ROADWAY – SAFE-WAY*. Lampadaires assaillis d'insectes nocturnes. Des éclairs cisaillent en silence les ténèbres ; un orage se prépare. Cliquetis d'un câble sur le mât du terre-plein. Manœuvres ferroviaires près d'une usine attenante. Mes portières ouvertes sur une brise tiède, sans plus ces parfums de désert que porte encore ma peau... Tournant le dos au beau pays des Sioux et des Cheyennes, j'ai traversé le Missouri – à l'est duquel les États-Unis auraient dû se cantonner.

Lieder de Brahms à la radio.

Illinois (montre arrêtée).

Cette fois je rentrais, roulant dans la fixité interminable des *highways*. Le Mississippi fut en vue, opérant une ample fracture dans le paysage. En bas d'une longue côte, le Père des Eaux se révéla dans sa prodigieuse puissance. Mais quels revenants vaincus habitaient ces canots de troncs évidés, sans guide, qui remontaient vers les Grands Lacs et Montréal ? Cavelier de La Salle assassiné, la France perdrait une à une les portes d'accès à ce continent, Québec défaite se replierait autour de son rocher, sa propre histoire enrayée. Et l'ambition de l'explorateur, oubliée, se convertirait dans le temps en suprématie anglaise, puis en victoire *américaine*.

Après une pause méditative, saisi d'un émerveillement triste, j'ai franchi les eaux comme on s'enfuit du jardin des enfers, une simple barrière de bois au fond du verger, et l'on est *dehors*, comme revenu à soi, frappé par l'uniformité du monde.

L'Amérique coupée en deux, déjà perdue...

Tout se détache, englouti avec l'été consumé, déjà vécu. Ce mouvement n'est plus du Voyage, n'en a plus l'appartenance ni les liens : il est désormais de l'ordre de la *retraite*.

Plus tard, plus loin.

La dernière caravane avait passé, la silhouette bringuebalante de son dernier chariot s'éloignant sur l'horizon, fragile et solitaire. Les échos de l'Ouest s'évanouirent et les grandes voies transcontinentales reposèrent dans le silence plombé des plaines où plus aucune roue ne grinçait, plus aucun galop ne grondait ; un silence où même la nostalgie s'était tue, comme si sur cette terre aucun homme jamais n'avait marché. Entre des poutrelles rouillées, la surface d'un écran de *drive-in* à l'abandon découpait un carré d'éternité sur le temps. Les reflets de la Voie lactée y faisaient brasiller des figures indécises, cavaliers fantômes de l'épopée. La nuit frémissait : herbes frôlées et lucioles dansantes, éclatement bref et mat des pierres surchauffées qui trouble momentanément le susurrement des grillons ; avec, parfois, dans l'apaisement de tous les remuements, le trot saccadé d'un lièvre ou l'appel plaintif d'un coyote. Il aurait fallu perpétuer l'instant, entre le dernier adieu et la première étoile, dans la plénitude d'une Amérique intime accordée aux millénaires de sa paix et de ses vents, disparue avec le dernier Indien à brandir une fois encore son arc avant de succomber (après, il n'y aurait plus que les *United States*, il n'y aurait plus que des *Américains*) ; d'une terre où le profil des caravelles et les visages inflexibles et fiers des Grands Chefs se sont figés à jamais dans les gravures de la légende. Quand la nuit ne fut plus qu'une lueur d'encre, livrée à la féerie des sphères aériennes, il ne restait plus qu'à s'allonger dans le sillon pour dormir.

Au fond des ténèbres semblent briller par intermittence les feux de cérémonies indiennes, accompagnés de chants et de battements de tambours que la distance atténue. Vestiges d'un songe ancestral... Puis tout sombre. Le vide, le rien, la durée qui s'est diluée. Quelle nuit ? Quel jour ? D'où viens-je ? La chaleur emmagasinée dans le sable distille un halo qui enveloppe mon corps de l'infime pression de l'immensité circulaire. L'eau que je fais couler entre mes doigts tinte dans l'obscurité, accord primordial qui me rafraîchit des tumultes de l'histoire et me rend à la nudité nue de la vie qui bat en moi.

Le désert sans lune est un abîme suspendu aux constellations, un silence noir proche du néant. Je suis au plus profond, au foyer des remous qui écartèlent mon présent d'une inextinguible question.

▼

La nuit a été traversée d'un frisson de grisaille, fêlure indiscernable déclenchée en quelque coin de la terre. Un léger souffle a annoncé le point du jour, et le panorama s'est complètement déployé, comme un décor que l'on aurait échafaudé sans bruit pendant la nuit. Insensiblement, la pâleur laiteuse de l'air s'est faite or pâle sur les crêtes, puis bleuissement – avant que ne s'éveillât en nuances orangées de plus en plus vives la lumière revenue, avant que dans un jaillissement le soleil n'installât la course du nouveau jour, évaporant la rosée des sables.

Le froid m'a fait sortir de la tente, et c'est avec étonnement que je découvre autour de moi le plateau, couvert de bosquets et d'arbustes rabougris. Un arbre se détache contre le ciel cristallin. Sur une plate-forme de branchages on devine un corps enroulé dans une peau de bison ; à la base du tronc, des crânes blanchis sont disposés en demi-lune. Sépulture d'un Brave voguant au pays des chasses éternelles... Le rayonnement scintillant du matin m'a attiré jusqu'ici, où un précipice m'arrête.

Alors que l'Ouest est maintenant derrière moi, la vision qui s'offre a quelque chose d'anachronique : une large vallée à fond uni s'étale à mes pieds, 600 pieds plus bas, limitée au loin par les marches d'une chaîne violacée et plantée de *mesas*, gigantesques rochers abrupts d'un ocre rouge et à sommet plat, les *peñols*, qui semblent avoir été simplement posés çà et là. Des *pueblos* les couronnent, juste à l'horizontale du regard, villages d'*adobe* et de limon éolien. Une piste serpente dans un désert de pierraille aux couleurs chaudes, et de nonchalants flocons de fumée montent de quelques bivouacs. Au-delà, dans l'éblouissement du levant, se distingue une forme inattendue : une masse triangulaire à demi dressée, pareille à la poupe émergente d'un navire qui se serait enlisé dans les sables. Des structures s'élèvent, qui ont toutes les apparences de mâts, palans et ponts d'un cargo. Je verse de l'eau de ma gourde dans ma paume et m'en asperge les yeux. Est-ce le vent ? on dirait une voix filée dans l'air, faiblement modulée, étrangement familière. L'oreille tendue, j'en cherche l'origine : c'est Hector qui, assis non loin de là sur le bord de la falaise, psalmodie face à l'azur. Sa présence ne me surprend même pas. Lorsque je m'approche, l'Indien tourne lentement la tête et entrouvre les paupières.

« Je savais que tu viendrais et j'ai tenu à t'accompagner jusqu'au seuil. Voici l'*Enchanted Mesa*, dit-il en dévoilant d'un geste ample les formations géologiques qui ferment la dépression. Et voici Acoma, la Cité Céleste, ajoute-t-il en pointant les altitudes habitées d'une des tables de roc. Et au-delà, Zuñi, le siège sacré des sept villages, qu'on ne peut voir... » Puis il abaisse le bras vers la construction qui, en contrebas, impose son insolite réalité : un navire se dégage nettement de la brume de lumière qui s'étend comme une nappe au-dessus de la plaine.

« *" L'arbre florissant était le centre vivant du cercle et le cercle des quatre quartiers le nourrissait "*, ainsi parlait de l'ancien temps mon frère dakota, Hehaka Sapa. Nous avons parcouru le cycle du Temps, l'errance humaine à la périphérie du monde visible. Descendu de la colline de son vieil âge jusque sur le champ de la dernière bataille, il dit aussi : *" Il n'y a plus de centre, et l'arbre sacré est mort. "* Il en est ainsi des âges de l'homme. Quand le serpent mange sa queue, il se dissout en lui-même et devient un autre. C'est le moment, Markus... »

Et, sans plus s'occuper de moi, Hector reprend ses incantations.

Après avoir longuement considéré l'épave, je me décide. Je serre l'épaule de l'ami et, après avoir fait du regard le tour des points cardinaux, prenant une profonde inspiration, je m'engage sur le sentier qui dévale dans la rocaille.

▼

Je suis au centre, au cœur de la solitude finale du désert, à la verticale de la dernière illusion ; et je dégringole des pentes qui ne sont plus sur les cartes géologiques ; et tourbillonnent visages de Titisee, côtes du Brésil et du Yucatán, dans le brouhaha des années passées aux quatre coins de l'Amérique. Je suis seul et l'obscurité se charge d'angoisse. Comment me soustraire au vertige que l'Amérique défaite creuse en moi ? J'ai tant marché depuis quelques semaines, raclant de mon histoire les oripeaux qui masquaient la véritable issue !... L'heure est venue de faire la paix avec mes fantômes – « rassembler quelque jour les personnages de ma vie... », confiai-je un jour à Bill, les réunir tous enfin quelque part, plateau de tournage ou arène, n'importe, et leur dire mon adieu avant la prochaine étape, à peine entrevue...

Avant la séparation, au moment de l'ultime saut, imaginer le labyrinthe et y loger la scène que depuis longtemps je mûris, que j'ai sans cesse polie et vers laquelle je tends...

Je bascule, et ce pourrait être du sommet du bâtiment-amiral de New York avec ses bureaux de compagnies maritimes et sa terrasse qui ressemblait à une passerelle de navigation ; ou du haut de la dernière falaise d'Acoma jusque dans le ventre de Jonas, jusque dans les couloirs de ce navire, là-bas, qui n'en finiraient pas, entravés de portes étanches...

(Cela me rappelle un rêve, mais où ? mais quand ? « Les cycles du temps de Quetzalcóatl. Mais quand la boucle est... »)

... De distance en distance, de brusques courants d'air venus d'on ne sait où me font vaciller. Après une série de coudes, je suis précipité au bas d'un courte échelle que prolonge une coursive éclairée à intervalles réguliers d'ampoules de plus en plus pâles. Le sol oscille, je dois me tenir, et je débouche dans un vestibule où un grondement se fait entendre, de l'autre côté d'un panneau mobile. Je le fais rouler (*« ... Alors, il entra dans le cercle magique qui serait aussi sa perte »*), et une clarté brutale m'aveugle, un coup de vent m'ébouriffe et me gifle d'embruns : c'est la mer ! Je repousse aussitôt le lourd volet (qui se coince à mi-course) et me colle contre une colonne, haletant, les yeux mi-clos. Je laisse s'apaiser le choc et me hasarde dans un tunnel qui me conduit jusqu'à un puits au vantail identique à celui d'un monte-charge. J'en écarte les grilles et accède prudemment au tablier à claire-voie d'une petite plate-forme de surveillance, ébahi par le décor qui se présente sous moi.

Une salle profonde s'ouvre en oblique dans une pénombre glauque, hangar ou citerne de pétrolier, sonore comme une grotte et d'où s'élève une rumeur confuse – voix et rires déformés, soutenus par un son vibrant, indéfinissable. Des odeurs de docks – épices du sud, huile chaude, cacao et café – se mêlent dans un afflux de sensations soudaines. On distingue mal ce qui se passe en bas.

Tandis que, cramponné à la rambarde, je descends par un escalier accroché en spirale à flanc de cuve, le tableau se précise : derrière une longue table recouverte d'une nappe blanche, garnie de fruits exotiques et disposée en U à la manière des banquets à la française, ils sont tous là, immobiles dans un clair-obscur de cathédrale, le buste incliné, alignés comme des mannequins de cire, et qui assistent à mon apparition. Le plancher d'acier bourdonne du ronronnement des pompes, de la trépidation des hélices. Distinct, le glissement de l'eau contre la coque est parfaitement perceptible.

Un projecteur s'allume, fixant son faisceau sur une silhouette grimpée sur une estrade, à l'extrémité extérieure du U. Je reconnais aussitôt Erick ! Le Erick-guide de ma mémoire, celui des nuits d'Hinterzarten et de notre jeunesse fougueuse, le frère de sang du serment de Reichenau, aujourd'hui maître-capitaine de ce vaisseau enlisé. Derrière lui, c'est comme une nef où son ombre se projette contre les surfaces aux reflets polychromes. Des sortes de galeries y sont suspendues, où des spectateurs applaudissent sans qu'on les entende.

— Markus nous est revenu, portons un toast à Markus !

La voix se répercute dans les hauteurs, étrangement métallique. Mille petits éclats de cristal scintillent, des murmures perlent de partout, s'amplifient, des musiques flottent et se fondent les unes dans les autres tandis que les visages se multiplient, se confondent – que je scrute avec incrédulité, ne doutant pourtant à aucun moment qu'il s'agisse bien d'eux. Mais d'où proviennent ces parfums intimes, alliés à des effluves d'îles ? Au-dessus de nos têtes, un ciel pur se balance dans l'ouverture de la cale, traversé d'oiseaux marins. Je m'avance maintenant le long des tables, hésitant devant chacun des personnages qui, debout, verres levés, m'accueillent dans une joyeuse euphorie. Des enfants jumeaux se détachent, brandissant chacun un bouquet de fleurs champêtres ; la fillette fait une révérence, le garçon vient m'embrasser. Qui sont-ils ? Ils sourient comme s'ils me connaissaient. Je suis peu à peu entouré, ils se mettent tous à défiler (en arrière reluisent les instruments d'une fanfare, un cheval monté gravite autour de la scène), ils me parlent, et leurs paroles tressent la couronne légère d'une fugue où perpétuellement répétée revient la même question, « *Où étais-tu depuis tout ce temps ? Où étais-tu...* »

Et là-bas, la stature d'Erick figé dans la même position, verre en main, et son rire moqueur, le charme gouailleur de son baratin – que tous écoutent, à présent tournés vers lui, comme d'habitude –, et je suis là, à la fois Erick et chacun d'entre eux, il n'y a plus de limite en moi ; une plénitude accordée à l'instant, sans cette douleur qu'un certain bonheur rend parfois insupportable ; la fin de la tension, la respiration retrouvée... Où est la mer ?

Au milieu de la ronde qui se resserre, dans laquelle je me blottis – je pense au *corral* des chariots, à la danse du soleil –, Erick vient jusqu'à moi et m'étreint longuement à travers les fleurs des bouquets. Puis il m'offre au nom de tous une timbale de bronze sur laquelle est gravée cette citation : « *Ô que ma quille éclate ! Ô que j'aille à la mer !* » Je la connais, mais la situation en contredit la portée. Un hommage à la fidélité ? Je balbutie des remerciements. « Nous nous retirons dans nos quartiers, me déclare solennellement Erick. Tu as encore beaucoup à faire... » Avant que j'aie pu répondre le cordon se rouvre, et Erick se dirige vers le fond en pente, rejoint par les musiciens et levant parfois le bras vers moi, puis il disparaît dans les ténèbres. Tandis que les autres s'éparpillent à sa suite, un chant très beau résonne de partout, hymnique, chœur et rythmes du monde réverbérés par les hautes parois nues, offrandes de la mémoire qui s'atténuent comme l'ouïe qu'on perd, ou lorsque, plongeant, l'on s'éloigne de la surface. Et c'est peu à peu le silence.

« J'étais en Amérique, j'étais à votre recherche... »

J'étais à votre recherche... L'écho de mon murmure reflue dans les profondeurs. Je suis seul sous le carré d'azur, où voltige un papillon ocellé. Des bruits se répondent dans l'épave, une cavalcade de mulots, la chute d'un objet quelque part... Au loin la mélopée d'Hector maintient au-dessus de moi le filet fragile du présent.

Tout est calme, et sombre.

En explorant à l'entour, je remarque une étroite issue ménagée sous l'affaissement d'un pont (il faut enjamber le seuil tout en se baissant) et me faufile parmi des infrastructures rongées par l'humidité, traverse des compartiments, et des entrepôts aux piliers effondrés où l'air est bruissant du trémolo des *rattlesnakes*. La chaleur est suffocante, et, dans les travées latérales, les lames d'une lumière trop crue me cinglent au passage des hublots au verre éclaté. Sous les poutrelles, des oiseaux qui y ont établi leurs nids s'envolent dans un soudain froissement d'ailes. Un lézard s'infiltre dans le sable d'une brèche. Un brouhaha m'enveloppe, lointain et en même temps proche, faible mais plein, chuchotements et sons étouffés. Ils sont là, je le sens, et m'efforce de les atteindre. Un vrombissement m'attire entre des cloisons hérissées de conduites et de câbles, et je me retrouve dans le vacarme assourdissant de la chambre des machines, vaste comme une usine.

Depuis le haut d'un passavant, surplombant les gigantesques rouages et se retenant à la rambarde, Charles est là, qui surveille les manomètres aux ressorts brisés des chaudières. La manette du *chadburn* est calée sur « *FINISHED WITH ENGINES* ». « Nous l'avons échappé belle, cette nuit, hein Markus ? » me hurle-t-il dans les oreilles en rajustant sa salopette fraîchement repassée. « Oui, Charles, tout ira bien désormais. » Il me donne une pichenette au menton. « Allez, sans rancune ! — Mais non, Charles... » Il se montre soulagé. En contrebas une immense roue gît au-dessus d'un amas de ferraille. « Qu'est-ce que c'est ? » lui demandé-je. « C'est la barre du gouvernail. Ah ! quel coup dur ! Au fait, est-ce que je t'ai déjà raconté celle du lapin qui... » Je m'éclipse, me glisse le long des tableaux électriques, abasourdi par le fracas des vilebrequins.

Puis c'est le noir, où je progresse en tâtonnant, pénétrant dans une salle au plafond bas où, à l'infini d'un espace sans fond, déferle le crépitement de milliers de claviers frappés par d'impassibles figures. Tel celui d'une cavalerie, le roulement me submerge d'un nuage de vapeur, et ce sont tout à coup les cuisines, et ils sont à nouveau là : Eugen derrière ses fourneaux, Manfred à ses couteaux, et les autres en arrière, certainement. Sous une rangée de louches qui s'entrechoquent, un appareil radio diffuse des airs à la bavaroise. « Alors, tu ne vas pas encore nous quitter, n'est-ce pas ? s'inquiète Manfred en m'apercevant. Tu serais bien, ici. Il y a un nouveau bal... » Je n'ose le décevoir. Près de lui Eugen secoue un gros poêlon, le front ruisselant. « Pourquoi restez-vous ici, *Herr* Winterhalder ? — Appelle-moi *Eugen*, mon gars, Eugen... — Pourquoi ne montez-vous pas sur le pont ! — Mais non, Markus, notre vie c'est ici, tu n'y peux rien. Tu te souviens, quand il fallait aller t'arracher de tes bouquins, pendant les pauses ? Tu protestais en disant que tu ne moisirais pas longtemps dans un tel trou, que tu irais encore plus loin, et même, que tu écrirais des livres... Eh bien, nous demeurons où tu nous as laissés, c'est le jeu, *gelt ?* » Suzi et Moses, les marmitons, sautillent dans son dos, pareils à des diablotins, prenant appui sur ses épaules. « *Gott verdamm' euch !* » lance-t-il en se retournant. Ils s'égaillent en pouffant dans la salle de bal qui s'ouvre en arrière. Des tables sont prêtes à servir, entre lesquelles Dimka, nue sous un simple tablier de *Kellnerin*, évolue en dansant, plateau en main. Adossée au comptoir, Slavga lorgne sa fille d'un œil méchant en aspirant sur son mégot. Quand elle me voit, Dimka dénoue ses cheveux et retrousse pour moi son tablier, mais quelqu'un me réclame à côté. « Ce rafiot ne partira plus, reviens quand tu veux, me dit Eugen. Il y aura toujours une truite bleue qui t'attendra... *Schuss !* »

Dans le local adjacent, Sonny resplendit dans son costume de pâtissier tout propre. « Ah, Markino ! Comme je suis content pour toi ! Même roi des clodos, on s'en sort, *weisst du !* » Il est concentré sur un gâteau forêt-noire, et son visage poupon et enfariné est profilé par la lueur blafarde d'un plafonnier défoncé. Il me présente son front pour que je l'essuie. « Bon tout ça est passé, maintenant. Alors je peux te le dire : ton copain à Titisee, il était comme le metteur en scène d'un spectacle, nous n'étions que les figurants de ses ambitions. — J'ai souvent pensé à toi, Sonny. J'aurais voulu revenir te voir, mais j'étais si loin... — Oui, Markus, tu devais partir, nous le comprenions, c'était bien ainsi... » (Il soigne le point d'exclamation et dépose une touche crémeuse sur le *i* de l'inscription : *« Gute Reise ! »*)

Sonny me fait passer dans la cambuse, où Martin est empêtré parmi des piles de cartons, que l'inclinaison générale menace de faire crouler. « Markus ! Entre, que je te présente mon fils. » À mon nom, un gamin s'extirpe des ballots et me tend une main timide. « Ça marche les affaires à Verviers, sais-tu ! Ah ! notre virée à Stuttgart ! Le Danube, le petit tortillard de nuit, le retard au boulot, quelle histoire ! La seule grande aventure de ma vie. Vrai ! Ah ! sans toi... Faudrait bien qu'on y aille ensemble une fois, hein Mélanie ? suggère-t-il à l'adresse de sa femme, qui s'occupe de la caisse. Tu viendras avec nous, dis ? » Je le rassure d'un clin d'œil, et sors.

J'arpente une coursive encombrée de cordages effrités. Par une soute éventrée, un amoncellement de carrosseries de *Mercedes* écrasées les unes contre les autres obstrue le boyau. Je dois me plier, ramper entre les tôles tordues, escalader l'obstacle, me hissant enfin par le goulot d'une écoutille.

Pour déboucher, mouillé de sueur, dans la loge des ferrailleurs qui sent le mazout séché. Bill, Michael et Jenny sont penchés au-dessus d'un large portulan cartonné. Pedro et sa bande de *mariachis* se tiennent près d'eux avec Denise. « Voyager sans femme, mais c'est encore une idée de

gauchiste !» s'emporte Pedro. Jenny, dont le tee-shirt collant
(« *Save the Earth !* ») crève les yeux, lui rétorque quelque
chose d'inaudible, et la prise de bec se poursuit avec vivacité.
Pedro s'avise de ma présence. « ¡ *Hola hombre ! ¡ Qué feliz
estoy de verte !* » Il me prend à part : « Tu sais le bobard
d'Erick sur le canal de Panama ? Ça me titille encore, ¡ *Si
señor !* » Dans son dos, Bill brandit un volume vers moi. « Je
l'ai enfin ! s'écrie-t-il. Je t'en parlerai, le fameux Sahagun...
— Dis-moi, Bill, que m'expliquais-tu à propos des mythes, à
Chichén Itzá ?» Il remonte ses lunettes sur son nez, ouvre la
bouche, mais Jenny est déjà contre moi. « De vrais petits-
bourgeois, mais dans le fond, je les adore !» me susurre-t-elle
à l'oreille.

   Je me dégage, et m'esquive sans attendre la réponse de
Bill.

   J'emprunte une échelle et longe un entrepont couvert, puis
m'engouffre dans la cage qui mène au château, croisant une
volée de lavandières roucoulantes. Il fait de plus en plus clair.
En haut des marches, une affiche de cinéma montre Gatsby
qui, derrière les rideaux de tulle d'une fenêtre, observe Daisy
dans le jardin.

   Au P.C. radio, Édouard a le nez entre les jambes de Sueli,
qui est assise à califourchon sur un oscilloscope de contrôle et
qui fredonne un refrain brésilien. Au-dessous de ses fesses, des
sinusoïdes ondulent sur l'écran, excitées de crêtes irrégulières.

   — Il y a quelqu'un sur ta fréquence, Édouard...

   — Oh, il patientera, réplique-t-il spontanément sans se
détourner ; puis il se redresse en sursaut.

   — Ah c'est toi !!

   Il me signifie par une moue d'excuse qu'il est débordé et
il vient me serrer chaleureusement la main.

   — Je m'attendais à ce que tu te pointes, c'est marrant que
tu sois là... Dis donc, ils m'ont gardé à la Compagnie ! Et
devine la grande nouvelle : je suis père d'une petite « Dou-
dou » ! Je suis le plus heureux des hommes, Markus...

   Il esquisse un geste rigolo pour simuler des petites tresses.
Je suis content pour lui, mais sans plus. Il désigne du pouce

une peinture du *Pão de Açucar*, le Pain de Sucre de Rio de Janeiro, dont le cadre chancelle : « Le bon temps, hein ? Et voici la meilleure : le commandant a accepté que Sueli embarque avec nous pendant les croisières ! C'est chouette, non ? — Dis, Édouard, pourrais-tu me transmettre un télex à Grenoble ? Mon timbre est trop grand pour ma carte. — Quoi ? Tu plaisantes ou quoi ! J'ai de la diaphonie sur mes lignes. Et puis merde, ce sera bien trop long ! Tu arriveras avant... — Je ne pense pas. De toute façon, le télégramme est plus important que mon retour un jour. — C'est pour ta mystérieuse inconnue ? »

Quelqu'un fait irruption dans le poste. C'est Yvon, le commandant en second, l'ami de Nantes et des *favellas*. Il est en tenue de quart. « Pilotin Markus, aux machines ! Ce coup-ci, on a une panne sérieuse ! » Il m'empoigne l'épaule, les yeux pétillants et coquins. « T'en fais pas, pilo', on ne risque plus rien... Alors, c'est vrai que tu vas te mettre enfin à ce bouquin ? »

Interloqué, j'oublie complètement ce que je voulais dire dans mon message, et je me retire précipitamment, troublé.

Sous les galeries miroite le fond de la piscine d'eau de mer que nous avions édifiée sous l'Équateur, l'équipage et moi, à l'aide de toiles et de madriers. À l'ombre de la tonnelle du carré des officiers, quelqu'un sirote un apéritif devant un poste de télévision. « Alors commandant, c'est la fête ?

— Eh ! salut pilotin ! s'exclame-t-il en levant son verre de *tatuzinho*. Ah ! mais c'est que nous sommes en perdition ! Le *poros*, qu'ils disaient, le bon passage, paraît-il... Ah ! les harpies ! On m'avait prévenu, pourtant...

— Vous êtes bien seul, commandant...

— La nuit j'ai mes étoiles... Colomba m'est fidèle. Et puis, ce n'est plus moi le capitaine ici ! »

Il secoue la tête, comme pour chasser une mauvaise pensée, puis se reprend : « Alors, dites-moi, pilo', quelle blague aujourd'hui ? »

Sur l'écran, Woody Allen est en train d'implorer Marielle Hemingway qui, sur le point de prendre l'avion pour Londres, désolée mais résolue, le réprimande tranquillement, « Il faut avoir un peu foi dans les gens, quand même... », et c'est la fin, *Rhapsody in Blue* sur des images en noir et blanc de Manhattan. Le commandant ne me retient pas.

Au-dessus de la promenade, une énorme lanterne répand la clarté étiolée d'un faux jour. Étendue sur un transat, Nita est absorbée dans la lecture d'un livre, à l'abri d'une manche à air qui fait voleter les pages. Une photo d'Erick lui tient lieu de signet. Des chœurs proviennent d'un transistor posé avec son Leica sur les planches. « Bonjour, Nita... — *Esther*, de Haëndel, me répond-elle en relevant ses lunettes de soleil. C'est beau, non ? Mon avion est à six heures. — Que lis-tu ? » Elle rabat la couverture : *Das goldene Vliess*, de Grillparzer. « Une version des mésaventures conjugales de Médée avec Jason... » Elle me regarde par en dessous, comme pour me jauger. « Je n'ignorais rien d'Erick, avoue-t-elle inopinément, il m'a souvent rendu visite... — Pourquoi ne m'en as-tu rien dit ? — Comme si tu ne t'en étais pas toujours douté. »

Je pense que non, vraiment, mais qu'importe maintenant ? À côté d'elle, la une du *Sun Times, Thursday, July 19, 1984*, titre : « *San Ysidro, California. 20 deads. McDonald's killer " didn't like people ". The worst one-day death toll by a single killer in U.S. history.* » En dessous, un autre titre, « *French premier shuns Reds in his new government.* »

Elle braque sur moi son appareil, le flash flamboie, révélant d'autres chaises. Sur l'une d'elles, Françoise se repose ; près de là son mari et ses enfants jouent au palet sous les chaloupes de sauvetage. Je m'approche d'elle. Elle a les cheveux noués en chignon et porte sa robe fripée du réveil à l'aube dans la prairie d'Hinterzarten. « Quand finirons-nous cette nuit que Roméo nous a volée, Françoise ? » Elle marque un instant d'étonnement, d'abord incertaine, comme si ces mots faisaient renaître quelque chose d'enfoui en elle. Puis elle rougit et me sourit, d'un sourire sans arrière-pensée.

Une ombre sur la dunette attire mon attention. Je reconnais mon père ; il m'attendait. Une larme hésite au coin de son œil, mais on n'est jamais sûr, avec lui, c'est peut-être le vent. Il n'est toutefois pas question de commencer par céder, et d'emblée je l'invective. « Que fais-tu là ? Rien de tout ça ne te concerne ! Tu n'as jamais été d'accord pour que j'aille travailler en Allemagne.

— J'aurais aimé te voir, à ma place ! (Il se radoucit.) C'étaient des souvenirs tellement pénibles pour nous... De telles souffrances... Les *boches* m'ont fait prisonnier, ne l'oublie pas... Et tes tantes en Alsace qui...

— Oui, je sais. (Je n'ai pas envie de réentendre ces vieilles histoires.)

— Oh c'est vrai, toi tu sais toujours tout... (Il est agacé.)

— Ç'a été la même chose quand je suis parti au Canada...

— Mais quand tu as perdu ton portefeuille à Paris (il dévie, comme d'habitude), qui est-ce qui t'a obtenu ton passeport, hein ? Tout de même... Tu voulais aller traîner je ne sais plus trop où, en Turquie, si ma mémoire est bonne. Quelle idée !

— Mais je n'y suis jamais allé !

— Ah ! Tu vois ! Je t'avais bien dit que c'était une folie... Mais tu es parti si loin, quand même, et si longtemps... Ma mort est survenue trop tôt. »

À ces paroles, je prends conscience que, quelle que soit notre volonté de changement dans nos rapports, nous resterons victimes de ce que nous avons toujours été. L'égalité s'avère impossible : il se sentirait obligé de se conformer à son nouveau rôle, et tout sonnerait faux entre nous. Ce que je lui soumets. Il a l'air d'écouter, mais en fait il rumine son incurable amertume.

« ... Pour nous c'était comme si nous t'avions perdu. C'est bien beau, l'Amérique, mais ça déchire les familles... Vous négligez ceux qui restent, et quand vous revenez vous n'êtes plus les mêmes, on ne vous reconnaît plus. Va auprès des autres, ils t'attendent. Va... »

Il est inutile d'insister, et je reviens sur mes pas, le cœur serré. Je parviens au niveau du pont principal, impressionné par ses dimensions, avec son esplanade où les passagers déambulent comme sur un grand boulevard, avec des façades de brique qui ressemblent à celles de Heidelberg, et des ruelles en trompe-l'œil peintes sur les parois d'acier, et des enseignes avec des noms d'avenues parisiennes. Cela me rappelle les albums illustrés de mon enfance, sillonnés d'avions-villes ou de paquebots-cités. Sur une place s'érige un monument, une sorte de pyramide inclinée très effilée qui sert de mât de misaine. Est-ce pour moi qu'on a hissé le grand pavois ?

Filant sous la marquise de toile des cabines de luxe, Cornélia, parée d'une somptueuse robe du soir, s'apprête à monter dans une limousine, escortée de ses amis de Grenoble. Elle me voit, me tend les bras. Elle ne paraît pas m'en vouloir, et je demeure longuement ému à la contempler. Parmi eux, Valerie et Craig ont déplié une banderole en forme de timbre géant et qui représente un scorpion ; mais à cause des plis ce pourrait tout aussi bien être un scarabée. J'agite la main et, en m'éloignant, trébuche contre un corps allongé sur le trottoir. Un bout de nez dépasse d'une capuche. « Dormez en paix, Milevna, dormez... » Elle fait « Oui, oui... » de la tête et m'indique du menton un endroit derrière moi. Je me retourne. Sur le pont supérieur, agrippé aux rambardes, ils sont tous là pour les adieux. « Allez-y, c'est le moment... », m'intime-t-elle d'un ton ferme mais bienveillant. Je lui presse le bras, et me hâte, plein d'appréhension. Après des semaines à errer sans orientation claire, il est temps d'en finir. Cela s'annonce difficile, mais proche de mon point de départ je sais que maintenant je vais trouver.

J'éprouve une grande lassitude en grimpant les derniers échelons jusqu'à la plate-forme, qui rutile de blancheur. Là, un frisson me saisit : c'est le souffle des sommets de la Souabe depuis le Feldberg, ou celui de l'Atlantique des hauteurs du World Trade Center.

Erick m'accueille, les autres se dispersant nonchalamment autour de nous, le long des garde-fous.

— Regarde, dit Erick en pointant le doigt vers la poupe.

Au loin, sous un ciel noir, un orage déverse le rideau de ses trombes. Sous l'éperon des éclairs, tel un haut-relief en perspective, se dresse le *skyline* de Chicago irisé d'arcs-en-ciel, et qui tremble dans le voile liquide. La ville semble plantée sur son rivage comme une miniature, souvenir de pacotille délaissé sur la murette d'une terrasse.

— L'Ouest, c'est terminé, Markus...

Il m'amène près du compas gyroscopique, en tapote le cadran, mais l'aiguille reste bloquée sur la ligne de foi.

— C'est mon dernier voyage ?

— Sept fois tu as pris la route, et chaque fois tu n'as embrassé que de l'air, cela ne te suffit pas ?

— Où est l'issue ?

— Tu n'as pas grandi, Markus. Tu as parcouru toutes ces années à la recherche de ce que tu vivais malgré toi...

— ... Que j'espérais vivre *avec* toi...

— Ç'a été là ton illusion : tu dépossédais le présent de sa substance au nom d'un avenir qui te la restituerait au centuple. Cette visée était aussi chimérique que ta course était vaine.

— Oui je sais, maintenant. Comme les émigrants qui découvraient bien plus tard qu'ils avaient vécu dans leur épreuve la partie la plus intense de toute leur vie.

— ... Plus rien d'exaltant, en tout cas, sinon la nostalgie de l'extraordinaire aventure. Tu as traversé Cíbola, et c'était un mirage.

— Quel virage, quel carrefour, quelle station ont été manqués ? Quel maillon s'est rompu ? Était-ce bien toi que je poursuivais à travers ces frontières, ces années ? Où est l'issue, dis-moi ?

Une fugitive vision s'impose à moi : au bout du dernier couloir, une dernière porte s'ouvre, et, m'asseyant sur le seuil, en larmes, je pressens qu'il ne me sera peut-être plus nécessaire de partir, je suis arrivé...

Erick étend le bras.

— Elle est devant toi, autour de toi. L'Amérique n'a jamais été que le détour qui te poussait toujours plus avant. Et plus tu avançais, plus le vide se creusait sous toi. Du moins es-tu prêt à sortir de l'impasse. Ou presque...

— Comment ? Jamais je ne me suis préoccupé du mot *vérité*. Ma vérité, c'était mon propre mouvement, cela me comblait.

— Oui, c'est ça, en vadrouille perpétuelle sur les flots clairs, n'est-ce pas ? ironise Erick, mais affectueusement. *Pierrot le fou*, ce n'était qu'un film, les *Illuminations* qu'un bouquin à l'encre depuis longtemps bue par les sables. Des réponses dépassées...

— Ce n'est même pas sur la réponse que je m'acharne, car qu'est-ce que j'en ferais ? Non... Mais je voudrais qu'au moins la question m'éternise.

— Il n'y a plus d'Amérique, Markus, *tu es l'Amérique*. Elle est en toi l'image qu'il faut traverser, pour être libre enfin...

Je tressaille. Me guidant sur les modulations, qui n'avaient pas cessé, je fouille des yeux la crête et crois apercevoir Hector, entouré des siens. Des volutes de fumée couronnent leur conseil, s'élèvent en spirale dans le ciel. (« Qu'est-ce qu'ils baragouinent ? » demanda Charles.) Ou bien est-ce la chute du Grand Aigle des rosées ?

— ... À la façon du « navigateur de l'esprit » de Nietzsche, qui s'interroge sur la vérité de l'Ouest, poursuit Erick. La vérité, c'était la tâche, et tu l'as accomplie. Tu nous as rassemblés, nous sommes ici...

Je sursaute.

— Moi, je... ? C'est *moi*, dis-tu ?

Erick garde les yeux vrillés dans les miens, un sourire étrange aux lèvres.

— Et tu l'écriras, ce livre que nous devions *vivre* ensemble, énonce-t-il distinctement.

Une émotion aiguë me cingle comme un éclair, douloureuse et pourtant exaltée, bouffée d'un bonheur inconnu qui me laisse sans voix.

— Il faut maintenant te séparer de nous. Ce navire n'ira plus nulle part, Markus.

La peur me tord à nouveau le ventre.

— Je... je suis bien ici, non ? balbutié-je sans trop y croire.

— Tss... tss...! Souviens-toi de ce que tu rétorquais toujours à ceux qui essayaient de te retenir : « Ce n'est pas d'être protégé, le but de la vie. » Eh bien, pas davantage aujourd'hui, camarade !

— Mais où est la direction ?

— Tu la trouveras.

— Il n'y en a plus...

Comme le marin saisi par le mal de mer, je veux raccrocher mes yeux à l'horizon. Les plaines se déroulent en une ligne continue et circulaire, un trait tiré sur l'écran transparent du vide, l'épave au milieu de rien.

Chante en moi ce vers d'Apollinaire, comme un soupir : « *Mon beau navire ô ma mémoire...* »

Les autres sont demeurés muets, attentifs, à proximité et pourtant insaisissables, mais tendus vers moi, ainsi qu'on aide un blessé rétabli à franchir le pas. Je les dévisage un à un. Ils rayonnent, et leur béatitude m'irrite. Pourtant, la gorge étreinte, je souhaiterais m'enfouir en eux, m'abriter de leur présence, forger de leurs corps un rempart contre le néant. Mais, unique maître de ma réalité, je ne peux plus me défiler. Le plus dur reste à faire : ni à l'Ouest ni vers l'Orient, mais au centre des points cardinaux de mon présent.

Je perçois enfin ce qu'ils exigent de moi, ce qu'ils *m'offrent* : me conduire vers le seul dénouement possible, la fermeté de tourner la dernière page. Plonger dans l'œil de la tornade jusqu'aux archipels sous-marins. L'orphelin sur les fonts baptismaux, parmi les manèges de la fête noire et les constellations du Milieu. Ou bien l'avènement du cinquième soleil, ou l'invisible septième rayon. La rose des vents mutilée de ses aires : le gouffre du papier blanc et, oui, *le roman à écrire.*

Erick me prend par le bras et m'entraîne dans l'escalier, acteurs et figurants à notre suite dans un murmure cascadant de conversations. Sur le pont les gens applaudissent en s'écartant. Les enfants bondissent autour de nous et le soleil bouge dans les lys des robes, fait jaillir des roses sur les lèvres – et c'est comme du vin, ou du sang –, et elles sont là, les cheveux gonflés par le vent, dans la farandole des étoffes de Oaxaca et des *bahianaises* de Salvador : le feu et la chair d'Eurydice. Depuis les quais monte une musique de parade, on dirait que le navire vient d'accoster après une longue attente dans la rade et que la foule joyeuse se prépare à débarquer. Mais personne ne descend plus de ces flancs rouillés... Tous se pressent en demi-cercle devant la coupée, les visages tournoient à travers la buée de mes larmes, unis dans l'éblouissement d'un midi perpétuel. Françoise se détache, rougissante, et m'embrasse furtivement, les joues humides et brillantes. Ceux des cuisines assistent à la scène depuis l'entrepont. Sonny aussi pleure. Suzi lui assène un petit coup de casserole sur le sommet du crâne, et un poudroiement auréole sa face de Pierrot. Puis Eugen renifle bruyamment, agite sa louche d'un geste large, impatient de se remettre aux fourneaux. Ce bateau qui ne lèvera plus l'ancre...

Chancelant, je m'engage en haut de l'échelle. Alentour, et au-delà d'eux, un espace nu, la steppe, confins du Sonora ou le Llano Estacado du Texas, champs livides de Death Valley, ou peut-être le souvenir de Gobi...

— Je me rappelle même ça, commandant : *l'échelle de coupée*, doit-on dire, et non la *passerelle*, n'est-ce pas ?

Il acquiesce, visiblement fier de mes acquis maritimes.

Avant d'entreprendre la descente, je me penche pour sonder l'ombre de la coque, piquée d'étincelles dansantes. Le nom du bâtiment est brouillé sous plusieurs couches de peinture écaillée.

— Était-ce l'*Arabella* ? le *Mayflower* ? le *Susan Constant* ? *Discovery* ou le drakkar d'Oseberg ? Peut-être le *Lydia*, ou l'*Argo* ? Dites-moi...

— Va..., fait Erick doucement en clignant des yeux.

Image fugace des navigateurs vikings morts au combat, qu'on lançait en mer dans leur vaisseau en feu...

— Adieu, Erick, dis-je, la poitrine oppressée.

Des vivats fusent.

— Adieu, Markus ! *Leb' wohl*, Marco ! Markino *for ever* ! ¡ *Adiós, Marco !* Adieu, Erick !... entonnent les voix du chœur.

Alors, me détournant d'eux dans un ultime sursaut de vie, je comprends en entrant dans la pure clarté du zénith que j'ai sauvé le temps. « *En vous quittant, j'entrevoyais l'issue...* » Ce moment où l'on cesse d'être celui qu'on croyait pour devenir cet autre sur la page, comme on se livre à la bouche noire...

C'est peut-être cela, la voie, ciseler la durée dans le cuivre, la découper en unités sonores ou la modeler avec des phrases, l'ordonner dans une cohérence, un objet palpable, définitif. L'œuvre trop longtemps reportée ? (« Le jour où nous serions réunis », pensions-nous.) Et, pourquoi pas, réaliser le vieux rêve à l'origine de tout, qui me délivrerait d'Erick, et de l'Amérique : oser la première trace sur la première page...

Les derniers chuchotis s'estompent, et tout s'évanouit dans un vertige de lumière, l'éclat mat d'un son blanc – seulement le souffle du silence dans le désert.

▼

Mk releva la tête du volant. Devant lui, une enfilade de poteaux s'amenuisait à perte de vue sous la pression de l'air chaud. Comment avait-il abouti là ? Il ne se rappelait pas. Tout autour, l'horizon liquéfié flottait comme la lisière argentée d'un mirage des sables. « Pourtant, l'Ouest c'est fini... », se fit-il la remarque. Rien ne bougeait. Une voiture passa, puis une autre. Une spirale poudreuse fit remuer un buisson, emporta la vision, et tout redevint calme.

Un rire retentit. Surpris, Mk tourna la tête, plissant les yeux sous la réverbération. Dans le cadre de la portière, une petite fille en robe blanche courait sur la pelouse en pente d'un motel isolé. « *Nellie, come back !* » criait la mère. « *Leave it to her !* » objecta l'homme, apaisant. La fillette perdit l'équilibre, ses rires se transformèrent en petits glapissements d'angoisse. Alors qu'elle allait tomber, le père d'un bond la rattrapa au vol. La petite gloussa de plaisir.

(Qui est-elle ? L'enfant que nous n'avons pas eue ? Mort-née dans une chambre aux fenêtres glacées, jetée aux toilettes, la petite fille avec qui le monde recommencerait, et le temps à nouveau devant soi...

Et qu'était devenue la jeune Nélie qui, il y a si longtemps déjà, s'élançait vers l'avenir avec l'innocence et la certitude de n'être jamais abandonnée ? Ce matin, elle avait retrouvé le lieu de sa naissance.)

Mk parcourut l'étendue du regard. Des taches vives miroitaient de-ci de-là. Était-ce encore le désert ? Ou les plaines océanes sillonnées de vaillants *schooners* ? L'espace était partout sans limites. Il reposa les bras sur le volant et y appuya le front.

(Je suis revenu. Je suis là. Oui, Erick, le plus difficile a été accompli... Du moins le passage est-il maintenant possible. Où et de quoi est mort Coronado ?)

Une bouffée brûlante traversa la voiture, pleine du parfum âcre et mielleux des sauges. « *Daddy ! Daddy !...* » Les accents éperdus de l'enfant firent se redresser d'un coup Mk. Quelle était cette statue sous les peupliers noirs ? Il sentait la transpiration dégouliner de ses tempes, de son cou, coller sa chemise contre le dos du siège. Il prit le bloc posé à côté de lui, et nota :

Je vous avais dit que je vous raconterais. Et parce que je suis ici aujourd'hui, et que l'Amérique se défait en moi, se confond avec la ville qui sombre dans le lointain, comme si elle allait se dissoudre dans la lumière trop forte, je me décide à vous écrire...

Puis il griffonna dans la marge : « *Voir. Dans ce ton-là. De Neustadt 65 — à New York 1984.* »

Il fallait repartir. Plus loin, sur les panneaux à contre-jour de l'embranchement, les indications n'étaient pas lisibles mais Mk les connaissait : *80 EAST – NEW YORK* sur la gauche et *80 WEST – SAN FRANCISCO* sur la droite. Il n'avait aucune idée de la destination qui lui faisait face. Laissant s'apaiser en lui la rumeur de Chicago, et le tumulte des années, des visages aimés et des vies vécues, il mit le moteur en marche. Il tourna machinalement le bouton de la radio, qui grésilla, l'éteignit d'un coup brusque. Un camion le doubla en soulevant un nuage de poussière. Mk releva la vitre, démarra et roula

lentement sur l'accotement. Juste avant d'aborder l'enchevêtrement de bretelles, il déboîta avec précaution sur la chaussée,
rejoignit la voie du centre et, retenant son souffle, accéléra. Au
dernier moment, il pensa au vieux marin qui espérait échapper
à la mort en fuyant sur un bateau.
    À la croisée du carrefour, il eut la brève sensation de se
perdre dans un trou d'air – ou un trou de mémoire.

    Il émergea de l'ombre. Un bref coup d'œil dans le
rétroviseur le rassura : la route bouillonnait derrière lui comme
du métal chauffé à blanc. Le mur invisible était franchi, qu'il
avait pendant si longtemps affronté à mains nues, en aveugle –
depuis toujours, lui semblait-il. Il fonçait maintenant avec un
sentiment de grande acceptation.

Ne m'attendez plus, je ne rentrerai pas.
Markus.

    Midi nu sur la nudité du monde, — né.

Quand nous avons quitté le
cours de l'Océan, nous voguons
sur la mer, et le flot du grand
large nous porte en Aiaié, vers
ces bords où, sortant de son
berceau de brume, l'Aurore a
sa maison avec ses chœurs et
le Soleil a son lever. On aborde;
on échoue le vaisseau sur les
sables et nous nous endormons
jusqu'à l'aube divine.

(CHANT XII)

(HOMÈRE, *Odyssée* [traduction V. Bérard], Librairie Armand Colin, 1931, Le Livre de Poche, 1972, p. 220.)

Ce premier tirage a été
achevé d'imprimer en septembre 1995
sur les presses de l'Imprimerie Gagné,
Louiseville, Québec.